طابق 99

رواية

جنى فواز الحسن

منشورات الاختلاف
Editions El-Ikhtilef

منشورات ضفاف
DIFAF PUBLISHING

الطبعة الأولى

1435 هـ - 2014 م

ردمك 978-614-02-1127-8

منشورات ضفاف
DIFAF PUBLISHING
هاتف الرياض: 966509337722+
هاتف بيروت: 9613223227+
editions.difaf@gmail.com

منشورات الاختلاف
Editions El-Ikhtilef
149 شارع حسيبة بن بوعلي
الجزائر العاصمة - الجزائر
هاتف/فاكس: 21676179 213+
e-mail: editions.elikhtilef@gmail.com

إن الآراء الواردة في هذا الكتاب لا تعبر بالضرورة عن رأي **الناشرين**

ربما ليس الوطن مكاناً ولكن شرطاً لا يمكن إنكاره.

جيمس بالدوين

الفصل الأوّل

-1-

نيويورك ربيع 2000

عندما بدأت علاقتي بهيلدا، كان يحلو لي أن أتأمل انعكاسها في المرآة لساعات. كنت أتعمّد اصطحابها إلى المقاهي والأماكن الّتي تنتشر فيها المرايا. وكنت أنظر إلى تكاوينها في المرآة أكثر ممّا أحدّق بها مباشرةً، كأنّي أتعمّد خلق تلك المسافة بين ذاتها وانعكاسها، لأنّ احتمالات المرء في غالبية الأوقات أكثر شبهاً به، ولأنّ تلك النفس الخاصّة تتطلّب شجاعةً استثنائية للنظر إليها.

غالباً ما كنت أختلس النظر إلى عينيها العسليتين، وأجول بعدها بين أنفها الدقيق وشفتيها الممتلئتين والمسافة الصغيرة بين الإثنين. شيءٌ ما بين الأنف والشفة العليا للمرأة كان يغريني دوماً، تلك الطراوة ربما، إضافةً إلى طول أصابعها وحجم كفّيها، كأنّ اليدّ تبوح بما يخفيه باقي الجسد.

كنت أتأمّل وجهها حتى تنظر إليّ فأشيح عندها نظري عنها، وأوجّهه مجدّداً إلى الزجاج. ومتى اختليت بنفسي، كنت أقارن دائماً بين هيلدا الّتي أتحسّسها وانعكاسها، إلى أن بلغ بي حدّ الجنون أن صرت أضاجعها أمام المرآة، وأطلب منها أن تراقب نفسها وتنظر مطوّلاً إلى حركة جسدها، فأجدها تتلفّت بخجل إلى أردافها حتى أسفل ركبتيها،

ثمّ تبتسم، وتدفن رأسها في أقرب جزءٍ من جسدي إليه. في تلك اللّحظات، كان شعرها الطويل البنيّ والناعم ينفلش على كتفيها وذراعيّ، فتبدو كاللّاجئة الّتي تدير ظهرها للحياة وتحتمي بي.

لسبب ما لا أزال عاجزاً عن تحديده، عندما بدأت هيلدا تستمتع بلعبة المرآة، صرت أكرهها، وأتمنّى لو لم أعلّمها إيّاها يوماً. بدا الأمر كما لو أنّها اكتشفت سرّي أو سرقت تصوّري عن حقيقة الإنسان وانعكاسه. كنت أخاف أن تتمكّن من التفوّق على كونها مجرّد ذاتها، وتصبح تلك الاحتمالات العديدة الّتي قد يبقى المرء جاهلاً بها ما حيِيَ.

أمرٌ آخر تغيّر حين صارت هيلدا تنظر إلى المرايا، بتّ أشعر بالعجز أمامها. لم أعد أستمتع بلعبة الانعكاسات، وصرت أستشيط غضباً كلّما رفعت رأسها أثناء المضاجعة لتراقب نفسها، وأنتظر مرور الوقت لكي تدفن رأسها بين أعضائي بخجل كما اعتادت. لكنّ المدّة باتت تطول مرةً تلو الأخرى. لم تعد هيلدا تلجأ إلى جسدي بعدما تتوقف عن مراقبتنا ونحن نقوم بفعل الحب، بل صارت ترمقني بنظرات حادة، وتسحبني هي إليها، فألجها بعنف حتى تستسلم وتتلاشى بين يديّ.

كانت الصغيرة تفرّ مني بعدما علّمتها أن تسعى وراء ذاتها وأفشيت لها سرّي عن غير قصد، كرجلٍ معتوهٍ وأبله. كلّما أمعنت في النظر إلى المرايا، ازداد تحديقي بها وتركيزي عليها، ومعهما، مواجهتي مع ذاتي. صارت تفتح عينيها الّتي كانت تغمضهما لتتلقّى قبلتي ولم أعد أستكين سوى عندما تستسلم للعتمة كأنّ ذلك دليل على انغماسها في فعل الحب وانقطاعها التام عن العالم الخارجيّ.

كان زمن طويل قد مضى منذ أن راقبت ملامحي، ولفترة بسيطة، كدت أنسى تلك الندبة في وجهي، الممتدّة من عيني حتى أسفل خدي

الأيسر. والحقّ أنّي لم أكن أحاول أن أتجاهل تلك العاهة المستديمة في تكويني الخلقي، ولكني فعلاً كنت أنسى وجودها أحياناً، تماماً كما نسهو عن أمورٍ كثيرة في الحياة، ولا نستعيدها إلّا مصادفة أو إن شاءت متطلبات الأيّام ذلك.

نسيت أموراً كثيرة مع هيلدا، كأنّها لم تكن يوماً: أسواق صبرا وشاتيلا ورائحة عرق المارّة فيها. المنازل الضيّقة الأشبه بعلبٍ كرتونية متلاصقة والغرف العشوائية الّتي بناها أهل المخيّم لاحقاً حين ضاقت الأرض بهم. "الأرض الضيّقة"، هكذا يصفها قريبي محمّد الّذي يعيش "هناك". أرضٌ غاضبة تبدو كأنّها تتحضّر لابتلاعنا، مستاءةٌ منّا ليس لأنّنا نحتلّها بل لأنّنا وإيّاها قدران يتشاركان البؤس والرغبة في الخلاص منه. رمونا نحن فيها، وارتمينا نحن علينا وبتنا والاسمنت محتجزين في بضعة كيلومترات يستحيل أن تحتضن ماضينا وذاكرتنا، مستسلمة لكونها حاضرنا وعصيّة على مستقبلنا. هكذا هي مخيّمات اللّجوء، ليست منزلاً ولا وطناً بل أماكن مكتظّة، ليس إلّا.

نسيت الندبة في وجهي، ورجلي الّتي أعرج بها، والألم الّذي حذّرني الطبيب من أنّي قد لا أحتمله. نسيت ثقل الجسد والهموم اليوميّة والتعب. نسيت؟ أم تراني تناسيت؟ وما النسيان سوى تعطيلٌ موقت للجراح، لا تلبث عجلاته أن تعود إلى الدوران عند بلوغ المحطة التالية.

كان القطار يقترب إلى نقطة الوصول. وكنت أنا وحبيبتي، كلٌّ يشدّ على يد الآخر، كأنّه على يقين بأنّ قلبه يفرّ منه، فيحاول أن يصطاد الدمّ بالأظافر، أو أن يمسك شعلة بدايات الحبّ في كفّه كي لا تزول، وإذ به تقبض عليه النار، فيحترق.

كانت الأوقات تمرّ بسرعة وأنا أنتظر لقائي بها، فأبتسم من تلقاء نفسي وأنا أختلق أحاديث غالباً ما لا نحكيها. حتّى الانتظار لم يكن عبئاً، بل مساحة طغت عليها لذّة تخيّل هيلدا: ماذا ستلبس، تنانيرها الواسعة أو سترتها البنفسجية المفضّلة؟ أيّ عطرٍ ستضع؟ وهل ستغيظني وتمتحن إن كنت حفظت اسمه، كيف ستحرّك فمها وهي تأكل، كم مرّة سوف تضحك؟ وبم ستخبرني عن أصدقائها، وممّ قد تتذمّر. هل ستريني حركة جديدة مبتكرة في الرقص وهل ستسمّرني على الكنبة لكي أراقب جسدها يتمايل.

كلّما فكّرت في هيلدا، شعرت كما لو أنّ خلايا الجلد الّتي تآكلت من وجهي ورسمت فيه تلك الندبة، صارت تلد خلايا أخرى نضرة وطازجة، وأنّ جلداً ينبعث من تحت اللّحم، وأنّ الدمّ بات أخضر يزهر كريات بيضٍ وحمرٍ وصفر لأصبح فجأةً جميلاً.

ولكن منذ أن قرّرت فتاتي الصغيرة أن تبتعد عني قليلاً، بعدما تذمّرت مراراً من غيابي المتكرّر عنها، وصارت تتحايل على الوقت لتجد ما تملأه به، صرت أختنق كلّما عانقتها. ولمّا كنت أطوّقها بذراعيّ وأشدّها إلي، كنت أشعر أن هناك مسافة تمنع جسدينا من التلاصق، فتبدو لي خاصرتها كأنّها مشدودة إلى الوراء، متمنّعة عن الالتئام بي. صرت أحسّ بذلك حتى في أكثر لحظاتنا تقارباً وحميمية، كأنّ فجوة في الوسط تدفعها بعيداً عني.

كنت أستيقظ منتصف اللّيل وأجلس على حافة السرير أتأمّلها، نصف جسدها مدثّر والنصف الآخر بلا غطاء، راغباً بأن أوقظها وأتكلّم معها طويلاً. كنت أعرف أنّه يمكنني بسهولة أن أصدر ضجيجاً فتشعر بأرقي وتسألني إن كان كلّ شيء على ما يرام. حدث ذلك

عشرات المرّات. كان يكفي أن أستغرق في سعالٍ مفتعل أو أن أتظاهر بأنّي قمت لأسكب كوباً من الماء، لتفتح عينيها وتمدّ لي يدها لتطمئنني أنّها هنا، فأوجّه إليها أيّ سؤال تافه، ليكون مدخلاً إلى أحاديثٍ امتدّت أحياناً حتى الفجر.

بعد أن تصغي هيلدا إلى ثرثرتي، كنت أتمكّن دوماً من الاستسلام مجدداً إلى سبات عميق، مغمض العينين، خالياً من القلق، ومستغرقاً في راحة لا تضاهى. لم أنتبه يوماً أنّ حبيبتي كانت تعجز بعد تلك الجلسات اللّيلية، عن أن تعاود النوم. ولم يخطر لي، وهي مستلقية بقربي، أن أفكّر بما كانت تحلم، أو أن أسأل نفسي حتّى إن كنت سلبتها النعاس، أو قطعت عليها خيالاً أبحرت فيه. كنت أشعر بالامتلاء فحسب، وبأني أفرغت الحمولة عن ظهري وبات في إمكاني إكمال سيري قدماً.

والآن لم أعد أجرؤ أن أنتهك سباتها وأزعجها. كنت أشعر أن يديّ ترتجفان تلقائيّاً إن حاولت أن أمسّ خصلات شعرها أو ألّفها بين يديّ برقّة. وهي تغفو هنا في فراشي، على مسافة شبر من ذراعي، كانت تبدو لي شديدة البعد، كأنّي لن أدركها مجدداً، وكأنّ دهراً سيمرّ على شفاهي وهي تستجدي منها قبلةً أو كلمةً تثلج قلبي، وكأنّها وإن بقيت تناديني حبيبي حتى نهاية العمر، لن يكون وقع النداء كما كان. وبدا وجودها هنا، على هذا النحو، عقاباً لي لست متأكّداً إن كنت أستحقه.

قمت من السرير، واتّجهت إلى الباب الّذي اتّكأ عليه عكّازي، ولكنّي لم ألتقطه. أبعدته، ورحت أجول في المنزل برجلي الّتي أعرج بها، متعمّداً أن أسرع في خطوي وأن أغرس قدميّ في الأرض، كأنّي أتمنّى أن يتداعى الجزء الأسفل من جسدي، تحديداً الطرف الأيسر، على الرخام، لأتخلّص من هذا الحمل الثقيل.

وللحظة، متيقّناً أنّ ما أفعل لن يؤدي إلى النتيجة المنشودة، فكّرت أنّي ربما كنت أحاول أن أثبت لنفسي مرّة أخرى أنّي ذاك الرجل الفولاذي الّذي لا يثنيه شيء عن المشي، والاستمرار والتقدّم، وأنّي كنت في حالة تحدٍّ مع جسدي، أتشاجر معه أحياناً، أشتمه وأغضب منه، وأحنّ عليه مرّات أخرى فأحتضنه.

بعدما تعبت وأهلكت رجلي بما يكفي حتّى باتت مخدّرة لحدّ فقدان الشعور بها، تمدّدت على الكنبة الحمراء الكبيرة الّتي كانت هيلدا قد اختارتها مع الكراسي الأخرى العسليّة اللون والطاولة الخشبية في وسط غرفة الجلوس. في الواقع، غيّرت هيلدا كلّ أثاث المنزل حين انتقلت للعيش معي. مزهريات كريستالية للديكور، وآنية فضيّة وشموع برائحة الكرز والتوت البرّي، وستائر حديثة ملوّنة، وسيراميك برتقالي وأبيض للحمّام. قلبت كلّ شيء رأساً على عقب.

على الرغم من أنّني أصبحت ميسور الحال نسبياً بعد معاناة سنوات من الحرمان، لم أتمتّع يوماً بالذوق الرفيع كأنّ ذلك خاصيّة للمترفين، تولد معهم ولا يكتسبها الفقراء. كنت أشتري شراشف عادية بيضاء، وقطع أثاث غير متناسقة في معظم الأحيان. ولم أكتشف بلادة أجواء المنزل حتّى غيّرته هي. وبدا اللّون الزيتي القاتم والخشب البنيّ الداكن الّذي كان يظلّل معظم أرجاء المنزل كأنّه امتداد لبيتي القديم، كأنّي نقلت المخيّم إلى هنا من غير قصد.

ابتسمت حين نظرت إلى المكان، وقد خفّ الألم في قدمي. كانت ابتسامة المنتصر على نفسه، ورحت أدندن لحناً أندلسيّاً ليظلّل وحدتي ويخفّف شيئاً من وطأة الذكريات.

الغناء أيضاً فعل مقاومة، ألم يستعمله الأسرى في المعتقلات والسجون كتعويض عن الأنين، فكان لهم شقّ من النور المنقطع عنهم، ووسيلة للتحايل على الحنجرة، ليشعروا أنّ لهم صوتاً خاصّاً بهم ما زال يستطيع أن يصدح. بقيت أدندن وأنا أفكّر بكلّ المعتقلين مسلوبي الحرية حتى غفوت وحلمت أنّ أنغامي اتّجهت صوبهم واتّحدت بألحانهم وعلا صوتنا موحّداً ليكسّر أبواب زنزاناتهم.

-2-

أيقظتني هيلدا في الصباح وهي تمسّد وجهي بأناملها وتهمس باسمي لكي أصحو من النوم. "مجد... مجد... مجدي..."، بقيت تردّد اسمي حتى فتحت عينيّ ونظرت إليها. ابتسمت. بادلتها بالمثل وحلّ الصمت لثوانٍ بيننا.

"لقد حضّرت لك القهوة. أنظر أحضرت لك كوباً جديد". أشارت إلى المنضدة حيث وضعته. كان فنجاناً كبيراً أبيض اللون نقش عليه بحروف كبيرة "Big Hug Mug" باللّون الأحمر. "إنّه من تصميم كايت سبايد. اشتريته البارحة من متجرٍ في التايمز سكوير. في الواقع، اشتريت أشياء كثيرة، أقراطاً لأمّي وأختي من تيفانيز. تعرف كيف هي والدتي، يجب أن تكون هديّتها من أفخم متاجر المجوهرات لتتباهى أمام صديقاتها... لماذا لا تقول شيئاً؟ ألا يعجبك الكوب؟". كانت تتكلّم بسرعة كأنّها تحاول أن تتهرّب من الموضوع الرئيسي. كانت تعرف، وأنا أيضاً كنت أعرف. ولكنّنا كنّا في حالة تأجيل للكلام، تأجيل للاعتراف بالمعرفة. أخبرتني بهدوء الأسبوع الماضي أنّها تنوي العودة إلى بيروت في زيارة قد تطول بحسب مقتضيات الأمور.

"أي أمور؟"، سألتها. "أي أمور؟ لا عمل لك هناك. حياتك هنا. أشغالك هنا. بيتك هنا. لماذا تذهبين إلى هناك؟".

لم تُجِب هيلدا كأنّها تعطيني فرصة أكبر للاعتراض على سفرها. "وأنا؟ ألم تفكّري بوقع غيابك عليّ إن طال؟". استرسلت حبيبتي في صمتها كأنّها تستدرجني إلى المزيد من التذمّر واستجداء بقائها. وكأنّي تيقّنت في لحظة أنّي أستجيب إلى مبتغاها. أطبقت شفتيّ وأشحت نظري عنها وتوقفت عن الكلام.

مضت بضع دقائق من السكوت التام قبل أن تبادر هيلدا إلى تبرير رحيلها وتحكي عن صراعها المستمرّ بين "الهنا" و"الهناك". قالت لي أنّها في حاجة ماسّة إلى العودة، أنّها يجب أن تواجه ذلك المكان لتتمكّن من أن تفهم أين تقف الآن. قالت إنّها تشعر بالغربة وإنّ وطأة الزمن الّذي أمضته بعيدة عن ذاكرتها تبدو شديدة ومؤلمة، وراحت تؤكّد أنّها ستعود وأنّ ذهابها ليس محاولة للتنصّل من حبّنا.

- لست راحلة عنك. أحتاج فقط أن أذهب إلى بلدتي ولو لبضعة أسابيع. أحتاج أن تفهمني الآن. لا شيء سيزعزع حبّنا.
- سينتحر الحب حين تذهبين... ستستغرقين في عالمهم وتصدقين ما قد يخبروه عني.
- لن يحدث هذا.
- ماذا ستقولين؟ أنا مغرمة بفلسطيني أعرج؟
- لن أقول شيئا. لست ذاهبة لأقول شيئاً. حاول أن تفهم ذلك. أنت لست فلسطينياً أعرج، أنت الرجل الّذي أحب.
- اذهبي. ولكن ذهابك سيعني أشياء كثيرة.
- تهدّدني؟
- أخبرك فحسب.

حاولت أن تنظر إليّ بتحدٍّ، ولكنّ الانكسار والحزن غلبا عينيها، وبدت كأنّها تحاول أن تقاوم الجدال معي وتستنجد بالصمت. ربما كانت تريد منّي في لحظة ما أن أطمئنها وأقول لها إنّ هناك متّسعاً في ذاكرتها لكي نملأه سويّاً وأن أستميت في الدفاع عن هذه الـ "نحن"، وأتوسّلها البقاء في نيويورك، وأقنعها أنّها تنتمي إلى هذه البلاد وإنّ "العم سام" لن يوافق أبداً على رحيلها. ولكنّي لم أفعل وبقسوة متعمّدة، قلت لها إنّي أتمنّى لها التوفيق، وإنّي سأحاول انتظارها وأملأ الفراغات بحصّتي من تلك المواجهة أيضاً. قلتها باستكبار وتعجرف، لا كما يجب على عاشق أن يقول لحبيبته إنّه سيكون هنا حين تنتهي من رحلة المواجهة، أو إنّه سيكون بقربها حتّى في غيابها.

نظرت إليها بشراسة. ركّزت نظري على كتفيها ثمّ رفعته حتى صار وجهي بموازاة وجهها. بقينا نتبادل التحديق، أحدنا في عينيّ الآخر، كأنّنا ننتظر من سيشيح بنظره أوّلاً عن الآخر، تماماً كما في المبارزة. أردتها أن تغمضهما، أن تحزن، أن تخاف، ولكن أن أراها هكذا كأنّها عصيّة على التراجع. هذا ما أثارني.

بدونا في تلك اللحظة تائهين، وفي أمسّ الحاجة إلى عناق قد يساعد جسدينا على الالتحام بقوّة. كانت الرغبة تدور في فلكنا، شرسة تارّةً، وواهنة ومستسلمة أخرى. وكنت أحدّق إلى كتفيّ هيلدا، وتناسق طول عنقها مع حجمهما، وأتمنّى لو أشدّها إلى صدري وأخبرها كم هي جميلة، وكم أرغب بأن أحتفظ بها هنا، ملاصقة تماماً لقلبي. ولكنّي لم أفعل، وقلت لها عوضاً عن ذلك إنّي مذعن لقرارها، لكي أبدو في مظهر الرجل الحضاري الّذي قد يرضخ لفكرة الخسارة ويتظاهر بقبولها برحابة صدر.

في الأيام الّتي تلت، وهي توضّب أمتعتها وتستعدّ للرحيل، كنت أراقبها عن بعد وهي تطوي فساتينها بعناية وترتّبها في الحقيبة، وكنت أرتعب خائفاً من فكرة أنّ المنزل سيخلو من أشيائها، ومن أنّني لن أرى آثار الماء على فرشاة أسنانها في الصباح، ولن أجد بعض شعيراتها العالقة في المشط على المنضدة، ولا ثيابها الداخلية ملقاة أرضاً.

في تلك الفترة، لم تعد فكرة احتلالها خزانة ملابسي بأغراضها تزعجني، بل كنت أهمّ أن أقول لها إنّه يمكنها أن تأخذ كل شيء، أن تحشرني في طرف السرير وتسحب الأغطية كلّها في اتّجاهها، وتشاهد كل البرامج الّتي يحلو لها أن تتابعها على شاشة التلفزيون، وإنّني لن أعترض على كل هذا طالما أنّ حضورها سيبقى طاغياً، وطالما أنّه سيكون في إمكاني توسّدها في المساء، حين تخلد الحياة إلى النوم.

كنت أتذكّر اللّيلة السابقة وكيف شدّت رأسي إلى صدرها، وأسندته إلى الجهة القريبة من القلب. لم تقل شيئاً ولكنّها بكت. لم تكن دموعاً غزيرة، بل بكاءً مركّز. تساقطت دمعة وراء الأخرى في لحظات متباعدة. كانت كل نقطة تسقط على رأسي كأنّها قبيلة من الدمع، كأنّها بحدّ ذاتها حكاية، حكاية الحب الكبير الّذي اتّهمتني بأنّي لم أفهمه وقضيت عليه بيديّ.

شعرت حينها كأنّي قطّة تأكل صغارها خوفاً عليها خصوصاً إذا ما ولدوا ضعفاء البنية. ولكنّها كانت لا تزال هنا في تلك اللحظة وأنا أيضاَ، لم أبتلعها. لماذا إذاً خَفَت الأمل في استعادة الحب؟ لماذا عليها أن ترحل إن كان ذهابها سيكون مبللاً بالدمع؟

"أنا لا أبكي بسببك، أبكي بسببي... ستفهم حتماً يوماً ما".

لكنّي لم أفهم شيئاً خصوصاً إصرار النساء على الالتباس. لم أعرف ما الّذي قد يكون مغرياً في ماضٍ قرّرت أنّه ليس مكانها. لم أفهم الحنين ولا استحالة الانفصال عن الذكراة. كنت أحسبها مختلفة كتلك النساء المستحيلات، اللّواتي يركلن كلّ ما قد يشدهنّ إلى الذكريات السّيّئة بعنف، ولا ينظرن إلى الوراء. وكنت أراها تسدّد لي ركلة كهذه يوماً ما، وظننت أنّ خطوة استباقية في التخلّي عنها قد تجنّبني عذاباً لا بدّ أنّه سيأتي.

عندما أتى موعد سفرها، وقفت على مسافة من بوابة المنزل وأنا أراقب السائق وهو يوضّب حقائبها في السيارة. رحت أفكّر بالحيل الّتي قد يمكن اتّباعها لعرقلة رحيلها، كإقفال مداخل ومخارج المبنى والتظاهر بفقدان المفاتيح، أو حتّى تنفيس الإطارات لمنعها من الوصول إلى المطار في الوقت المناسب، ولكنّي كنت عاجزاً ضمنيّاً عن اتّخاذ موقف متشدّد إزاء قرارها لأنّي أردت لبقائها قربي أن يكون أمراً تلقائياً نابعاً منها.

كانت رغبتها تجاهي الأمر الوحيد الكفيل بأن يحفّزني على اجتراح المعجزات، لإسعادها والاحتفاظ بها، أن أتلمّس أنّها بحاجة إليّ، وأنّ بريقاً في عينيها يشعّ لمجرد التفكير بي. الأمر الوحيد الّذي كان يمكن أن يحطّمني أكثر من هجرها هو إمكانية بقائها هنا بداعي الشفقة.

كان من الممكن أن يشكّل ذلك ضربة قاضية تشلّني كلّياً، كأن أشعر أنّ هيلدا تحتال عليّ، وعلى ذاتها، وترغم نفسها على أن تعتني بي، من باب الواجب الإنساني، أو لتفادي شعور محتمل بالذنب سيتولّد داخلها إن تركت رجلاً مستوحشاً إجتماعياً ومريضاً جسدياً، رجلاً يعرج وله ندبة في وجهه. كان ذلك ليؤكّد لي بأنّي منقوص، وبأنّي

أحتاج إلى مسعفة، وليس إلى امرأة. وأنا لم أكن أريد أن أصنّف نفسي عليلاً عاجزاً. ذلك ما حاربته طوال عمري.

كنت أريدها أن تراني رجلها الكامل، وأن تتأكّد معي أنّها أنثى، أنثى من أطراف شعرها حتى أخمص قدميها، وليس مشروع ممرّضة تلازم عجوزاً سيداهمه الشيب قبل الأوان. كنت أريدها أن ترتعش حين ألمسها، ارتعاش صغار الطيور في أعشاشها حين تظلّلها الأمّ بجناحيها وارتعاش قطة صغيرة أخذها صاحبها على غرة وفاجأها بملامسة وبرها.

ذلك ما كان قد يشكّل فرقاً في سلوكي نحوها، ويشذّبه وحتى يشكّله في اتّجاهه الصحيح. كنت أمنّي نفسي أنّها في سفرها، ستتيّقّظ إلى أنّها أصبحت فريستي. الفريسة الّتي تألف سجنها مع الوقت حتى يصبح منزلها، وأنّها ستتيقّن أنّ هربها من تلك الشباك هو هلاكها، وستعود وتغمرني بالقبل، وستضحك كما كانت تفعل دوماً، حين تكتشف أنّي كنت على صواب، وتراودها نفسها عن الاعتراف بذلك.

-3-

مطار نيويورك 2000

رحلت هيلدا. كانت ترتدي قميصاً أبيض شفافاً وبنطال جينز ضيّق حتى الركبة وواسعاً عند الأسفل. تجرّ حقيبتين من الحجم الكبير بنفسجيتيّ اللّون. رحلت وبقيت أحدّق في ردهة المطار كأنّي لا أصدّق أنّها غادرت آملاً في أن تعود. أراقبها وهي تجرّ الحقائب وتلتفت إلى الوراء، وتلوّح لي حتى تغيب بين حشد المسافرين.

أنظر حولي واهماً أنّها ستظهر من بابٍ خلفيّ ما، ويقع نظري على يافطة "مطار جون اف. كينيدي". أغرق في التفكير بهذه الشخصية الفذّة ولا أدري لماذا أقارنه بي. أتذكّر عمله البطولي عندما قاد الزورق الأميركي "البي. تي. -109" حين صدمته سفينة حربية حديدية في العام 1943 وكيف أعاد تسعة من أعضاء الطاقم إلى برّ الأمان بعد ليالٍ طويلة وراء الحدود اليابانية. كانت هذه الحادثة ما حوّلته إلى بطل قوميّ ولكنّها أيضاً أنهكت صحته الجسدية وتسبّبت له لاحقاً بإعاقة. للمأساة دوماً وجهان، واحد بطولي، وآخر مدمِّر، كأنّ العظمة تستوي بالبؤس والألم.

بقيت أنتظر هكذا نحو ثلاثين دقيقة، من دون أن أنظر إلى ساعة يدي ولو مرّة واحدة. كان انتظاري جزءاً من محاولة استيعاب ما

يحدث، كأنّ دماغي تعطّل عن العمل، وكأنّني انفصلت عن جسدي وما عدت قادراً سوى على الجلوس معه على مقعد المطار مستسلماً لرغبته في الخمول التام. لم أنتبه لمكوثي الطويل هناك، إلّا حين وقعت حقيبة يد أحد المسافرين قربي، وأحدث ارتطامها ضجيجاً مزعجاً. عندها فقط رفعت رأسي عن أرضية المكان. بدت لي الجموع الّتي تستعد للسفر، أو تنتظر لقاء أحبّائها كعصابة، أو زمرة من المتواطئين عليّ. لماذا لم يمنعوها من الذهاب؟ انتابني حقدٌ غير مسبوق على كل من أحاط بي، وأردت أن أصرخ بهؤلاء الغرباء جميعاً أنّ ثقباً في صدري حُفر لحظة صعودها إلى الطائرة، ثقباً أعرف أنّه سيتّسع كلما حلّقت أميالاً جديدة. هو الشعور بالفقد حين يصيب الإنسان يجعله كسيحاً كقطعة ثيابٍ رثّة، يتركه فارغاً، منقوصاً وغاضباً. كنت هكذا كقميص يستحيل إصلاحه، يمكن رتقه ربما، لكنّه لن يعود أبداً كما كان، إلى شكله الأصليّ.

والآن وقد رحلت هيلدا، كنت قد عزمت أن أسيطر على غضبي، وألّا ألومها على مصابي، وأن أحترم حاجتها إلى الابتعاد قليلاً، كما وعدتها أن أفعل. ضمنيّاً، أردت فقط أن أكسر صنم الرجل الحضاري الّذي يتقبّل الخسارة برحابة صدر، ويعتبرها جزءاً من الحياة لكي يواسي نفسه. أردت أن أشدّها من شعرها وأجرّها إليّ، وأزرعها بين قدميّ وأبقيها هنا، وأخرسها إن حاولت أن تتذمّر، وأمارس معها فعل الحبّ كرجلٍ كاملٍ وسليم، ثم ألفّها بذراعيّ لتنام راضية وسعيدة.

أردت أن أقول إنّي لست ذلك الإنسان المثالي وإنّ وحشاً كاسراً يختبئ في داخلي أيضاً، يتّخذ جلدي ملاذاً وتطرأ عليّ رغبة ملّحة بإخراجه من حين إلى آخر عندما ينتفخ تحت بشرتي، ويصبح الألم

أشدّ من القدرة على مجالدته. ولكن ماذا كان من الممكن أن أفعل لأنتقم من هيلدا. لا شيء. كان يمكنني فقط أن أعزل نفسي عنها، وألّا أجيب على الهاتف، حين تتصل لتطمئن عنّي. كان ذلك عقابي الوحيد لها إن تجرّأت على ذلك.

طوال طريق عودتي إلى المنزل من المطار، كنت أفكّر بمعنى الخسارة، ومعنى أن نظن أن لنا أحقّية في الأشخاص، وأن نشعر في لحظة معيّنة أنّهم باتوا ممنوعين من الخروج من يومياتنا. وكنت أحاول أن أحتال على نفسي بشيء من الطوباوية، عبر التفكير في أنّ للغياب أيضاً وجهاً آخر، يعزّز حضور من نحب ويؤكّد جدواه، وأنّ المسافة ضرورية بين الأحبّة، وأنّ الحياة تأخذ مجراها الطبيعي مع الوقت، وأنّ القدر يضم إلى صدرنا من نحتاج بعد حين.

كان لا بدّ أن أتخيّل الخسارة أمراً موقتاً لن يدوم طويلاً، وأمراً مرحليّاً لا بدّ منه في لحظات معيّنة من الحياة. وإذ تفاوتت أفكاري بين الإيجابية والسلبية، رحت أفكّر أنّ الخسارة قد تكون أبديّة أيضاً، وإلّا لماذا يلاحقنا شبح الموت دائماً ويأخذ من نحب، ولماذا تنتهي صور البعض في مخيّلتنا بعد وفاتهم جامدة في إطار زمني محدد لا حركة بعده؟ هل يعقل أن تكون صورة هيلدا الّتي طبعتها ذاكرتي وهي تغادر بين صفوف المسافرين الصورة الأخيرة؟

كان لا بدّ من خاتمة أخرى ولو تطلّب الأمر أن ألحق بها، وأجاورها في السكن، وأكلّمها وأشرح لها كلّ ما لم أقله لها وهي في نيويورك. ربّما إن ذهبت إلى "الهناك" الّذي كنت عزمت أن أنساه، سأجد كلماتٍ أخرى أو حتى مخارج جديدة للحروف أو لكنةً قد تبدو أكثر إقناعاً وجاذبية. هذا ما سعيت وراءه طوال حياتي، أن أصنع أنا

الصور، وأن أرفضها حين تأتي كما هي، وأن أعاند الحياة كلما استطعت، وأخفّف من تأثير الألم.

لم يكن من الممكن أن أستسلم لنهاية سخيفة، كأن تهاتفني من بيروت، وتكون قد أدركت أنّها لا تحبني وأنّ جذورها تعمّقت في الأرض فجأة، حين أعادها الحنين إلى تربتها الأولى. أليس هذا ما يقوله الأفراد دوماً: إنّ كل تلك الرحلات والمحطات لم تنفع في أن تكون أكثر من مجرّد أسفار وإنّ العودة في وقت ما تصبح قدراً محتّماً.

وماذا كنت أحاول أن أفعل سوى أن أقاوم العودة وأحاول أن أمحو الماضي من ذاكرتي كأنّه لم يحدث أبداً. أن أنسى هُويّتي وبلادي الّتي لم أعرفها، وأن أنكر على نفسي أي انتماء لأيّ بقعة جغرافية كانت.

كنت هنا الآن، في أهمّ بلدان العالم، أمرّ يومياً قرب مبنى الـ "امباير ستايت". أحدّق إلى طوابقه المئة واثنين بدهشة، وأمنّي نفسي بأنّ العمارات قد نجحت في أن تشقّ طريقها إلى السماء، وأنّني ما إن أقف على قمة البرج أو المبنى، سأنتمي أنا أيضاً إلى "الأعلى" وستبقى كل البلاد في الأسفل، بيروت وفلسطين الّتي لم أعرفها.

من هنا، حين كنت أشاهد العالم من شرفة مكتبي الواقع في "الطابق 99" من المبنى، بدا المخيّم غير موجود. وبدت فلسطين كبلادٍ ضائعة في الزحمة، بلاد لن يبلغني نداؤها، إن تجرّأت على مناجاتي. كان مكتبي المكان الّذي أمارس فيه سلطتي، حميماً وأليفاً، ومتعجرفاً ومتسلّطاً في وقت واحد. وإن كنت قد فشلت في الاعتناء بأثاث المنزل، اختلف ديكور مكان العمل كليّاً.

مكتب بيضاوي حديث، أرضيته من الرخام الأسود والأبيض. يتربّع قرب الباب تمثال نصفي من الحجر لفينوس، إلهة الجمال والحب

والخصوبة عند الرومان. وتمتد بمحاذاة الحائط أريكة رمادية اللّون، تقابلها طاولة زجاجية تعكس الضوء، ويقبع عليها أحدث تصميم لجهاز الكمبيوتر المحمول "آبل"، وكتيّب يشرح أبرز الألعاب الإلكترونية الّتي استحدثتها الشركة.

كان المكتب، بالنسبة لي، المكان اللّامتناهي الّذي لا يمكن أن ينافسه شيء، مرتبطاً بالمغامرة والانطلاق والاكتشاف والإفلات من السلطة والابتكار. ولكنّه بدا أيضاً جحيماً، كلّما رميت فيه الأفكار والجهد، صار راغباً في المزيد. مكانٌ متوحّش يفتح ثغره مبتسماً ليستدرجك إلى تدفّق الإنتاج والسرعة، إلى ابتكار خدع وشخصيات لتستدرج بدورك الأطفال إلى هذا العالم الرهيب والسريع.

عالمٌ تحاول أن تشيح بنظرك عنه، ولكن تبقى مفتوناً به، وتستمرّ في الانغماس به حتّى النهاية. لعبة سباق السيارات "فورمولا وان" الّتي صمّمناها أخيراً مثلاً، تعطي هؤلاء الأطفال، والكبار أيضاً، شعوراً بالسلطة، يمكّنهم من أن يكونوا سائقين محترفين، وأن تنحرف آلياتهم عن مسارها ويعيدونها إلى الطريق السليم، ولو اصطدمت بسيارات أخرى، وتعرّضت لحوادث مروّعة. تُشعرهم اللّعبة أنّ خطاياهم مغفورةٌ وأنّ الدمار لن يكون عائقاً دون وصولهم إلى خط النهاية. التأثير الوحيد ذو الأهميّة هو السرعة والقدرة على تخطّي المحن بوتيرة قصوى.

هنا، في الأعلى، بدوت دائماً كالهارب الأبديّ إلى العظمة. وقد نجحت في النسيان، أو التناسي، لفترة طويلة، قبل أن تأتي هيلدا وتُغيّر كلّ شيء، كأنّها وبكثير من الحب، كسرت كل تلك القشور وتركتني عارياً في غرفة تملؤها المرايا. أعود إلى المنزل. أنظر إلى انعكاس وجهي ولا أرى في ملامحي أكثر من شظيّة.

-4-

لبنان 1982- مخيّم صبرا وشاتيلا

- يمّا! يمّا!
- إيش مالك؟
- أبوي باعت يقولك لازم نروّح عند خالتي زهرة بمخيّم البرج... وبيقولك اللّيلي حتكون صعبي.
- وليش ما إجاش أبوك يقعد معانا؟ وكيف منروّح لعند خالتك زهرة؟

لم تتمكّن والدتي من إكمال تساؤلها إلّا وبدأنا نشعر بالقصف والقذائف تُرمى علينا من كل صوب. كان الحمل قد أثقل جسدها ولم تكن قادرة على التحرك بسهولة. ثوبها مخطّط وفضفاض تجرّ بعضاً منه وراءها. تتحرّك في المطبخ، وتغسل الأواني، وتنشّفها بمنديل رخيص مهترئ عند طرفه لكثرة ما غلته في "دست" ألمنيوم كبير استعملته لتعقيم الملابس والمناشف.

بدأت تسمع أصوات الرشقات النارية في الخارج. أغلقت أبواب المنزل بإحكام، ووضعت يدها على بطنها. كانت تتمتم كلمات لا أفهمها، وتشتم الحرب والشتات، ثمّ تعود إلى المطبخ لتخرج حبّات البطاطا وتشرع في تقشيرها. لم أكن أفهم تلك القدرة العجيبة لديها في

أن تستمرّ وأصوات القنابل تدوّي في الخارج، كأنّها اعتادت فكرة القتال، وتعمّدت أن تخلق حيّزاً خارجاً عنه ليعينها على الاستمرار في الحياة.

تسارعت دقّات قلبي، ودخلت أشدّها من ثوبها لكي تفلت البطاطا وتتوقّف عن الحركة، وتعترف أنّ الأمور ليست على ما يرام. التفتت إليّ، وقالت إنّنا سننتظر كي تهدأ الحال قليلاً ونذهب بعدها إلى خالتي زهرة. سمعنا طرقاً شديداً على الباب، مترافقاً مع صراخ والدي وهو يطلب أن نفتح له بسرعة. أفلتت حبّات البطاطا، وتركت المَقشّرة منها في المجلى. كانت آثار التراب عالقة على يديها. مسحتهما بثوبها وأخرجت المفتاح وهي تطلب من أبي أن يهدأ.

- اللّه يهدهم.
- مش وقت الأدعية إسّا.. أوّل ما بيروق الحال منروّح ع البرج. أنا تركت الشباب وجيتكم.
- إسّا جيتنا صرلك خمسة ايام غايب.
- مش وقت العتاب إسّا يا مرا.

لا يزال صوت أبي بنبرته القلقة يتردّد في أذني، كما صورته وهو يحملني على ذراعيه بعدما أصبت بقذيفة في رجلي. أصبت لأنّي خرجت حين دخل علينا أبي لأحضر أغراضاً تركها أمام باب البيت. حقيبة وكيسان لم أعرف ماذا كان فيهما. لا أدري كيف حدث الأمر بسرعة. رأيت الدّمّ يسيل من وجهي أيضاً. لم اعرف أنّ شظيّة أصابتني هناك أيضاً. ركض أبي صوبي. أمّي صرخت، وراحت تطلب منه أن يأخذني إلى مستشفى غزّة وتدفعه بسرعة. كنت بين يديه وهو يهرع بي ليسعفني واختلط الدم مع عرقه المتصبب من جبينه قبل ان أغيب كليّاً عن الوعي.

– الصبـي حـيروح مـن بـين ايـدينا... روّح أنـا بـدبّر حـالي...
روّح.

– كيف أروّح وأنتِ؟

– عمال اقوُلّك روّح.

مضى أبي، حملني بعيداً عن الموت ولم يتمكّن من العودة إلى أمّي
والجنين الّذي لم يبصر النور. أحاطت القنابل المضيئة مخيّم شاتيلا
بعدها وبدأت عملية الإبادة الجماعية. تعانقت الجثث على الأرض ولم
يستطع أبي أن يعود ليخترق الركام البشري وينقذ أمّي. ربما لو خرجت
معنا. ربما لو سبقتنا إلى خالتي زهرة. ربما لو لم تكن حاملاً. ربما لماكان
وجه والـدي قـد تغيّـر بعد المجزرة، ولم يكن قد تحـوّل من ذلك البطل
المغوار إلى الرجل المكسور، الّذي هدّته الحرب ومآسيها.

في العـودة إلى الـوراء، إلى يـوم 16 أيلـول 1982، وتحديـداً إلى
السـاعة الخامسة عصراً، عندما بدأت المجزرة، لا مكان لحفظ التاريخ
كرقم فحسب، بـل تكـاد الصـور تتحوّل إلى حالة انبعاث من الموت
وإليـه. في محاولـة لاستعادة الـذاكرة، تبـدو الأحـداث دائمـاً ناقصـة
ومبعثرة، ليس لشيء إنّما لفظاعتها.

ارتبطت المجزرة في رأسي دائماً بالصمت، على الرغم من أنّ أبي
هرب بي قبل أن يهدأ القصف، وتنقطع الروح عن المخيّم. لم تكن
المذابح على شدّتها الأمر المدمّر الوحيد، بل فكرة العودة إلى هناك، إلى
مكـان يعبـق بـالقتلى، يكتم أصواتهم، ويحرمهم حتى من حشرجتهم
الأخيرة كأن يعترضوا على القتل.

البطاطا المقشّرة والأواني الّتي وضعتها النسوة على النار، والملابس
المنشورة على حبـال الغسيل وأكيـاس النفايـات الّتي تنتظر أن يخرجها

أحد من المنازل. كلّ هذه الأشياء الّتي جمدت يومها في أرضها وكلّ الأشياء الّتي لم يعد أصحابها لأخذها.

كانت تلك المأساة، ككل مآسي الحروب، لا تنتهي بعد حدوثها، بل تخالها تبدأ من هناك، من حكايا الأشلاء المطمورة، والجثث الّتي لم تودّع الحياة بابتسامة على فراش المرض، كما تعوّدنا أن نرى في الأفلام، بل بنظرات ذعر واستجداء وتوسّل.

المذبحة الّتي رأيتها لاحقاً في الصور، وفي روايات بعض من نجا منها جعلت الموت يستحيل إلى صورة جزّار وسكين وأعين ملؤها الخوف. صرت، حتّى إن تلقّيت خبر حالة وفاة طبيعية، من عارض كالمرض مثلاً، لا أستطيع أن أتخيّل شخصاً ميّتاً إلا على هذه الحال، بضربة سكّين أو طلقٍ ناريّ. هذا التصوّر وحده كان كافياً لإشعال الحنق في داخلي ولتمنيّ الدائم أن أموت وأنا نائم في فراشي، مغمض العينين.

كان أبي يحملني بحثاً عن مخرجٍ ما قبل أن يصبح الحصار كاملاً. ذلك الصباح، عمّت المخيّم رائحة غريبة. كنّا كالفئران الّتي تستشعر وجود مصيدة في مكانٍ ما، مصيدة لا دليل مؤكّد على وجودها. خرجت قبل أن يحاصر المخيّم ويبدأ القتل.

لم أعرف يوماً كيف قُتلت أمّي، إن كان أحد المسلّحين قد اغتصبها أو إن كانوا قد شقّوا بطنها لأنّها حامل، كما فعلوا بنساء كثيرات. لم أعرف ماذا حدث للبطاطا.

بحسب ما تناقل الجيران، ومن بقي ليخبر، كانت أخت فوزي جارنا تحبو باتجاه ثدي أمّها القتيلة لكي تأخذه بفمها حين أطلق الجنود النار عليها هي الأخرى. جارنا سعيد حاول أن يقاومهم فركلوه

على خصيتيه، وبصقوا عليه حتّى الموت. لم أستوعب يوماً عبارة "بصقوا عليه حتّى الموت"، البصق لا يقتل لكنّ الإهانة تفعل. لم يعرف أحد شيئاَ عن أمّي. لم يتركوا لنا حتّى روايةً عن مقتلها. لم يقل أحد إن كان صراخها قد دوّى في المكان. لم يعدّ أحد عدد الرصاصات الّتي أصابتها. لم يقل أحد شيئاً.

جارنا أبو حسّان نجا بأعجوبة لأنّه نجح في أن يختبئ في "التتخيتة". كان وحده في المنزل حين سمع المسلحين في الخارج. لم يستطع أن يبحث عن أبنائه وزوجته. كان يعرف أنّ لحظة خروجه من البيت ستكون لحظة انتهائه. "أصعب اشي بالدنيا تعرف انه الناس الي بتحبهم عم ينقتلوا جنبك، ومش قادر تعمل اشي"، قال لأبي وهو يعضّ على شفتيه بحسرة لتظهر خلف شفتيه المجعّدتين أسنانه المعطوبة بسجائر التبغ العربيّ ويلمع بينها سنّه الذهبيّ الوحيد.

روى أن المسلّحين دخلوا المنزل وقلبوه رأساً على عقب، وهو يحبس أنفاسه فوق. قال إنّه شعر ككسيح مرمي أرضاً لساعات طويلة والماء على بعد أمتارٍ منه وهو عاجز أن يصل إليه، لا زحفاً ولا مشياً. "لسنا رجالاً"، قال لأبي، "لسنا شيئاً على الإطلاق".

حكايات كثيرة عن الموت بعد المجزرة. نساء يلطمن ويشتمن العرب والعروبة. أموات معبّأة في أكياس النايلون وجثث تطمر تحت التراب بلا أسماء. أكياس سوداء تحتوي، إن كان الميّت محظوظاً، جثّته الكاملة وإن لم يكن فأشلاءه. وربما أحياناً، وُضعت يد فلان مع قدم علّان. لا فرق. المهم كان أن يكتمل مشهد الموت. مقبرة جماعية حفرت ليضعوا الأموات فيها، من دون أن يكون لهم حقّ جنازة لائقة.

"أين أمّي؟"، سألت أبي بعدما عرفت بما حدث. لم يجب؟ "أين هي الجثة؟ هل من جثة؟". صمت.

"ماذا حدث للطفل يا أبي؟".

صمت.

لم يقل شيئاً. على مدى أيّام، لم يجب.

بعد فترة ولمّا برد جرحه قليلاً، صرت حين أسأله عنها، يقول لي "أمّك روّحت فلسطين لتولد هناك... أمّك روّحت ع فلسطين، وكلنا حنروّح ع فلسطين". هكذا كان يجاوب على أسئلتي المزعجة من دون أن يحدّد موعداً للعودة، تلك العودة الّتي ظلّ حالماً بها، كمن صدّق فعلاً تحايله على الحقيقة، أو الكذبة الّتي أخبرها لولده الّذي لم يبلغ عامه الخامس عشر.

بقي أبي حيّاً على أمل أن يعود إلى الجليل، ومقتنعاً أنّ أمّي لم تمت وأنّها تنتظره في "كفرياسيف"، وأنّها وضعت مولوداً جديداً يتلّهف لرؤيتنا. كان يسترسل في وصف أخي، كأنّه متأكّد أنّ الجنين الّذي حملته أمّي في أحشائها ذكر لسبب أعجز عن تحديده. وكنت أنا، إذ أستمع إلى أبي، حائراً دوماً بين تصديقه أو تكذيبه. كان من العار طبعاً أن أواجهه بشكوكي، ولكنّي لمّحت له مرّةً أنّي أعرف الحقيقة، وأنّي معايش تماماً للواقع، وهمست له إنّي أعرف لماذا بات حزيناً فجأة.

- لا، لست حزيناً. ماذا تعرف؟ قل لي؟
- أعرف ولكنّي لن أقول.
- بلى، يجب أن تخبرني بما تعرف.
- لكنّي لا أريد ان أتكلّم.

أصرّ أن أخبره ماذا أعني بادّعاء المعرفة هذا، وما الّذي أخفيه عنه، لكنّي كنت أشعر حينها كأنّي أنا المسؤول عنه، وكأنّنا تبادلنا الأبوّة للحظات وبات هو ولدي الّذي استعصى عليّ أن أجرح مشاعره وأخبره إنّي مدركٌ تماماً لموت أمي وجنينها.

وكأنّي أنا من يجب أن أخفّف عنه وطأة الفقد عندها، قلت له إنّي أعرف أنّ أمّي سبقتنا إلى كفرياسيف لأنّي سمعت الجيران يقولون ذلك. قدّمت له ذريعة جديدة للإنكار، فضمّني تحت ذراعه وربّت على رأسي وقال: "هي تنتظر هناك، ألم أقل لك هي تنتظر هناك"، قبل أن نغرق كلانا في صمتٍ طويل، ظننته سيستمر دهراً.

كسر أبي الصمت بعدها وراح يتحدّث عن النكبة وخسارات عام 1948، حين كان لا يزال مراهقاً، في عمري تقريباً يوم حدثت المجزرة، 15 عاماً. كان أبي يروي دوماً حكاية تعود إلى ما قبل النكبة، عام 1939، حين قام البريطانيون في عهد الإنتداب بإحراق عدّة منازل في القرية، بسبب مقتل إثنين من جنودهم. كان عندها في عامه السادس ولكنّه احتفظ بمشهد النيران في ذاكرته. عرف بعدها أنّ أحد المنازل الّتي احترقت كانت تعود لأدونيس نصرة، الصديق المقرب لوالده أيّ جديّ.

- كانت كفرياسيف عاصمة الجليل، ما صدّقناش الإنجليز رح يروحو إلّا وإجونا اليهود. الإنجليز فظّعو، إسّا حرقولوه بيته لادونيس نصرة والمكاتيب يلي كان يبعتها لخيّه بالمكسيك. ما عاد ادونيس يلاقي اخوه. ضاع وتخمين لسّاته ضايع.

كان والدي يقول إنّ الهرب من كفرياسيف كان بمثابة أمرٍ لم يحدث، كأنّه يغفل عن تفاصيل الرحلة ليتذكّر فقط أنّه وجد نفسه في

لبنان. وكـان إنكـاره لتلـك المسـافة الجغرافيـة الّـتي قطعهـا للوصـول إلى الحدود بمثابة إنكار للتهجير، ورغبة في أن يعتقد أنّه وصل إلى الجنوب مصادفة كرجل تاه وأضاع عنوان منزله، ولا بد من أن يعود إليه يوماً.

-5-

نيويورك ربيع 2000

أمّي في الجليل. أنا أيضاً أحب أن أعتقد أنّها هناك، كي لا أتداعى من هول مأساة فقدها. أبي في مدافن غريبة عن أرضه. هيلدا ذهبت إلى "الهناك". وأنا في نيويورك واقف على شرفة مكتبي الواقع في الطابق 99. أرى انعكاسي في الزجاج، على مرتفعات مدينة الضوء، وأفكّر لا بدّ لهم - هؤلاء الأجانب - أن يشعروا بأنّنا غرباء عنهم.

لا أرض عربية حيث أقف، ولا قضايا أو هموم. مدينة تدور عجلاتها بسرعة، فتخال نفسك في محيط كبير، يحتاج دوماً إلى الكثير من الحطب لإشعال وقوده. ربّما التشبيه غير دقيق. الحطب له رائحة وأرض وتربة والتربة تحتاج إلى وطن. أنا هنا في "نيويورك" في محيط كبير، يحتاج دوماً أن تكبس له الأزرار لتستمر العجلة بالمضي قدماً. أتمشّى في شوارع هذه المدينة الكبيرة، وكلّما راودني شعور بأنّي صرت أعرف طرقاتها، وصلت إلى زاوية ما تجعلني أدرك بأنّي ضللت وجهتي، أنّ الطريق الوحيد هنا هو اللاّمكان. بأنّي يجب أن أمسح سحنتي عن وجهي كي أكون، كي أصبح شخصاً ما.

هذه "كفرياسيف" الّتي لم أعرفها يوماً والّتي وضعت إسمها مراراً على محرّك البحث "غوغل" لكي أحصل على بعض صورها ولم أنجح في

العثور سوى على لقطات قليلة لم تحمل يوماً أثراً لأمّي. ماذا تفعل حيث هي الآن؟ هل تلبس ثوبها، بخطوطه الكحلية والبيضاء العريضة، والخيوط الرمادية الرفيعة؟ هل تقشّر البطاطا؟ لماذا لم تبقَ لي صورة واحدة لها؟ "كفرياسيف"، أطبع الكلمة في "غوغل" مرّة أخرى ويخبرني موقع "ويكيبيديا" أنّها "قرية في الجليل في إسرائيل"، موقع آخر يقول أنّ الزجل يعود إلى واجهة المدينة ويصدح من قاعاتها. أدخل إلى الصور، أبنية ومنازل سقف بعضها من القرميد الأحمر. سيارات. وجوه. أشخاص. لا أثر لأمّي.

أعترف بأنّي لم أشعر بحنين جارف إلى موطني سوى بعد تعرّفي بهيلدا. وجدت نفسي أروي لها تفاصيل مخيّلتي عن ذاك المكان. تفاصيل كنت أنا نفسي غير مدرك لوجودها في ذهني. مع حبيبتي، كنت أحكي كثيراً عن الأماكن والذكريات والمآسي والمجازر ورجال الأعمال والصفقات. كلما رويت لها حادثة أو فكرة، شعرت كأنّي أتعرّف على ذاتي للمرّة الأولى، كأنّني رجل يخرج إلى الحياة، يخرج إليها من العمق ويجعل كلّ ما كان بين طيّات النسيان يطفو على السطح. كأنّنا حين نحكي عن أنفسنا، ندرك كم أنّنا غرباء عنّا.

أخبرتها عن عودتي إلى المخيّم بعد المجزرة بعدما تماثلت للشفاء قليلاً، عن منزلنا الصغير الّذي بدا حين دخلناه كـ "خربة". "كانت الدماء في كل مكان، الأريكة مقلوبة أرضاً... كان هناك وعاء على الغاز. بعض قطع البطاطا والقشور على الأرض. لا بدّ أنّها رشّت عليها الملح لكي تقليها ووضعتها جانباً. كانت أمّي قد حضّرت الحساء يومها أيضاً، قبل أن تعرف أنّ أحداً منّا لن يأكل منه. لطالما سألت نفسي إن كان المسلحون قد تذوّقوه، أو إن كانوا قد غمّسوا أصابعهم فيه.

أتت خالتي زهرة معنا لتنظّف المنزل وتلملم حاجيّات أمّي، لكنّ أبي رفض وطلب منها أن تدع الخزانة كما هي. عندما رأيتها ترتّب المكان، فكّرت أنّ للنساء قدرة عجيبة على مواجهة الموت، تفوق قدرة الرجال. شعرت أنّ أبي هو ذاك الزجاج الهشّ، بينما كانت هي تلبس كفّين صفراوين من النايلون، وتغسل الصحون وتنظّف الزجاج. انتقلت بعدها إلى الأرضية. رمت الماء عليها وراحت تحفّ البلاط وتزيل البقع العالقة بأظافرها من تحت الكف".

لم أكن أعرف أنّي حفظت هذا الكمّ من التفاصيل إلّا حين رويت لهيلدا ما حلّ بنا. كنت أسترجع زوايا وألواناً ظننت أنّني دفنتها إلى غير رجعة. ولكن حتّى لون ثوب خالتي الأسود، ووشاحها الأبيض، كنت أستطيع أن أرى قماشه كأنّ الزمن لا يزال هناك. وكنت كلّما تصوّرتها، رأيتها في الثوب نفسه، كما لو أنّها لم تخلعه يوماً.

ليست فقط الذاكرة الّتي نبشتها أمام هيلدا، بل الحاضر وعلاقتي مع أميركا. كانت هي أيضاً تأتيني بأخبار جديدة، وتفتح لي عالمها المختلف عنّي: أشخاصها الغرباء، أشخاص كانوا احتمالات أعداء غالباً بالنسبة لواقعي. ولكنّي كنت أريدها أن تتكلم عنهم، وأن أحاول أن أعرفهم من خلالها، ربما لأتأكّد في لحظات معيّنة أنّها ليست منهم، وأنّها في نهاية المطاف، سترحل عنهم وتثأر منهم بي وتصبح هيلدا لي وحدي.

حين كانت تصرخ "دخيلك يا عدرا"، كما اعتادت عند شعورها بالدهشة، كنت أنتظر أن تطلق بعدها قهقهة رنّانة تطول، وهي تخفي شفتيها بأصابعها، ويشتدّ البريق في عينيها في تعبير عن السعادة.

لم تكن تلك المرأة من النوع الّذي يضحك عبر ثغره فحسب، بل من تلك النساء اللواتي تشعر أنّ قلوبهنّ تقفز من مكانها كأنّها هي الّتي تفرح. كانت تحرّك جسدها وقدميها حين تعجز أن تتوقّف عن الضحك، وتضع يدها على كتفي وتنهي المشهد دوماً باحتضاني والتبسّم حين تلامس وجنتها وجهي. وكنت أشمّ رائحتها كأنّي أرغب بتنشّق تلك المرأة وزرعها في تلك الوضعية من العناق حتى أجلٍ غير مسمّى.

كانت هيلدا تزوّدني براحة مطلقة في الحديث معها. وتشعرني أن بإمكاني الاسترسال في كلماتي وأفكاري من دون رقيب. كنت ألغي حتى ذاتي العادية لأشعر أنّي أتفوّق عليها، وحين كنت أخبرها حكايا الأصدقاء أو الأقارب، أو حتى الأمور الخاصّة بي، كنت دائماً أكتشف خلال الحديث حيّزاً مخفيّاً عنّي، أو عن الآخرين.

أخبرت هيلدا عن صديقي محسن اللّبناني الّذي أتى للعيش في هذه البلاد خلال الحرب الأهليّة. عندما وصفت لها شعره الطويل، ولحيته الّتي كان يطلقها كنوعٍ من تكريس لشكل خارجيّ مميّز ولافت، انتبهت للمرة الأولى أنّ لحية محسن الّذي تحوّل إلى "مايك" هنا في بلاد ناطحات السحاب، والّتي كان أصدقاؤه الأميركيون يبدون الإعجاب بها، كانت نفسها قادرة أن تكون، في سياق آخر للمظهر، لحيةً مخيفة قادرة على جعلهم يشعرون بالتهديد. كانت لحية مايك موضة بلغ إعجاب البعض بها حدّ تقليدها.

"لحية العرب مختلفة كأنّ البنادق تعشعش فيها"، قلت لهيلدا. "لحية تبدو كأنّها مخبأ للموت، كأنّ الفاصل بين الشعيرات يخفي كميناً أو لغماً. تعرفين، حتى لحى المشايخ والأساقفة والرهبان تبدو مختلفة عن

لحية مايك". كنت إذ أحدّثها، أشعر أنّي أرغب باستكشاف العالم معها. بقيت يومها أحلّل وإيّاها معنى اللّحى، وكيف كان البعض يطلقها على مدى العصور كدلالة على الحكمة، أو المرتبة العالية، أو القوّة الجنسية.

"أظنّ مايك كان يريدها كمظهر قوّة وليس فقط تميّزاً"، قالت لي، فصمتّ لبرهة قبل أن أوافقها الرأي. هكذا كان محسن فعلاً، دؤوباً على اكتساب القوّة. كان يريد ذاك الوهج، وليس السلطة، وهذا ما جعله دوماً منبهراً بنيويورك.

على الرغم من أنّ هذه البلاد تتمتّع بأعلى مراتب السلطة، غير أنّ الجاذب فيها كان القوّة. "ما الفرق بين الاثنين؟ أليسا مكمّلين أو متلازمين؟"، سألتني هيلدا. "الفرق كبير"، أجبتها. "القوّة هي ما تبنيه من الداخل ليقودك إلى السلطة، هي مزيج من تجارب الحياة، فيها الكثير من الخسارات وليس فقط المكاسب. السلطة! السلطة هي الكارثة، تحديداً تلك السلطة الّتي تولّد القوّة. تنتج حينها قوّة عمياء هدّامة لا تعترف بأيّ رادع".

كانت "نيويورك" على الرغم من السلطة الممتدة فيها حتى حدّ السماء نموذجاً عن قوّة ما، قوّة متينة وصلبة لا يمكن إنكارها. وبالنسبة لي، كانت هذه القوّة، في عمق نسيجها، نابعة من تعاضد ووحدة، ومن سرعة وتيرة الحياة كأن لا مجال لمضيعة الوقت هنا.

كانت ذخيرتها رغبة في البقاء، وفي تلبية كل تلك الحاجات الّتي تلزم الناس بالاستمرار بغض النظر عن الشمس الّتي تحجبها الأبنية الشاهقة. بدت لي مدينة الغرباء. المكان الّذي لا تنتمي إليه ولكن تجد نفسك فيه. معظم من يعيشون هنا أتوا من أماكن بعيدة وعلى الرغم

39

من أنّ لكلّ منهم لكنة وحكاية مختلفة، بدوا متآلفين مع المكان كأنّهم في المنزل.

السؤال الّذي كنت أطرحه على نفسي دائماً، هل كان "مايك" هذا الشاب المنفصل عن عروبته، واللّاجئ إلى الأضواء، ينتمي فعلاً إلى هذه البلاد. ربما في لحظات تألّقه، حوّله النّظام إلى ناطحة سحاب. حاول مراراً أن يقنع نفسه بأنّ "محسن" قد مات. لم يعد موجوداً بالنسبة إلى نفسه، حتّى أنّه غيّر بنيته الجسدية الضعيفة بممارسة تمارين تقوية العضلات وبيّض أسنانه وترك شعره ينمو طويلاً. وفي لحظةٍ ما، اضطر إلى استعادة ذلك الرجل القديم، حين رمى به النظام نفسه أرضاً، بعدها واستيقظ ليجد نفسه مفلساً وعلى الحضيض. عاد "محسن"، المسلم الّذي عايش الحرب الأهلية بهوية طائفية كسائر اللّبنانيين. لم يكونوا أفراداً أو مواطنين، كانوا "إسلام ومسيحية" فقط. بالنسبة لي، تلك المقاومة، الّتي تركته صامداً في أحلك ظروفه، كان لا بد أن تكون عربيّة، أن تكون نتيجة الحرب، وما تولّده داخل الإنسان من قدرة على التمسّك والبقاء.

شيءٌ من النفس الطويل الّذي اعتدنا نحن أبناء المقلب الآخر من العالم التحلّي به. كان "محسن" من بقي قويّاً وليس "مايك". "محسن" الّذي ترعرع في أزقّة بيروت، بين البنادق وأصوات المدافع، وليس ذاك الثري، الّذي تكاثرت أمواله، لتهجره لاحقاً وتتركه مجرّداً من العجلة السريعة الّتي تدرّ الأموال، وتحصر الاقتصاد في معاملات البنوك والصفقات.

"مايك" لم يعد هنا أيضاً. وعدني أن يعود بعد تجاوز أزمته. لكنّه الآن يحاول أن يحثّني على زيارته لأنّه لا يستطيع المجيء قبل أن تنتهي

جميع مشاكله المالية. قالت لي صديقتنا الأميركية ماريان، بعدما زارته في لبنان، أنّه لا يزال كما عهدته، مجنوناً وشغوفاً بالحياة. لا يزال نرجسيّاً وحالماً بالأضواء. فتح مطعماً صغيراً في زاوية شارع "بليس" في بيروت، وهو يخطط أنّ هذا المكان المتواضع سيتحوّل يوماً إلى سلسلة عالمية تكتسح مطاعم الأكل السريع.

هناك في ذاك الشارع، بقي محتفظاً بلحيته. كان يقوم بالأمور الّتي يمكن أن يقوم بها أيّ عامل بسيط، كتلميع الأرضية، وغسل الخضار، وتقطيع اللّحوم، وخبز العجين في الفرن. كان يقوم بكل ذلك من باب التسلية، كأنّه وجد شغفاً جديداً بأن يصبح طبّاخاً ويطلب من أصدقائه الّذين يتذوّقون وصفاته أن يكيلوا له المديح ويستدرجهم ليقولوا أنّه ماهر في الطهي، وأنّ طعامه من أشهى ما تناولوا أبداً.

كنت هنا، في نيويورك، أتخيّل المحيطين به الّذين يتشابهون دوماً. عجزت عن تصوّر أصدقاء مايك سوى على نمطٍ واحد، كأنّهم أشخاص من كرتون، هامشيون، يتناولون الطعام بشوكةٍ أو ملعقة فضيّة وبحركة متناسقة تجمع بينهم. كانوا، كما تصوّرتهم، يرفعون الطعام إلى شفاههم المرسومة مبتسمة دوماً على الكرتون، ويبتلعونه بعد أن يمضغوه ثلاث مرّات تماماً. وكانوا يتحدّثون أحياناً ولكن بلغة غير مفهومة، كأنّ حكيهم خاص بالدمى الكرتونية أو البلاستيكية، بلا أيّ مغزى أو معنى.

كان مايك إنساناً متناقضاً يحاول أن يبقي نفسه محاطاً بالكثير من الناس. نساء ورجال وصديقات وأصدقاء يظهرون في حياته يوماً بعد يوم. كثيرون منهم يختفون، بالطريقة نفسها الّتي يظهرون بها، بسرعة البرق. وحدهم من بقوا قربه هم أولئك الّذين رضوا أن يتحمّلوا

41

تقلّباته المزاجية وعصبيّته، لأنّهم يعرفون أنّ في عمقه إنساناً طيّباً لا يقدم على الأذية. من بين معارفه الكثيرة، كنت فعلاً رجلاً مختلفاً، ولا أدري إن كان الاختلاف هنا ميّزة خاصّة بي، أو عاهة. فقد بدوت بينهم كأنّي الشخص الوحيد الّذي يشعر بالألم.

لم يكن تكويني الجسدي الّذي يشوبه الكثير من العيوب ما جعلني غير عاديّ، بل نظراتهم الدائمة لي والّتي كانت تشي بفكرة تدور في أذهانهم: "ماذا يفعل هذا المعاق مع مايك المتميّز الهندام؟". بعد لحظات من تحديقهم بي، كانوا يبدون كأنّهم توقفوا عن رؤيتي وعادوا إلى أحاديثهم: "مالنا ومأساة الرجل الأعرج؟".

لم أكن في قرارة نفسي أبالي كيف يرونني، وكانت فوقيتهم، أحياناً، تعزّز في داخلي فوقية تجاههم، كأنّي أقول لهم "ماذا تعرفون عن الحياة أيّها الأغبياء؟ هل عجنتكم يوماً كما فعلت بي؟ ماذا تعرفون عن مايك؟ تكادون لا تعرفون حتّى أنّه محسن؟". كان ذلك الألم يميّزني على قدر ما كان بإمكانه أن يشعرني بالدونية.

في أوقات قليلة، حين كنّا جميعاً نستغرق في حديث ما وأرى أحدهم يربّت على كتفي، كنت أنسى عاهتي وأحسبهم نسوها أيضاً، فأبتسم وأضحك، وتبقى تلك اللحظات تؤنسني في بعدي عن الناس، وغربتي الداخلية عنهم. وكنت أفكّر، هل الناس متعنّتة فعلاً، أم أنّني أنا الخائف، الغارق في المأساة لأنّي أجد فيها كياناً.

ربما كانت زياراتي لمايك، وإصراراي على الارتباط بعالمه المجنون والغريب، وسيلة للخروج من المأساة وللتفاعل ولخلق حياة عادية لا وجود فيها لكل تلك المسافات بين البشر، حياة لا أخجل فيها من نفسي، ولا أشعر لا بفوقية ولا بدونية، بل فقط بالتوازن.

أحد روابطي بصديقي اللّبناني، كان انبهاري الدائم بقدرته على عدم الاستقرار واستمتاعه بهذه الحالة من التغيير المستمر. كنت أفكّر دائماً بقدرته الغريبة على التخلي، وأحسبه أحياناً، إنساناً حكيماً ورصيناً، لتعود عبثيته وتطفو على ملامحه. وفي بعض اللحظات، كان يبدو لي رجلاً أنانيّاً فحسب، كأنّ الهدف من كل الجموع الّتي يبقيها حوله، كان تعزيز هذه النرجسية والرغبة بأن يكون الرجل اللّامع ومحور الاهتمام.

لكي تحافظ على صداقتك بمايك، كان عليك ألّا تحاول تجاوزه، ألّا تظهر يوماً كأنّك أفضل منه وأن تكيل له المديح. لهذا، بقيت علاقتي به مختصرة على لقاءات أسبوعية، وليس تواصلاً يومياً يحتّم علينا تشارك الخصوصية.

كنت أحبّ أن أزوره بين فترة وأخرى، وأستمع إلى أحاديثه الّتي تدور حول ذاته معظم الوقت. والحقّ أني كنت أفعل ذلك ليس فقط حبّاً به. كنت أشعر بالفضول تجاهه وكنت أيضاً أختبر، ولو للحظات قليلة، تلك العبثية كنمط للعيش، أنا المثقل بالمخاوف والهموم، الرجل الّذي يصعب عليه إلقاء كاهل الجدّية عن نفسه.

كلّ مرّة، كان يقوم بتقديم امرأة جديدة لي، عشيقة، صديقة، حبيبة وحتّى مرّاتٍ زوجة. كنّ جميعهن يتشاركن صفة واحدة، الإنبهار به وتفضيله على أنفسهن. امرأة واحدة فقط غلبته وتخطّته في حب الذات، "إيفا"، المكسيكية الحالمة بالشهرة هي الأخرى. كانت تلك الفتاة تشبهه إلى حدٍّ بعيد، على الرغم من اختلاف بسيط. كان هو عبثياً وكانت هي براغماتية، تحدّد خططها وتعبر إليها بشراسة وصلابة.

الأمر الّذي يجدر ذكره، عند التطرّق إلى شخصية مايك، أو محسن الفذّة، هو تردّدي في أن أقدّمه إلى هيلدا في بداية الأمر. كان

هو الصديق الّذي لا يمكنك الوثوق به، ولا التخلي عنه في الوقت نفسه. وكنت أتجّنب أن أدع حبيبتي تلتقي به، خصوصاً في أوّل معرفتي بها، حين كنت أرى فيها طفلة صغيرة، أو قطة تحتاج إلى الحماية وليس أكثر. كانت وحدها هنا، آتية من البعيد لتتعلّم الرقص وتصميم الأزياء. وكانت تبدو لي كوردة على وشك التفتح، وشهوة لا تدرك نفسها. كانت من تلك الفتيات طريات العود. بلوّرة كريستال شفّافة تلمع كجسد يتراءى الكون من خلاله.

كانت من "الهناك" الّذي يحمل عبق البراءة الأولى. الجمال الخفر الّذي لا يخرج عن كياسته، ولكنّه يصرخ مناجياً برقّة. يتوسّلك تارّة أن تقترب منه وتخترقه، ويجعلك في إغماضة عين واقفاً مرتبكاً وخائفاً من أن تفسده، تماماً كما يحاول تلامذة المدارس الحفاظ على دفاترهم مرتبة ونظيفة في بداية العام الدراسي. وكما يكتب الأولاد حروفهم الأولى على الكرّاسات بعناية وتأنٍّ أو كما يحاولون أن يكون الخطّ متناسقاً ويحرصون ألّا تخرج الحروف عن السطور، هكذا كنت في بداية علاقتي بها. وربما جميع البدايات هكذا، فيها من العناية ما يجنّب الخطأ.

ولكن لننظر إلى جميع الكرّاسات، إلى الأوراق الّتي تلحق الصفحات الأولى والكلمات في دنوّها من نهاية الكرّاس، ألا يبدو معظم التلاميذ كأنّهم سئموا تلك الكياسة؟ ألا ينسون بياض الدفاتر وتبدأ الخربشات في الظهور هنا وهناك؟ من هم أولئك التلامذة الّذين يحافظون على نظافة دفاترهم طوال العام الدراسي وهل هم في الحياة من يحفظون علاقاتهم على النحو نفسه؟ ألم نصادف جميعاً أولئك الزملاء وشعرنا بالغيرة من قدرتهم على المثابرة بنفس الوتيرة.

هل كانت هيلدا فعلاً ورقتي البيضاء، وهل تمزّق غلاف دفتري، أم أنّ مقارنة كهذه سخيفة وتافهة؟ ولماذا عدت لأعرّفها على جميع أصدقائي، هل كانت وسيلتي للتباهي بها، لأقول لمحسن أنّ النساء قد تعجب بي أنا أيضاً، وهل فعلت ذلك فقط بعدما تأكّدت من صدق أحاسيسها تجاهي لأضمن ألّا أكسر صورتي أمامهم، فلا يتذكرون وهم يتتبّعون وجهي، ذاك الخدش الطويل على وجنتي، تلك الندبة الّتي كنت أحسبها تتسّع لتمتدّ إلى رقبتي وتصل إلى رجلي الّتي لا تستطيع أن تمشي بخطىً ثابتة ومتماسكة كما يفعل الآخرون. كنت أريدهم أن يروا رجلاً فقط، رجلاً له امرأة مغرمة به.

تتراءى لي هيلدا الآن في صورتها الأولى، وهذه الذكرى تحديداً هي ما تعذّبني وتطلب من أصابعي أن ترفع سمّاعة الهاتف وتطلب رقمها لأسمع صوتها العذب. ولكن عهداً قطعته على نفسي بأن ألّقنها ثمن الغياب كان يمنعني عن ذلك.

آخر ما توقّعته منها كان أن تحاول كسر الجليد بيننا بنفسها، لكنّ تلك المرأة اللعينة خدعتني في ليلةٍ سامرت فيها الوحدة. هاتفتني وبقيت لأكثر من خمس دقائق تتحدّث بلهفة عن رائحة تراب الأرض وعن المطار. كانت تصف المدينة بشغف وحب. راحت تروي لي كيف شعرت عندما وطأت قدماها أرض الوطن. كانت تقول إنّ صدرها تفتّح للدنيا من جديد كمن صعقه المكان وداهمه على حين غرّة. قالت إنّ الهواء دخل إلى مسام جلدها وملأها كأنّ لا ذكريات سيّئة لها على هذه الأرض.

"كنت أظنّ أنّ وصولي إلى هنا سينكأ جراحي، لكن ما حصل هو العكس تماماً. بدا كل شيء غريباً. كل الصور الّتي استعدتها كانت

الإيجابية الّتي تربطني بهذا المكان، كأنّ البعد عنه كان ضرورة لإعادة اكتشافه. شعرت كأنّي أقوى من المكان، كأنّي لم أعد تلك الفتاة الضعيفة الّتي هجرته. صرنا كأنّنا متساويان، النّدّ للند"، قالت هيلدا بسرعة وبلهفة، ثمّ أكملت، "كل شيء تغيّر يا مجد، لكن حين تطيل النظر إلى الوجوه والأماكن، تبدو لوهلة كما هي. لوريس حضّرت لي جميع المأكولات الّتي أحبّها، وأظنّ أنّ وزني سيزداد كثيراً، إن استمرّ الحال على ما هو. قد لا تعرفني حين تراني"، قالت لي. وإذ أتتها أجوبتي مقتضبة وقصيرة، سألتني "ألا تودّ أن تراني؟ ألا تشتاق لي؟".

- بلى. أفعل.
- لماذا لا تكلّمني إذاً؟
- لأنّي متعب وأريد أن أخلد إلى النوم.
- إذاً تصبح على خير.
- تصبحين على خير.

إنقطع الاتّصال. وكنت أحسب أنّ الهاتف سيستمرّ يرنّ طوال اللّيل. كنت أريدها أن تستجدي وتتوسّل أن أتوقّف عن المكابرة والعناد وأن أتفهّمها. لكنّ هيلدا لم تفعل. خطت إلى الوطن بقدميها الصغيرتين الثابتتين على الأرض. لم يغرِها جرحي أو ربّما فعل وكانت فقط تنتظره أن يصبح طريّاً ليفسح لها مجالاً للغوص فيه.

"اذا ما رجعت، العدرا بدها تزعل منّي"، قالت لي قبل رحيلها بأيّام، وروت لي أنّ لوريس، المرأة الّتي كانت تعمل لدى عائلتها، أخبرتها أنّ تمثال العذراء في قريتها، في جبل لبنان، كان يرشح زيتاً.

شرحت أنّها لا تصدّق هذه الخرافات ولكنّها تودّ أن تصدّق صوت أمّها الّذي يحثّها على الزيارة ويطلب منها أن تحضر قدّاس يوم

الأحد في كنيسة "المخلّص"، ليس لشيء إنّما لقليل من الدفء. قالت أيضاً إنّها نسيت كيف ترسم علامة الصليب على وجهها، ونسيت طعم القربان، وصدى أجراس الكنيسة.

"عَ شوي رح أنسى العربي، بيهون عليك أنسى العربي؟" سألتني في آخر محاولاتها للحصول على "مباركتي" رحيلها، قبل أن تفقد أعصابها وتتهمني بالأنانية. منذ صراخها وبكائها تلك الليلة، شعرت بها عصيّة عليّ وقررت أن ألوذ بالصمت وأتوقف عن لومها بسبب ما قالت إنّه وإن طال، سيبقى رحيلاً موقّتاً.

خلدنا ليلتها إلى الفراش، وكنت أرغب بمضاجعتها بشراسة حتى تخضع لي كلّياً. كنت أريدها أن تقترب منّي وتمسّد رأسي بأناملها، لأصدّها وأجعلها تجهد لتستثير رغبتي. أعطيتها ظهري في السرير وانتظرت على أمل أن تقترب منّي وتقبّل عنقي وكتفيّ وظهري.

انتظرت أناملها الّتي كانت تحنّ بعد كل شجار، وأظافرها الّتي تنغرس في جلدي. وعندما خذلتني حاسة اللّمس ولم تقترب مني هيلدا، جنّدت حاسة السمع وجعلتها في حالة استنفار لتلتقط اتّجاه أنفاسها ومسافة الهواء بيني وبينها. أردت أن أسمع نبض صدرها علّه يشي برغبتها أو ينبئني بأنّها ستدنو مني.

بعد مرور ساعة أو أكثر من إرهاق الحواس كافّة، سواءً عبر اختلاس النظر أو تعمّد أن تضرب يدي بمؤخرتها كأنّي أرفعها عن غير قصد، اصطدمت بفراغ، فراغ لم يكن يوماً حدّاً كما كان في تلك الليلة. وإذ التفت صوبها، وجدت أنّها أعطتني ظهرها هي الأخرى. قمت من مكاني. اقتربت ووقفت، على الجهة المقابلة للطرف الّذي احتلته من الفراش. كانت نائمة، وبدا على وسادتها أثر لكحلٍ أسود خالط شيئاً من الدمع.

غفت هيلدا وهي تدمع بصمت. وقفت كجلّادٍ جبار يتأمل أثلام جلد ضحاياه. وعندما أرهقني إثمي وسئمت النظر من كمّ العذاب الّذي سبّبته لها، وددت لو أركع أمام تلك البقع الرمادية وأطلب المغفرة، وحين حاولت الخضوع وثني ركبتي تبجيلاً لدموعها، وجدت نفسي عاجزاً عن تطويع جسدي، وتذكّرت مقولة أبي الّتي كان يرددها لي دائماً "كلّ ذي عاهةٍ جبّار".

منذ تلك الليلة، تغيّر أمر ما في المعادلة. وصرت إذ نظرت إلى هيلدا، لا أراها كحبيبتي بل أرى فيها ظلّ امرأة مسيحيّة. ليس لدافع ديني بل لأنّي متأكّد أنّها حين ستعود إلى "الهناك"، ستخشى من أن تقول لأمّها إنّها تحب رجلاً فلسطينياً مسلماً.

ستشعر ربما بأنّي عبء ثقيل على هذه الحياة وستتمنّى، للحظات، لو أنّ الرجل الّذي اختارته من طينتها ومحيطها. هيلدا هربت منهم إليّ. هربت من كل تلك الاستحقاقات الّتي فرضوها عليها، بأن تكون طفلة أبيها المدلّلة، الّتي لا تكبر، وأن تعيش مع بنادق الحرب وذكريات الزمن الّذي كان فيه لعائلتها العزّ السياسي. زمن القوّة.

لم تكن طفولة هيلدا طفولة تعيسة، بل عكس ذلك تماماً، على الأقل في المظهر الخارجي للأمور أي أنّها كانت فتاةً آمنة، الأصغر بين إخوتها ومدلّلة المنزل. كان يمكن لتلك التركيبة أن تصنع منها امرأة سطحية، أو أقلّه شابّة لا مبالية لا تريد أن تخرج من شرنقة العائلة.

لكن، على حدّ وصفها، كانت تقول دوماً إنّ الدودة لا تتحوّل إلى فراشة إلّا عندما تخترق شرنقتها، وإذا كانت حياة الفراشات أصعب لأنّها معرّضة للغبار والعواصف، فإنّها تطير وتجتاز المسافات وتكتشف العالم.

كان يروق لوالديها أن تبقى داخل الشرنقة وتتزوّج رجلاً من ملّتها، وتبقى تحت جناحيهما، لكنّها لم تكن تريد ذلك. كانت تخبرني أنّها حين كانت تصلّي مع صديقاتها في المدرسة، كانت تفكّر دوماً بجملة "لا تدخلنا في التجارب" في صلاة الأبانا، وكانت تلك العبارة تحديداً ما استدرجها إلى أن تسأل والدتها، مراراً، عن تلك التجارب الّتي يجب أن تتفادها.

وفي اللّيل، قبل أن تغمض عينيها، كانت تفكّر كثيراً بكل تلك الأشياء الّتي تصلي إلى الله أن يجنّبها إيّاها ولا تجد أيّ إجابة. كانت تجدها فكرة مغرية أن تعرف كل الخطايا لتفهم عمّا اعتذرت معظم سنين حياتها وليكتسب اعتذارها جسداً ما.

-6-

جبل لبنان 1982

- هيلدا، لماذا لا ترددين معنا فعل الندامة؟ أريد أن أسمعك ترددين ورائي: أيّها الرب إلهي، أنا نادم من كلّ قلبي على جميع خطاياي.

- أيّها الرب إلهي، أنا نادم من كلّ قلبي على جميع خطاياي.
- لأنّي بالخطيئة خسرت نفسي والخيرات الأبدية.
- لأنّي بالخطيئة خسرت نفسي والخيرات الأبدية.
- لماذا لا ترددين الصلاة بصوتٍ أعلى، أكملي فعل الندامة وحدك، ألم تحفظيه؟
- لأنّي بالخطيئة خسرت نفسي والخيرات الأبدية واستحققت العذابات الجهنّمية.

ردّدت هيلدا يومها فعل الندامة وهي تبكي ولكنّها أكملت الصلاة حتى آخرها. استبقتها يومها الراهبة جاكلين في الصف، بعد حصة الدين، وراحت تحدّثها عن التوبة، وعن أهميّة الابتعاد عن الرذيلة والتحلّي بالفضيلة.

أخبرتها عن قداسة السيّدة العذراء، الّتي حبلت من دون دنس، لكنّها لم تسألها لماذا بكت. قالت هيلدا للراهبة يومها إنّها تحب الله،

وإنّها لا تريد أن تثير غضبه وأنّها خائفة من ألّا يحبّها، لكنّ "السير جاكلين" طمأنتها أنّ أمّنا مريم ستشفع لها عند الرب. كانت عندها في الحادية عشر من عمرها، وكانت إحدى صديقاتها تسكن في بيت للطالبات في المدرسة الّتي كان فيها قسم للفتيات اللّواتي يعشن في الدير.

كانت رفيقتها باتريسيا قد أخبرتها أنّ الراهبات يبخلن على الفتيات بالطعام، فتجرّأت هيلدا وسألت الراهبة إن كان الله سيغفر لهنّ ذلك. بقيت "السير جاكلين" تستجوبها حتّى اعترفت هيلدا أنّ باتريسيا من أخبرها بذلك.

في اليوم التالي، لم تعد باتريسيا تلعب أو تتكلّم مع هيلدا، وأخبرتها صديقاتها أن الفتاة تلقّت عقاباً شديداً من الراهبات، وأنّهن أجبرنها على تلاوة فعل الندامة خمسين مرّة، على مسمع الجميع. كانت باتريسيا تقف عند طرف الملعب، وترمق هيلدا بنظرات حقد وعتب، قبل أن تعطيها ظهرها وتبتعد عنها كلّياً.

كان هذا الأمر يؤلم هيلدا كثيراً، فهي لم تقصد أن تلحق الأذية بصديقتها. "يا رب، أنا نادمة من كل قلبي على جميع خطاياي..."، ركعت هيلدا مقابل نافذة غرفتها تصلّي بعد عودتها من المدرسة وتردد فعل الندامة على أمل أن تكلّمها باتريسيا في اليوم التالي، لكنّ صديقتها لم تفعل. على العكس، تفشّت عداوتها لها، وانتقلت إلى صديقات أخريات، وشعرت هيلدا، في ذاك الفصل الدراسي، أنّها منبوذة تماماً من الجميع.

صارت تجرّب أن تتلو صلوات مختلفة يوميّاً، مرّة للعذراء، ومرّة ليسوع ومرّة لله ولكنّ كلّ تلك التضرعات لم تأتِ بنتيجة. وضعت

51

شريط "الكاسيت" في آلة التسجيل، وحاولت أن تحفظ ترنيمة "في ظلّ حمايتك" غيباً، عسى أن يشكّل الأمر نقطة لصالحها، ويحثّ باتريسيا على مساعدتها.

"في ظلّ حمايتك، نلتجئ يا مريم. لا تردّي طِلبتنا عندما ندعوكِ". أوقفت الشريط وأعادت تشغيله بعد أن حفظت السطر الأوّل. في اليوم الثاني، كانت تهمس في سرّها "يا فخر المرايا، يا خير الورى، يا بحر العطايا في الدنيا جرى". عادت إلى المنزل غاضبة عندما لم يحدث أيّ تغيير في موقف صديقاتها منها. شغّلت الشريط ولاحظت أنّها كانت تقول "يا فخر المرايا" بينما الترنيمة "يا فخر البرايا". ظنّت أنّ العذراء لم تستجب لدعوتها لهذا السبب، وبكت حتّى نامت.

في الفصل الثاني، وبناء على نصيحة من لوريس، قرّرت هيلدا أن تكتب رسالة إلى صديقتها ورسمت لها الكثير من القلوب وكتبت لها أنّها تحبّها، وأنّها تصلّي كل ليلة لكي تسامحها. سرعان ما عادت المياه إلى مجاريها بين الصديقتين واستعادت هيلدا مكانتها في الصف، لا بل صارت أكثر انتماءً إلى المشاغبات من زميلاتها، وصار ينشأ في داخلها ميل إلى مخالفة القواعد وإلى إثارة غضب الراهبات.

عند وقوع تلك الحادثة، بقيت هيلدا لأكثر من شهر تحلم أنّ "السير جاكلين" سجنتها في قبو المدرسة، وصارت تدخل إليها في الصباح، وتضع لها رغيفاً من الخبز والمربّى، أو الحلاوة الطحينية الّتي أخبرتها عنها باتريسيا.

في حلمها المتكرر، كانت الراهبة الطويلة القامة بزيها الأزرق الداكن ترمق هيلدا بنظرات لوم كأنّها اقترفت ذنباً لا يغتفر، ذنباً أرادته أن يرافقها طوال حياتها كي لا تتحرّر منه.

وحتى سنّ متأخرة، بعدما أصبحت قادرة على التمييز، وبينما نال منها هذا الاقتصاص النفسي ما نال، باتت هيلدا تعرف أنّها كانت تحمل خطيئة غير موجودة كتلك، الّتي طلبت من الله أن يغفرها لها.

كانت تظن أيضاً أنّها تحمل خطيئة الحرب، وأنّ البنادق الكثيرة في منزلهم عقاب إلهي ما. كانوا يأتون إليهم رجال طويلو القامة يجلسون مع والدها وعمّها جورج. كان أبوها يطلب منها أن تبقى في غرفتها، وينادي والدتها كي يوصيها بألّا تسمح لها بالخروج. لكنّها كانت تنظر إليهم من ثقب الباب خلسةً، وتراهم ينفثون الدخان متوتّرين، وتسمع رنين بنادقهم.

اصطحب والدها يوماً أحد الجرحى إلى المنزل، صديقه أنطوان. "شلّحوا سلاحه، لحقنا على آخر نفس"، قال للأمّ الّتي كانت هيلدا تراها تتحوّل إلى ممرّضة في ثوانٍ قليلة. "خليكي معه، انا لازم فل". كانت الوالدة تطبّب الجرح الّذي أصيب به أنطوان في صدره والّذي كان ينزف. لم يكن هناك أيّ خدم في البيت، يومها، لذا اضطرت الأمّ أن تستعين بهيلدا لتناولها القماش وبعض الحاجيات من الخزانة، حيث احتفظت العائلة بالأدوية وأدوات الإسعافات الأوليّة.

كانت هيلدا تنظر إلى الجريح بخوف على وشك البكاء، لكنّ أمّها هدّأت من روعها... كانت الأمّ تخاطبه وهي تنظّف الجرح، وتلعن من فعل به ذلك. "يلعن أبو الفلسطينية على أبو يلي جابهم على هالبلد، ويلّي سمح لهم يعملوا هيك ببلادنا".

قالت عبارة يا عدرا ويا يسوع، أكثر من عشرين مرة، في غضون أقلّ من خمس دقائق... أرادت هيلدا أن تبكي فقط لأنّها لم تفهم ماذا يحدث. كانت خائفة على والدتها أيضاً كأنّ النزيف مرض معد...

طبّبته الأمّ وبقيت قربه. لم تكن معتادة أن تغفو على أريكة. لم تعهدها هيلدا صلبة هكذا وكانت تحسب أنّه لا يمكن لأمّها أن تمسك زمام الامور وحدها حتّى تلك الليلة.

عندما روت لي هيلدا تلك الحادثة، كنت أحاول أن أرسم ملامح أنطوان الجريح، أسأل نفسي إن كان يلبس يومها زيّاً عسكرياً، ومن فتح النار عليه. كنت أستمع إلى حكاية جريح ليس من منطلق كونه عدوّاً بل إنسان فحسب. لا، لم أستطع أن أراه كإنسان عادي بل مقاتل. لم أكن متعاطفاً، لأنّي كنت أعرف أنّه كان يجب أن أتمنّى موته، لو كنت في الغرفة نفسها قبل عقدين تقريباً.

كل ذلك لم يثنني عن الاستماع للحكاية وبتلهّف. في لحظات ما، كنت أشعر بالسعادة لأنّهم تألّموا أيضاً وكنت أحاول أن أمازح هيلدا، فأقول لها إنّي أحاول أن أتخيّل ردّ فعل أمّها إن عرفت بعلاقتنا.

- هل يمكنك أن تتصوّري أني داخل منزلك، وأكلّم أمّك بلهجة فلسطينية. ستنهار حتماً.
- ولماذا تبدو سعيداً بالفكرة؟
- لا، مطلقاً.
- لن يكون أمراً مسليّاً حتماً. هل تكرههم؟
- من؟
- عائلتي... نحن.
- لا، طبعاً لا.
- هل تحبهم؟
- لا أعرفهم...
- هل تستطيع أن تحبهم؟

- لا أعرف أيضاً. أحاول أن أعرفهم من خلالك. هل يُفترض أن أحبّهم؟ هل أستطيع أن أحبّهم؟ ربّما. ليسوا يهوداً في نهاية الأمر. أعرف أنّي أحبك أنت وأريدك لي وحدي بعيداً عن كل شيء. هذا الأمر الوحيد الّذي أعرفه.

-7-

جبل لبنان 2000

على مدخل القرية، في الجهة الشمالية لشرق بيروت، طلبت هيلدا من السائق الّذي أرسله والدها ليصطحبها إلى البيت أن يتوقف. ترجّلت من السيارة وذهبت لتضيء شمعة في مزار السيدة العذراء. قطفت زهرة من شجرةٍ صغيرةٍ أزرارها صفراء من نوع الوزّال ووضعتها داخل كتابٍ حملته في حقيبة يدها الّتي كانت تحبها أن تكون كبيرة الحجم وواسعة.

كانت تعرف أنّ هذا النوع من الزهر لا رائحة له، لكنّها كانت تتخيّله كانعكاس من شمس على الطبيعة. بعدما قطع بها السائق الأميال القليلة المتبقة إلى منزلهم، ركضت الفتاة لترتمي بين أحضان أمّها وتعانقها لتشدّها أكثر إليها.

سمعت ضحكته من البعيد وهي غارقة في أحضان الوالدة، وسارعت لتركض إليه وهو يناديها "بيلّا، كأنّك لم تكبري البتّة".

- أكثر من سبع سنوات، ألم تسأمي من الغربة؟
- كان الأمر ضرورياً يا أبي.
- ستبقين هنا؟
- لا يزال من المبكر الجزم بذلك.

كان والد هيلدا يكلّمها وهو يربّت على رأسها تارةً ويشدّ يده على خاصرتها تارةً أخرى. تأبّط ذراعها ورافقها إلى غرفتها في الطابق الأعلى من المنزل. كانت أشياؤها كما هي، كأنّها لم تفارق هذا المكان ولو للحظة. علبة الموسيقى، وورق الجدران الأزرق السماوي المائل إلى الخضرة، الدّببة المحشوة، والضوء الدائري في السقف فوق السرير. فراشٌ وثير والكثير من الوسائد، كتلك الّتي يملكها عادةً المترفون.

ألقت بجسدها على فراشها الأوّل، وأغمضت عينيها للحظات. كان مجد في سريره أيضاً، مغمض العينين يحاول أن يجتاز المسافة ليتوحّد بها. سريران منفصلان، ورجل وامرأة وحلم. ما عجز عن قوله لها هو كم أحبّها، وما لم تقله له، هو أنّها ستشعر بأنّ المكان يضيق من دونه، بأنّها ستمدّ أصابعها في الفضاء لتلتقطه وتشدّها إليها، ولن تجدنه.

بقي مجد ممزّقاً بين احتمالات المسافة وما يمكن أن تسلبه من الأحبّة، شعر كأنّه يعترف على هيلدا أخرى، وصار لمّا يتذكّرها، يرسم أشياء مختلفة عمّا تشاركاه معاً.

كان يرسم قريتها وأحلامها وخطواتها الأولى، ويراها فتاةً صغيرة تحبو، ومراهقة تتلصّص على صديق يجاورها في مقعد الدراسة، وكان يشتدّ تعلّقاً بهذه التفاصيل كأنّه يريد أن يُلمّ بكل ما يهمها. فتح خزانة الملابس. نظر إلى ثياب الرقص الّتي كانت تعلّقها بعناية في درفة منفصلة، وتذكر كم خيّب ظنّها حين تغيّب عن حضور حفل تخرجها من الجامعة.

عندما عادت من الحفل، كانت تصف له المسافة الّتي ارتفع فيها جسدها عن الأرض وتخبر كيف كانت تروّض أعضاءها، فخذيها،

كفّيها وحتّى أصابعها لتذعن للموسيقى. يومها، أشعلت سيجارة من علبة سجائره وتفاجأت وهو يراها تنفخ الدخان وبدت له مختلفة. لم تكن تبتسم. كانت تحدثنه بشغف، لكن ليس أيّ شغف، بل حماسة تتعمّد من خلالها أن تشعره بالذنب لأنّه لم يكن هناك.

"لا أزال لا أفهم كيف أمكَنك ألّا تأتي"، قالت أخيراً وهي تهمّ بإشعال سيجارة أخرى.

- كنت أريد ذلك لكن طرأ عليّ اجتماع عاجل في العمل. لم أكن أعرف أنّك تدخنين.

- ليس أمراً مهمّاً. أفعل ذلك على سبيل التسلية فحسب.

قالت ليلتها قبل أن تخلد إلى النوم إنّها لطالما بدت مستعدّة لفعل أيّ شيء من أجله، ولو اضطرها الأمر إلى أن تتخلّى عن جزء منها، أو تقدّم الكثير من التنازلات. أخبرته أيضاً أنّها بدأت تشكّك بكل شيء، إن كانت تحب أكثر ممّا ينبغي، أو تندفع وتنجرف وراء أوهامها عن قصص العشق الكبيرة. ثمّ بكت. واستمرت تبكي بشيء من الهستيرية وتشتم الغربة حتى نامت.

كان جزءٌ منه يفهم ما تقوله الفتاة ويعرف أنّه كان يجب أن يكون في القاعة ملاحقاً عينيها وهي ترقص. ولكنّ جزءاً آخر بقي عاجزاً عن تفسير هذه الانفعالات الّتي بالغت بها أحياناً.

في تلك اللّيلة، بين الخوف من فقدها، والرغبة في تخفيف وطأة حزنها، لم يجد سبيلاً إلّا أن يختلق عذراً ما لغيابه عن الحفل. قبل أن تستسلم إلى النوم، جلس بقربها على طرف السرير وانحنى ليقبّل آخر دمعها، وقال لها إنّه شعر بألمٍ شديد في رجله، وإنّ ذلك منعه من الذهاب.

زعم إنّه كان متّجهاً إلى الباب حين كاد يتهاوى أرضاً، فأسند جسده إلى الحائط، وانتظر بضع دقائق قبل أن يستطيع الوصول إلى الأريكة. قال إنّه تمنّى أن يكون هناك، وإنّه تخيّلها ترتفع عن الأرض وتحلّق وإنّه رأى نفسه محلّقاً معها، ممسكاً بيدها وهائماً، كأنّه لم يكن يوماً عاجزاً عن التحكم برجله.

بكت هيلدا مجدّداً، لكن ليس غضباً هذه المرة، بل حزناً وتأثّراً وخفّف الأمر مقدار توتّر مجد. عندما نامت، همس لها بالجزء الآخر من الكذبة، الجزء الحقيقي، إنّه لم يكد أن يقع بل إنّه كان أقلّ شجاعة من أن يحتمل رؤيتها تطير وهو عالق على هذه الأرض اللعينة. أخبرها أنّه جلس فعلاً على الأريكة، وأنّ خيبته هي ما دفعته إلى هناك، وأنّه بقي يحلم بها طوال مدّة العرض مستمعاً إلى الموسيقى نفسها الّتي كانت ترقص على أنغامها. أخبرها ذلك فقط حين عرف أنّها ما عادت تسمعه. "آخر دقيقة" كان اسم عرضها. "في آخر دقيقة، تنقلب الحياة رأساً على عقب. تختصر اللّحظة الأخيرة كلّ شيء لأنّها تحدّد الذكريات وتصنعها. إمّا تطيح بكلّ ما سبق أو تقرّر أن تكون امتداداً له"، قالت له وهي تضع ظلّ العيون الأزرق الباهت على محيط جفنيها العلويين، ثمّ تحدّد به جفنيها السفليين، قبل أن تذهب إلى البروفة الأخيرة الّتي ستسبق العرض. قبّلته بشغف، وعضّت شفته السفلى مداعبة قبل أن تخرج.

كان يجلس وحيداً يتخيّل جسدها على المسرح. يعلو ويهبط كأنّه يناديه. كلّ حركة كانت تقوم بها أثارته. بدا الأمر كأنّه يخلع عنه الندبة في وجهه، ويرمي العكّاز الّذي يستند عليه ليمشي. كأنّه قربها هناك وكأنّها ترتفع نيابةً عنه. لعبت ألوان المسرح الصفراء والحمراء حول

جسدها الّذي مزّقته شغفاً. ثمّ سُلّطت الإضاءة على وجهها. رفعت رأسها إلى الأعلى ليبدو عنقها مشرّعاً للجميع، طازجاً يستجدي القبل، ثمّ ألقت برأسها إلى الأمام، في حركة متناسقة مع كتفيها. بدت كامرأة تلفظ عشّاقها خارجاً، وتضع رأسها على مقصلة. كانت هناك. خفيفة. متوحّدة مع ذاتها. مكتفية كلوحة فنّيّة. لم يكن مهمّاً، في تلك اللّحظات، إن كانت هذه اللّوحة له. كان جمالها هكذا كافياً كأنّ الرحيل أيضاً يصبح في لحظةٍ إغراءاً. ولكن لحظة مدّ يده لالتقاطها، استيقظ من وداعة السراب. غضب وهمّ بأن يكسر جهاز الموسيقى، لكنّه اكتفى بأن يضمّ أصابعه إلى باطن كفّه ويضرب به الحائط.

كان الحلم بالنسبة له أهون من الحقيقة. أن يجلس ويرى سرابها يتطاير على خشبة المسرح ويزجّ نفسه في العرض كشريكها في الرقص كما يشتهي أن يكون وليس النكرة الّذي يراقب فحسب.

-8-

مخيّم صبرا وشاتيلا 1980

- ماذا تريد أن تكون عندما تكبر يا مجد؟
- أريد أن أكون طيّاراً.
- لماذا؟
- لكي أرتفع وأرى الأمور من فوق.
- ألا تخشى أن تقع يوما ماً؟
- لا. أريد أن أرسم في السماء علامات بيضاء كتلك الّتي تتركها خلفها الطائرات.
- لكنك ستقضي معظم أيامك بعيداً عنا، متجولا وغير مستقر.
- أريد أن أزور منزل الله هناك. هل أستطيع ذلك؟
- لا أعرف يا ابني.
- أنت تقولين أنّه هناك يراقبنا. أريد أن أزوره.
- قصدت أنّه أبعد من ذلك.
- أن أحلّق وأراه.
- ألا تريد أن تكون طبيباً مثلاً أو مهندساً او أستاذا مثل والدك؟
- لا يا أمّي، أريد أن أطير.

- لنرى إن كان بإمكانك أن تطير إلى حضني الآن. هياً. تسلّق. هيّا، هيّا.

ضحكت كثيراً وهي تدغدغني وتقلبني على بطني فيصبح وجهي في مواجهة الأرض. كانت تهدّدني أن ترمي بي وأنا أقهقه وأقول لا، لا ثم تقلبني على ظهري مجدداً وتحرك فمها باتجاه كتفيّ وصدري وبطني وتقول "سآكلك. لنرى كيف ستفرّ مني. أنت عشائي الليلة".

كنت أصرخ، ثم أقهقه ونرتمي كلانا على "المفرش" ونغرق في الضحك. كانت بعدها تشير إلى الساعة لتعلمني أنّ موعد نومي قد حان. وبعد أن أتململ في مكاني متجهّماً، كانت ترسم النظرة الصارمة على وجهها فأعرف أن لا مفرّ من الخضوع.

على الرغم من حالنا المتواضع، كنت طفلاً هانئاً، قبل أن تبدأ الحرب الاهلية اللبنانية، وأفضل حالاً من معظم أبناء المخيّم الّذين لم تتوفر لهم الشروط الأدنى للعيش. كان أبي مدرّساً للّغة العربية في إحدى مدارس الأونروا، القريبة من مخيم شاتيلا. مرتّب الهندام، لطيف التكوين وهادئ الطباع. عقد دائماً كوفية سوداء وبيضاء، بعد حلول الثورة الفلسطينية ضيفاً خفيفاً علينا في المخيمات، على الرغم أنّه غالباً ما كان يرتدي ملابس رسمية وربطة عنق.

كان يجمع بين الأصالة والحداثة، حتى في مظهره الخارجي. وزوّدنا لقبه "الأستاذ" بفخرٍ كبير أنا وأمّي. كانت هي "مَرَت الأُستاذ" الّتي تقصدها نساء المخيّم لتتوسّط لهنّ عند زوجها ليعطي دروساً خصوصية لأبنائهن، أو ليحاول أن يتوسط لبعضهم لدى مكتب الطلبة التابع لمنظمة التحرير، للحصول على منحة دراسية ليكملوا تعليمهم في الاتحاد السوفياتي. كانت والدتي تطلق الوعود دوماً لصديقاتها "خير

وعلى بركة اللّه، ما منقصّرش إذا طلع بايدنا إشي".

في ساعات المساء، بعد عودته ونيله قسطاً من الراحة، كانت تأتيه بورقة سجّلت عليها مطالب النسوة أو أسماء أولادهنّ وتروح تروي له تاريخ كلّ عائلة ومأساتها: "أبو عبدو" وقع للمرّة الرابعة وهو في طريقه إلى حمّام منزلهما الضيّق لأنّ رأسه اصطدم بالسلّم الّذي يقود إلى الطابق العلوي أيّ "التتخيتة" الصغيرة الّتي أصبحت غرفة لأحفاده، فتعثّر بالحافة الّتي تقود إلى المرحاض. كانت المرّة الرابعة الّتي يقع فيها فيها الرجل الستّيني وقد التحق ولده الوحيد بالفدائيين ولم يعد من سندٍ له ولزوجته ولأحفاده الصغار. "أمّ اسماعيل" كانت تريد أن تستبدل سقف البيت الصفيح بالباطون. شتمت "الأونروا" لوالدتي وهي تخبرها أنّ ممثّلين من المنظمة أتوا مرّتين ليصوّروا المنزل ولم يعودوا لإصلاحه. "ما يجوش، اذا اجوا رح اطردهم"، قالت لها. "رح أسويكي مختار المخيّم يا مرا، كتب التاريخ ما بتسجّلش زيك"، قال لها أبي وهو يخلع سترته.

"لا مختار ولا اشي، الكل بنفس الهم، وجعنا هو ذاته، وما الناس غير بعض"، كانت تجيبه. تلك كانت الخلاصة الّتي تعلمتها من التهجير، أنّ المأساة تجمع، وأنّ الفقراء فقط هم من يتعاضدون في المحن، كأنّ جلد الواحد منهم يندمج مع جلد الآخر فتصبح كسوتهم واحدة، وطعامهم واحداً، وفراشهم حتّى إن لزم الأمر ذلك.

كانت تقول دائماً إنّ هذه اللّحمة بين أبناء الوطن الواحد، في الشتات، هي ما تصبّرهم على التهجير. وكانت تنتقد الفلسطينيين الأغنياء الّذين تخلوا عن "أبناء ديرتهم"، ولم يحاولوا أبداً أن يمدّوا لهم يد العون. "على ايش، ايش ينقص منهم ان تعاونوا، ولا كأنهم كانوا مننا"،

كانت تقول وهي تعدّد أسماء أقارب وأثرياء فلسطينيين، لم أعد أذكر أيّا منهم الآن.

كانت أمّي صغيرة أيضاً حين أتت إلى لبنان من قريتها الفلسطينية "أبو سنان". كانت تقول دائماً إنّها ظنّت وهي طفلة أنّها ستعود إلى منزلها، عاجلاً أم آجلاً، وإنّها لم تكن تفهم معنى الاحتلال. كانت تعتقد أنّ ما حصل أمر عابر، وأنّه كما في قصص الأطفال، سينتصر أهل الضيعة على الأشرار، ويعودون إلى أرضهم، ومن يدري قد تتزوج من أميرٍ أيضاً.

بعدما كبرت وأصبحت راشدة، صارت أمّي تسخر دوماً من اسم قريتها، كأنّها تعاتب الأرض الّتي لم تتجرّأ أن تظهر أنيابها وتبتلع المحتلّ. "على ايش سمّوها ابو سنان، ولا يوم فرجتنا أسنانها، كانوا يسموها اشي تاني"، كانت تقول، فيضحك أبي، ويعدها أن يبحث لها عن أصل هذه التسمية ليرى ما الحكاية.

لكنّ أمي رحلت من دون أن تعرف لماذا كانت قريتها "ابو سنان"، ولم تعش لترى أنياباً سوى أنياب الظلم والقهر والموت والتشرّد، كأنّ الحياة أرادتها أن تستسلم لمنطق القوّة هذا، وتورثني، أنا ابنها، شعوراً ثقيلاً بفقدان الأمل، والخضوع لشريعة الغاب حيث البقاء للأقوياء الّذين يعرفون أن يخترعوا أسلحة حقيقية، غير تلك الّتي ننسب إليها نحن بطولات وهميّة، كأنّ الحياة أرادت أن تقول لي إنّني سأصبح ملكاً حين أقف قبالة النافذة في الطابق 99، على قمةٍ ما، تكون هي تعويضي الوحيد عن كل ما فقدت، وحصني المنيع الّذي لا يستطيع أن يحطّمه أحد. كان الارتفاع الوحيد، الّذي بلغته طفلاً، سطح المخيّم. وكانت والدتي تناديني من الأسفل وتصرخ وتشتم وترفع "الحفّايّ" بعدما تيأس من أن أنزل.

‐ إنزل يا عكروت.

‐ اتركيني يمّا، بدّي أشوف الشمس.

‐ بقول لأبوك لمّا يجي.

كان السطح متنفّساً يتيح لي أن أشمّ رائحة مغايرة للهواء. أن أرى امتداد المباني السكنية أمامي، ويلسعني النور الّذي يكاد لا يجد سبيلاً إلى المخيّم المحاصر بالبناء الضيّق، والنفايات المنتشرة في أزقّته، ورطوبة الغسيل الّذي تعلّقه النسوة على حبالٍ عشوائية. لم أكن أسمع صوت أمّي مهما علا صراخها ونداؤها لجارتنا وداد أو البقّال أبو محمود ليأتوا ويروا "الصّبي مش رح يرتحش إلّا ما يوقع عن السطح".

‐ بقلّك انزل يا حبيبي. لك انزل يا عكروت.

‐ تركيني يمّا، بدّي اشوف الشمس.

65

-9-

أتيت إلى أميركا بعد المجزرة بنحو العامين، بعدما نجح والدي في الحصول على تذاكر رحيل لي وله، لأنّ له بعض الأقرباء هنا. بعد موت أمّي الّذي رفض تصديقه، تخلّى أبي عن القتال الّذي اندمج فيه بعد انتقاله من مرتبة أستاذ الى فدائي. كان في حيرة من أمره، لا يعرف إن كان عليه أن يتخلّى عن لقب الأستاذ، لكي ينخرط في العمل المسلّح وينضم إلى حركة فتح.

كانت أمّي غاضبة وهي تسأله ما الّذي سيحوّله إلى مقاتل، هو الّذي لم يدس نملة طوال عمره. كانت تقول له إنّ القتال حرفة تحتاج إلى مهارات وتدريبات مكثّفة لم يخضع لها هو. "مفتكر كل مين حمل بارودي صار مقاتل، مش الك هالشغلة يا زلمة". لكنّه كان مصرّاً.

كان هناك بريق مختلف في عينيه غير الّذي عهدناه، لا بريق نصر ولا بريق أمل بل لمعة الحزن الّتي تظهر في عيون المتألّمين من الحياة، حين تزجّ بهم في امتحان ما. على الرغم من ملامحه اللطيفة، كانت بنية والدي قويّة، وعندما ارتدى البذلة العسكرية الزيتية اللّون، للمرّة الأولى، والتفح بالكوفية، بدا لنا جميعاً رجلاً مختلفاً. بدا كأنّ رجلاً مغواراً في داخله قد شقّ له البذلة الرسمية، كأنّ عضلاته كبرت فجأة وكأنّ صوته أصبح أكثر خشونة.

66

كانت أمّي تسأله ماذا سيقول التلاميذ عنه حين يرونه على هذا الشكل، وهل سينادونه الآن بغير لقب الأستاذ، لكنّه أمعن النظر إلى عينيها، وأخبرها أنّ الناس ستحبّه أكثر الآن، وأنّهم سيظلّون ينادونه "الأستاذ" لأنّهم اعتادوا ذلك: "الناس بتحب القوي، بتحبش الضعيف، مش انت هيك بتقولي". هزّت برأسها مستسلمة في إشارة إلى موافقتها، ولكنّها استمرّت في أسئلتها.

حاولت أن تشعره بالذنب لأنّ التلاميذ لن يعتادوا أستاذاً غيره بسرعة، لكنّه تجاهل مسعاها. وفي غمرة إلحاحها، نظر إلى عينيها، وقال لها أنّ لعبة الاحتلال مقيتة، تكاد تقتل آخر ما في الإنسان من أملٍ بعدالة الحياة. قال إنّ قدر المطرودين من أرضهم، طوعاً أو قسراً، أن يتحوّلوا إلى مقاتلين شرسين، ليس لرغبةٍ في الدمار، بل لأنّ الخراب وقع واستفحل في أعماقهم.

"بهادي الإيام، اذا ما حملتش البارودي، بكونش فلسطيني"، قالها كأنّ القتال بالنسبة له بات الآن مسألة هويّة، وليس خياراً. لم يكن تحدٍّ ولا مجرد تعبير عن الغضب، بل أكثر من ذلك، كأنّ الموت استحال للحظة هوالوجود. قالها واستمعت، وكانت تعرف جيداً تلك الغصّة في صوته، كأنّ الوتر يشدّ على الوتر لتبقى الحنجرة متماسكة. أوتار خائفة تعانق بعضها البعض تحت الجلد وتحتمي بالصوت، بالصراخ وبالأنين.

كانت تعرف تلك النبرة جيّداً، فقد كانت تنطق بنفس تلك الحشرجة حين تتذكر التهجير والخوف. كانت تعرف معنى أن تنسحب الروح من الحلق، وتحاول العودة إليها مذعورة. ولما بدا لها صوته مخنوقاً بأوتاره هكذا، استسلمت إلى الأمر الواقع وشدّت على يده ليعرف أنّها تفهم تماماً ما يقول وما يشعر.

67

مسحت بيدها على ملامح وجهه، وتمنّعت عن البكاء، كأنّها بذلك تكون شجاعة هي الأخرى. فكّرت كم من المهجّرين والمشرّدين في هذه الدنيا حبسوا مآقيهم مثلها، وكم من رجل وجد نفسه يستحيل مقاتلاً، ليصبح قومياً ووطنياً، حتى لو عنى ذلك أن يخطو مسرعاً إلى مثواه الأخير.

شيئاً فشيئاً، عندما بدأت نسوة المخيّم يتحدّثن عن شجاعة والدي و"الأستاذ" الّذي لم يكن هذا العمل البطولي متوقّعاً منه، رضخت للأمر الواقع، وصارت تروقها فكرة أنّها باتت زوجة المقاتل القويّ، كأنّه تحوّل فجأة إلى القطعة الناقصة من قريتها "ابو سنان" وكشّر عن أنيابه استعداداً لخوض المعركة.

مع الوقت، تحوّلت بذّته العسكرية، وكوفيّته، إلى مصدر للأمان بالنسبة إلينا كأنّهما مبرران كافيان لذهابه وقدومه المفاجئين. وعلى الرغم من قسوة البعد، وصعوبة الحياة من دون وجوده الدائم معنا في تلك الفترة، نادراً ما تذمّرت والدتي منه، ونظرت إليه دائماً بخشوع ورهبة وحبّ. كانت تفاخر به كما يفعل المتديّنون بموروثاتهم العقائدية وأماكنهم المقدّسة.

هو أيضاً أحبّها، وحين كان يتذكرها بعد رحيلها، كان يصفها كأنّها رمزٌ للعفة والطهارة والنقاء واعترف لي، قبل أن يرحل هو أيضاً ببضعة أشهر، أنّه كان يشعر كأنّه يلمسها للمرة الأولى كلّما اقترب منها.

"كانت تلبس لي تلك الأشياء الّتي ترتديها النساء، الدانتيل والساتان، وترش العطر على السرير، ولكنّها احتفظت دائماً بذلك الخجل الّذي يشعرك أنّك في أرضٍ بكر لم يطأها مخلوق. كانت

عذراء، كلّ مرة، كأنّها بطراوتها وعذوبتها محت كل أثر قديم مني على جسدها، ولبست جلداً جديداً".

لـمّا تحدّث عنها أبي، على هذا النحو، حين صرت شاباً، كنت أستغرب كيف يمكنه أن يكون جريئاً هكذا. كانت تنتابني الحيرة إن كانت هذه إحدى تهيؤاته أيضاً، أو أن البعد عنها جعلها أشبه بالحلم، أو إن كان عدم مقدرته على لمسها في الواقع الآن، هو ما جعل تصوّره عنها على هذا القدر من الألفة والجمال، أو أن هذه الصورة هي فعلاً الّتي مثّلتها أمّي "عذراء كلّ مرة كأنّك تطأ أرضاً بكراً" هي ما دفعته إلى حالة إنكار موتها.

كان أبي يقول إنّه لم يشعر يوماً بأنّه بطل على أرض أيّ معركة، كما شعر في نظرتها إليه، لذلك تعاظم في داخله شعور بالذنب تجاه موتها. كان كمن أتى متأخّراً عليها، أو كمن تركها في عزّ حاجتها إليه. جملة "خود الولد وروّح" كانت كافية لتشعرني بالذنب أيضاً.

هل كنت أنا سبباً لتركها في مواجهة ذلك المصير الأسود؟ كيف ذلك وقد كنت أفضّل عدم العيش على العيش من دونها؟ وهل كانت إصابتي في قدمي عقابي الأبديّ لأنّي كنت سبباً في وفاتها؟ وهل كنت فعلاً السبب؟ ولماذا لم يتعامل والدي معي يوماً كأنّي من أفقده زوجته؟ هل كان على هذا القدر من النضج أم أنّ شعور الأبوّة يغلب الملامة؟

كنت دائماً أفكّر ماذا كان ليحصل لو لم أصب في قدمي، ولو لم يحملني والدي بعيداً، هل كنّا سنموت جميعاً كما قالت قريبته مرّة، أم أنّه كان هناك أمل بنجاتها. ربما كان أمراً لا يجوز لرجل مثلي، تمكّن في مكان ما من اجتراح المعجزات، عبر الوصول إلى قيمة مهنية، من أن يصدّق تلك الخرافات، بأنّ الله يعاقبنا جسدياً على خطايانا وذنوبنا.

كنـت أفكّـر بهيلـدا دائمـاً، وأتخيّلهـا تتلـو فعـل النـدامـة، وأسـأل نفسي: هل يجب أن أتضرّع أنا أيضاً إلى الله وأقول له "أنا نادم". نادم لأنّ عدوّاً ما تسبّب بإصابة قدمي ودفعني ووالدي بعيداً عن المخيّم فماتت أمّي وحيدة بسببي؟

هل كان سيسامحني إن تلوت فعل الندامة مثلها، أو لو غسلت العاهة في وجهي بالدمع؟ هل كان كل هذا ليزول بأن أقول له إنّي من "الخطأة"؟ وهـل كنت في محـاولتي الدائمـة لاستنـزاف رجلي الّتي تؤلمني، أحـاول معاقبتها لأنّي لم أسامح نفسي على ما حصل في ذاك اليوم المشؤوم؟

كانت السنتان اللّتـان سبقتا قدومنا إلى أميركـا الأصعب علـى الإطلاق. أن تعود إلى ذاكرة الموت، وتطأ جثث موتى من الممكن أن تكون أمّك واحدة منهم، كان أصعب ما عشته. أن تدخل إلى المخيّم مكسوراً، كأنّك صرت تعرف أنّك غريب في هذه الأرض، ولم يعد من الممكن أن تقنع نفسك أنّها ستكون حتى ملجأً موقّتاً لك. هكذا كان شعور معظم من بقي حيّاً من مجزرة صبرا وشاتيلا، أنّنا سنموت في أيّ لحظة وأنّه لن يأتي لنجدتنا أحد.

كان أبي أيضاً حينها قد فقد حماسته للقتال. وأينما مشى، بدا كأنّه يجرّ الخيبة وراءه، كأنّه هرم في يوم واحد، وازداد عمره أضعاف السنوات بين ليلة وضحاها.

فقـد لقب الأستاذ ألقه وخلع بـذّة العسكر وصـار هاجسـه الاهتمام بي، كأنّني غنيمته الوحيدة من هذه الدنيا. الغنيمة الّتي لم يعد يجوز التفريط بها.

أذكـر أنّـه كـان يضمّـد الجـرح في وجهي بانتظـام ويمسحـه بـالمطهّر ويساعدني على المشي ولو بقدم واحدة. كـان يقف في آخر

ردهة المنزل ويشجّعني أن أقترب منه وهو يبتسم من البعيد ويفتح ذراعيه.

كنت أشعر حينها إنّي طفل في عامه الأوّل، وأستجمع رغبة حديثي الولادة بالإقبال على الحياة، وأخطو إلى الأمام. كانت الردهة تبدو أشبه بسرداب طويل لا ينتهي ولكن كان لا بد لي من أن أكمل حتى أبلغ ذراعيه. طيبة والدي جعلتني عاجزاً عن التفكير حتى بزيادة أحزانه. كنت مستعداً لفعل أيّ شيء لإرضائه. لأراه يبتسم قليلاً.

في بعض المساءات، كان يزوره بعض الأصدقاء، وكانوا يتحلقون في غرفة الجلوس، على المفرش أرضاً، وكنت أحضّر لهم الشاي وأتّخذ مكاناً بينهم لأستمع إلى أحاديثهم. كان بعضهم غاضباً وشرساً، والبعض الآخر محبطاً ومتألّماً.

كانت أحاديثهم تدور حول آخر التطورات السياسية والعسكرية، وكنت أسمع ما يقولون من دون أن أفهم الكثير. والحق أنّ والدي كان لا يبالي كثيراً بما سيحصل. كان هاجسه الوحيد أن يمضي بي إلى بلاد أخرى. كان يخبر الأصدقاء أنّه اكتشف أنّ ما وجده هنا، بين الميليشيات المسيحية والقيادات العربية، يفوق كراهية الصهاينة للفلسطينيين.

كان يقول إنّ أحداً لن يمدّ يد العون يوماً لشعبه لأنّه ضعيف، كأنّه يردد صدى كلمات أمّي، وأنّ الاحتقار الّذي لقيه هنا بين من يفترض أنّهم عرب مثله يفوق حقد الاسرائيليين. صار كمن يعتبر أنّ أي قتال خارج أرضه أمر عبثي ويقول دائماً إنّه لو بقى أهله هناك في كفرياسيف ولم يخرجوا منها إلا جثثاً هامدة، لكان الأمر أفضل من الذلّ الّذي يعيشه شعبه الآن.

"طلعنا صار بدنا نقاتل برات ارضنا متل اللي عمال يفلح ترابات غيره"، تلك كانت كلماته وهو يبشّر من حوله أنّ الآتي أعظم، وأنّ الموت سيلاحق الفلسطينيين، كما تلاحق اللعنة بعض الأشخاص من غير وجه حق.

أن تكون فلسطينياً، هو إمّا أن تنسى الجذور وتتخلّى عن أصلك لتتقدّم في هذه الحياة، وإمّا أن تبقى كرصاصة تنتظر في فوهة البندقية أن تنطلق في اتّجاه ما، على عداء مع الحياة لأنّها سلبتك مهدك الأوّل وأجبرتك على أن تختلق وطناً.

أن تكون فلسطينياً، خصوصاً في زمن الحروب، هو أن تنكر على نفسك حقك في الحياة، وأن تتلبّس الأسى ليصبح جلدك، وإلّا فقدت وطنيّتك. أن تكون فلسطينياً هو أن تنسى الضحك وتلتزم الشعور بالغبن والمظلومية، وإلّا بتّ من الخوارج.

أن تولد في ملجأ أو مخيّم وترى الجميع ينظر إليك بشفقة أو اشمئزاز، وأن تعتبرك الأغلبية عبئاً، وأن تنتظر المساعدات الدوليّة، وهبات الاونروا، وأن تخاف أن ترزق بالأولاد، كما حال محمد، ابن خالتي زهرة في المخيّم، لأنّه يعرف صعوبة أن يكون ابنه فلسطينياً.

ولكن في مرحلة من مراحل حياتي، ولأنّي ابن أبي، الّذي اختار لي درب الحياة وأبعدني عن الموت، كان عليّ أن أختار أن أكون فلسطينيّاً مختلفاً، يريد بكل عزم وإرادة أن يتخطّى هذا التعريف، ويتحدّى الواقع وينسى للحظات ما هو الوطن، الوطن الّذي لم يكن يوماً فيه.

بعد مجيئي مع والدي إلى نيويورك، وأنا مراهق يحمل رجله المعطوبة، بدا لي أنّه قد يكون هنا بعض من الأمل بأن أرتفع

كناطحات السحاب. بدت تلك الأرض لي فرصة للقفز على قدم واحدة. واستحقاقاً لبداية جديدة ربما تكون أفضل.

كنت أدرك جيداً الفرصة الّتي منحنا إيّاها أبي وأردت أن أقتنصها حتى آخر ما فيها. وبدأ ذاك الرحيل بحسناته ومساوئه يتجلّى لي، أكثر وأكثر، عندما أعدت التواصل مع بعض الأقرباء في المخيّم، وبعدما صرت أتلقى الرسائل من ابن خالتي محمد.

كانت تلك العلاقة، الّتي نشأت متأخرة بيننا، بمثابة تذكير لي بأبناء وطني وآلامهم. كان يكتب مطوّلاً عبر الايميل مع كثير من الأخطاء المطبعية الّتي لطالما بدت لي كدليل على انفعاله، كأنّ قهره تجلّى في حروف أمامي، حروف متلعثمة على الشاشة، يطارد بعضها البعض كأنّ الأوجاع تتسابق على الخروج من داخله للتعبير عن نفسها. كان يكتب من مقهى للإنترنت افتتحه صديقه اللّبناني عند أطراف المخيّم. أمضى معظم أوقاته هناك يساعده قليلاً مقابل ساعات مجانية لاستعمال الشبكة العنكبوتية.

كان يصف الأوساخ على أطراف مخيّم صبرا وشاتيلا، وأحياناً كان يرسل لي بعض الصور، ويطلب مني أن أرسل له صور أميركا، ويسألني كيف الحياة هنا. كان يصف المارة داخل المخيّم كأنّهم أشباح لأشخاص أحياناً يبدون له غير موجودين.

"يجدر بك أن ترى الأسلاك الكهربائية المتشابكة. هذا المجتمع الصغير الّذي نحيا فيه يضيق بنا يوماً بعد يوم. صدّق أنّ الخيم الصغيرة الّتي كانت هنا وكان أسلافنا يظنّونها مؤقتة صارت مباني متلاصقة. أزقّة المخيّم الضيّقة وغياب الشرفات عن المنازل. ليست هذه مأساتنا يا صديقي. المأساة أنّنا نفقد الأمل بالخروج من هنا يوماً بعد يوم"، قال في إحدى رسائله.

كان يكتب مطوّلاً عن رشح المياه من سقوف المنازل، والأزقة الّتي تغرق شتاءً لدرجة أنّ سكّان المخيّم يمكنهم السباحة هنا. أمّا الأسلاك الكهربائية الممتدة عشوائياً، فكان يشبّهها بعناق قسريّ لا بد أن ينتهي بانفجار يوماً ما. كانت السخرية واضحة بين أسطره، ومعها ذاك اليأس الّذي يستجدي أملاً في مكان ما. وكنت أنا، في ردودي إليه، أمنّيه بالصبر وأحاول أن أهوّن الأمور عليه وأقنعه بأنّ الحياة هي نفسها في كل مكان.

ولكن كلّما وقفت على شرفة مكتبي في ذاك المبنى المرتفع، كنت أتخيل المخيّم وسكّانه وأكاد أسمع رذاذ المياه ترشح من السقف، وأحياناً أمدّ يدي لقطع أسلاك الكهرباء الشائكة، أو لالتقاط طفل وانتشاله من هناك والمضي به بعيداً. كلّما قرأت رسائل محمد، الّتي كرّر فيها رغبته بالزواج والإنجاب، هو الّذي تخطى الخامسة والثلاثين من عمره، كنت أسأل نفسي إن كانت تلك الرغبة هي فعلاً تلمّس للأبوة، أم رغبة بحياة طبيعية لا غير. الكثير من الفلسطينيين يتزوجون وينجبون. لماذا لم يجرؤ على ذلك؟

كان لديّ تلك الرغبة أيضاً، وكنت أخافها بسبب إعاقتي. كنت أخاف ألّا أستطيع أن أحمل ابني لأنّ إحدى يديّ ستكون متّكئة على العكّاز. كنت أخاف ألّا أستطيع أن أقفز مع طفلي في الحدائق العامّة، وكنت أتخيّل أني لو تزوجت، وأنجبت امرأتي، سيتآكلني كمحمّد شعور بالعجز تجاه ابني وأبوّتي. وكنت أكبت تلك الحرقة في داخلي، ولا أجد نفسي قادراً على تشجيع محمد على الزواج أو الإنجاب من الفتاة الّتي كان يحبّها، ويكتب عنها دوماً في رسائله.

كان يقول إنّه يخاف من اليوم الّذي سيأتي فيه رجلٌ آخر مقتدر، وميسور الحـال ليسـلبها منـه هكـذا على مـرأى مـن عينيه، لأنّـه لـن

يستطيع أن يعيلها. وكنت أنا أيضاً في تلك الحالة من الحب المبتور، حتى في زخم غرامي بهيلدا، في ذلك الخوف من فقدها، من أن أراها تنساب من بين أصابعي، وأن يتحول العشق إلى وهم. كان محمد ينتظر أن يرى نافذة حبيبته مغلقة يوماً ما، وبقيت عيناه معلّقتين عليها، وعجز عن مغادرة المخيم خوفاً من الابتعاد عنها.

كانت تسكن عند أطراف المخيّم، في الجزء اللّبناني منه. كانت فقيرة مثله، وأحبّها، لكنّ أهلها لم يوافقوا على طلب زواجه منها. صار يسأل أمّهات أصدقائه اللبنانيين إن كانوا يرضون أن يزوّجوا بناتهن لمن مثله. بعضهنّ كان يوافق من باب الكياسة والبعض كان يرفض بوضوح. "ولماذا ترغب بأن تتزوج لبنانية؟ تزوّج فلسطينية"، قالت له إحداهنّ، فأخبرها أن حبيبته لبنانية. "ولكن الحب يذهب كما يأتي، ستتخطى الأمر"، قالت له.

كانت الأبواب جميعها تبدو موصدة أمامه. من أين يأتي بالمال وبفرصة عمل لائقة؟ "بدّي اياها هي، بديش غيرها. واذا فلسطيني، ايش فيها؟"، كان يقول لأمّه الّتي تقنعه بالعدول عن هذا الحب حين تراه متألّماً أو غاضباً. "إتركيني بحالي يمّا".

لم يستطع أن يرحل ويسعى للعمل في الخارج، لأنّه كان يعرف أنّه سيعود ليجدها قد تزوّجت. لحظة استباق النافذة المغلقة كانت أشبه بهوس أو لعنة تلاحقه، كما كان خوفي من عودة هيلدا إلى بيروت.

هذا الاستباق للنهايات التعيسة تركنا كلينا في حالة عجز، كأنّ أجسادنا ملتصقة بالأرض من دون أن يكون هناك غراء، أو أي مادة تلزمنا البقاء هكذا. لم أستطع يوماً أن أقول لابن خالتي أن يذهب

75

ويحاول أن يحصل على فرصة ما، ويعود عسى النافذة الّتي يظن أنّه محكوم عليها بالغلق تبقى مشرّعة.

كيف كان لي أن أطلب منه ذلك أنا، الّذي لم أستطع حتى أن أرى هيلدا ترقص خشية من منظر الجسد المرتفع عن الأرض، والمحلّق في الهواء. لم أقل له يوماً إنّ الأجساد الملصقة الّتي تحاول الارتفاع، وإن هبطت مجدداً، تبقى أفضل من الأشلاء الّتي تتخبط في مكانها. كنت أنتظر في كل رسالة أن يقول لي أمراً مغايراً وأنتظر منه، كما انتظر من نفسي، شيئاً من الشجاعة والأمل.

الفصل الثاني

-1-

نيويورك 2000

ما لا أفهمه عن نفسي هو هذا التناقض بين مخاوفي الكثيرة وبين
ما حقّقت من انتصارات، هذه الصورة للرجل الناجح الّتي اكتسحت
بها مأساتي، وإصراري على ألّا أخضع لعملية تجميل للندبة في وجهي.
لم أكن قبيحاً. أسمر البشرة، عسليّ العينين، خشـن الشـعر بعـض
الشيء، لكن ليس أشعثاً. كما أعطاني طول قامتي تناسقاً جسدياً
يخفّف من مشيتي العرجاء.

في بداية مسيرتي المهنية، أهملت شكلي الخارجي، لكنّ دخول
هيلدا إلى حياتي غيّر هذه النقطة أيضاً. صارت تهتم بشراء ملابسي
وتناسق ألوانها. لم أكن اجرؤ أن ألبس الأحذية الرياضية الملوّنة قبل أن
أتعرّف إليها لكنّها شجّعتني على ذلك. في المرّة الأولى الّتي انتعلت فيها
حذاءً من اللّون الأزرق السماوي، بقيت أنظر إلى المرآة وأنا أضحك.
هل سأخرج على هذا الشكل؟ كنت أسأل نفسي. ضحكت أكثر،
وأنا أتذكّر حكاية سلمى، ابنة جيراننا في المخيّم. عندما اشترت لها
والدتها حذاءً جديداً بمناسبة عيد الأضحى، وضعته في الثلّاجة لكي
تحافظ عليه ويبقى جديداً. أتت أمّها في اليوم التالي وهي تقهقه، وتروي
الحادثة لوالدتي بنبرةٍ يقاطعها الضحك، متلعثمة بالحروف. كان صندلاً

أبيض برباط لاصق مزيّناً بالزهور. حملته الفتاة معها حين رافقت والدتها لزيارتنا خوفاً من سرقته. كانت تضع العلبة في حضنها، وتختلس النظر إلى داخلها، كلّ برهة، لتتأكّد من أنّه لا يزال موجوداً فيها.

بقيت أنظر إلى الحذاء الرياضي الجديد الرماديّ اللّون، وخطوطه الزرقاء العريضة، بابتسامة رضا. على الرغم من غرابة الأمر، كانت الفكرة مغرية كأنّ قدميّ أصبحتا مختلفتين. كنت معتاداً على الزيّ الرسمي وربطة العنق والنظارة الطبية الّتي نادراً ما فارقتني. بدوت في الحذاء الرياضي الملوّن كأولئك الأميركيين الفرحين في حياتهم.

بدا التناقض في مظهري الخارجي بين وجه الرجل الموسوم بالحرب والشتات والثياب الأنيقة الّتي أرتديها - كأنّني، أنا نفسي - عملة واحدة لمّاعة ومبهرة من وجه ومصابة بشرخ كبير حين تقلبها للوجه الآخر. هكذا كنت أبدو دائماً وأنا واقف قبالة النافذة، وظهري للباب حين يدخل أحد العملاء إلى مكتبي، في شركة تطوير الألعاب الالكترونية. ما أن ألتفت إليه حتّى تظهر علامة التعجب في وجه زائري، ويرتبك لبضع دقائق قبل أن يمدّ يده للسلام.

كنت أرى التعبير نفسه في كلّ الوجوه، ومحاولة الأشخاص نفسها لمقاومة المنظر المنفّر للندبة في وجهي. ولمّا كنت أسند يدي إلى الحائط في الخطوات القليلة الّتي تحملني إلى مكتبي لكي لا أضطر أن أحمل العكاز في تلك المسافة القصيرة. كان زائري حينها يستيقظ من صدمة الندبة ليلتفت إلى مشيتي العرجاء، وكانت التساؤلات المكتومة تزداد.

مرّات لم يسألوني ما بي، لكن لم يخلُ الأمر من الفضوليين. كنت أخترع قصصاً منها أنّي وقعت عن شرفة منزل جديّ وأنا صغير، وأخرى

أنّي وقعت عن الدراجة النارية وجاء وجهي على زجاجة من قنينة مكسورة ومرمية أرضاً. كنت ضليعاً في الكذب، وإن كنت أفعل ذلك على سبيل التسلية. مرّات أخرى حين كان مزاجي سوداوياً، كنت أسترسل في الحديث عن المجزرة، وكيف أنّ مرتكبيها لم يحاسبوا، وأغرق في مونولوغ طويل عن الحرب ومآسيها إلى أن يشعر زائري بالملل أو بالضيق.

"That is terrible!"

"Did all this happen to you?"

كل هذه العبارات سمعتها من أميركيين بدوا كأنّهم يعيشون في كوكب آخر، ولا يعرفون أنّ أموراً كهذه تحدث فعلاً لنا نحن العرب.

"You are so brave!"

كنت أبتسم وهم يشدّون على يدي وأنا أحاول أن أبدو متأثّراً بتعاطفهم. ولولا أنّي كنت ضليعاً في مهنتي، وملمّاً بعالم التكنولوجيا، لما استسلم زبائني لشعور بالراحة معي بعد وقت قليل من مجالسنا. كنت أنجح دائماً في تغليب صورة رجل الأعمال الناجح على المعاق جسدياً، وربما لهذا أردتهما أن يتقاطعا، لكي أحافظ على تميّزي، أو لكي لا أخدع الناس وليعرفوني كما أنا، بجلدي القديم وليس بجلد مزروع في عيادات الأطباء.

لم تكن المشكلة يوماً كيف بدوت أمام الغرباء، أو حتّى الأقرباء، بل كيف أدرّب نفسي لتجاوز هذه المسافة بينها وبين الناس. لم تكن المشكلة في فلسطينيّتي، ولا رغبتي بالهرب منها أحياناً، بل بكيفية التصالح مع ذاك الشعور بالانسلاخ عن مكانٍ لا أعرفه، ولا ذكريات لي فيه، عن أرض تسكنني وأنا لم أطأها يوماً.

ربما احتفاظي بندبتي كان وسيلة للقول أنا من هناك، من مكان لا تعريف له. مكان تضيق المساحة به، ويتناقص كل يوم، وقد ينقرض هكذا يوماً ما من دون وجه حق. كان ذاك المكان اليوتيوبيا الّتي وضعت فيها كل المعاني الجميلة للألم، كأنّه التفسير للّامنطق، والحقيقة الوحيدة الموجودة. الحقيقة المؤلمة والفظّة والجميلة في صدقها. كان اعترافاً بالحياة ومأساتها.

كذلك كان التوتر في علاقتي بهيلدا، اعترافاً بصعوبة التلاقي بين الجنسين واندماجهما إلى حدّ أن يصبحا متحدين جسداً وروحاً. كانت علاقتنا الجسديّة أشبه بذاك التوق إلى التلاقي، التوق الّذي يصعب بلوغه.

لم أكن ذاك الرجل المرن الّذي يمكنه أن يتحكّم دائماً بحركة جسده، وكان عليّ أن أدرّبها لتعتاد على إعاقتي. عندما عرفتها، كنت آخذها بين ذراعيّ وأبقيها هناك حتى أشعر أنّها أخذت تتهاوى بين أصابعي الّتي تتحرّك في تلك المسافة بين ثدييها وردفيها وأنتظر حتى تصبح واهنة ومستسلمة، لأقول لها كيف يجب أن تتحرّك بشكل متناسق مع جسدي.

كنت أشعر ببطنها مستلقياً عليّ وأنا ممدّد تحتها أطلب منها أن تمعن النظر في المرآة وتراقب كيف يصبح وجهها مضيئاً وشفافاً وهي في تلك الوضعية. كنت أراقب الخجل، وهو يحاول أن يتغلّب على نفسه، وأطلب منها بعدها أن تنظر إلى عيني مباشرة، وتقبّلني كأنها اكتشفت نفسها للتو، وباتت تريد أن تشارك ثغرها معي.

لكن لـمّا باتت هيلدا تعرف كل شيء، كيف تتحرك وأين تلمسني، كنت على الرغم من اللّذة الّتي أغرق فيها أخاف أن تريد مني

المزيد. أخاف ألّا تسعفني قدمي وأتمنّى لو أنّها ما زالت لا تعرف، ولو أنّي بقيت أنا المعلّم، وهي الصغيرة الّتي تكتشف العالم من خلالي. بدت كأنّها نضجت مرّة واحدة، ذاك النضج الّذي لا رجوع عنه، بل فيه فقط المزيد من النضج. كانت تصبح كأميركا، لغزاً لا حل له.

كلّما عدت إلى المنزل ولم أجدها، كنت أزداد يقيناً بأنّها لن تعود. لقد تمكّنت من الرحيل، ومن يملك مثل هذه القدرة لا يلتفت إلى الوراء. كنت أنظر إلى صورها، كأنّها كلّ ما تبقى منها، وكأنّ رائحة جلدها ستبقى عالقة في كل أنحاء البيت ولكنّه لن يعبق بها مرّة أخرى. وفي ليلة من تلك الليالي، الّتي كنت غارقاً فيها في التفكير بهيلدا، أتت صديقتي الأميركية ماريان تطرق بابي كالمجنونة.

دخلت وجلست على الكنبة. بقيت بضع دقائق صامتة، ثم انفجرت في البكاء. أمسكت الوسادة الصغيرة الملقاة على طرف الكنبة، وضعتها بين أسنانها وراحت تشدّ عليها، وتعصرها بين يديها. كانت تعضّ بكل ما أوتيت من قوة وغضب، لكن قضم الوسادة لم يكن كافياً.

رمتها أرضاً ووضعت وجهها بين كفّيها، ثم راحت تنظر إلى يديها المرطّبتين بالدمع كأنّهما غريبتان عنها. لم أكن أعرف ماذا يجب أن أفعل، ولم أقترب لأكفكف دمعها، أنا الّذي أعرف جيّداً كم تحتاج الأحزان إلى مثل هذا القضم للوسادات وكم يصبح الوجع ثقيلاً فلا يجد منه مهرب سوى هذا اللّطم البدائي والغريزي.

بدأت تتحدّث وتقول أنّها ليست امرأة، أنّها ما عادت تشعر أنّها امرأة. وضعت يدها على ثديها وطلبت منّي أن أنظر إليه، وإلى بشرتها الّتي بدأت التجاعيد تظهر فيها. "إنّها حياة ضائعة، لا أوان لها ولا

نهاية. يقولون إن الأنوثة هي أن يكون لك جسد مثير، أو ثدي كبير، أو شفاه منتفخة، ليذهبوا إلى الجحيم. لديّ كل تلك المقومات ولا أشعر أنّي امرأة. أتعرف، أنظر إلى جسدك وأحسدك أحياناً لأنّه ناقص. يبدو لي كأنّه يمكنك أن تشعر به أكثر، أن تقدّره. غالباً ما نصبح أشدّ وعياً لما نفقد. أتمدّد في السرير مع رجلٍ ما وأريده في تلك اللحظات أن يكون ذاك الجزء الناقص من الجسد الّذي أحتاجه، لأكمل لوحة المرأة، لكني أجد نفسي بعيدة. لم أعد طبيعية، لا أستطيع أن أستلقي في ذراعي أحد وأشعر بالراحة والأمان. أشعر بالذعر، هذا كل ما أشعر به، ثمّ أتظاهر أنّي سعيدة ريثما أجد ذريعة ما للذهاب".

سكتت قليلاً ثم قالت: "أنظر إلى وجهي وأخبرني ماذا ترى؟ هل ترى امرأة سعيدة؟".

أجبتها: "أرى امرأة جميلة".

- ما الجميل فيّ الآن؟

- أنّك لا تحاولين أن تبدي جميلة. هذا أمر في غاية الجمال.

انتظرتها لكي تهدأ وأحضرت لها ولي زجاجتي بيرة. كانت يدها ترتجف وهي تحاول رفعها لتقرّبها من وجهها فترتجف أكثر، وتبدو الأصابع في لحظة تردد بين أن تلامس أعلى وجنتيها، أو تتركها من دون مواساة.

وكانت اليد تعود لتبتعد بمزيج من القسوة والخيبة والخوف. كانت ماريان تتحدث بصعوبة بالغة وتسألني بعد كل جملة إن كنت أفهم قصدها، وتعتذر عن قدومها، هكذا فجأة، وتردّد أنّها كانت بحاجة ماسّة لصديق.

حاولت أن أهوّن الموقف عليها وأخبرها، أنها قد تجدني هكذا يوماً ما واقفاً على باب منزلها، أنتظرها أن تفتح لي لكي أسقط أرضاً

وأبدأ بالشكوى. كان لماريان جذور أميركية وهندية. ملامحها كالتقاء تلك الحضارتين تماماً، فيه من العداوة والتناقض والألفة ما يتركك مربكاً.

كانت جميلة، ذاك الجمال الّذي يصبح أكثر تألقاً عند بعض النساء لدى تقدمهنّ بالعمر. هيلدا كانت كذلك أيضاً، فاكهة تنضج ليصبح طعمها ألذّ وأشهى. كانتا من فصيلة النساء الّتي يستحيل ردعها عن الحياة، لا يمكن حصرها في مسؤوليات بيت وأسرة فحسب.

كانتا من النوع الّذي لا يمكنه مقاومة العيش، حتى ولو رغبتا بذلك. ربما كان السبب الأكبر في خوفي من خسارة هيلدا، معرفتي أنّي بعاهتي مثّلت نوعاً من الخسارة، وجهاً من أوجه الموت كأنّي آخر حجر في لعبة الشطرنج. إن قام بحركة خاطئة، هوى كل شيء. لم يكن بإمكاني تحمّل كلفة تلك الحركة المحتملة، فأوقفت اللّعبة وغرقت بحالة من الجمود. لم تعد المعركة مع الخصم بل صارت مع الوقت، ذلك الّذي لا غالب معه لأنّه لا يلبث أن يدمّر الجميع أو يهدّدهم بنفاذه، فيجبرهم على المواجهة.

الوقت أيضاً كان عدوّ ماريان، لكن حالتها كانت مختلفة. لم تكن هي من يهرب منه بل كان هو الثقيل والبعيد عنها. ذهب زوجها مع القوات الأميركية إلى الخليج العربي، في مطلع التسعينات، واختفى بعد أشهر، تحديداً في معركة الخفجي، حين حاولت القوات العراقية التقدّم نحو السعوديّة. كانت القوات الأميركية جزءاً من القوات الدولية الّتي توجهت إلى المنطقة لمساعدة الكويت ضدّ غزو صدّام حسين. استقرّت القوّات الدولية على الحدود السعودية، استعداداً للمواجهة وكان "جون" في عدادها.

لم تكن ماريان مسيّسة وقتها ولا عرفت إن كان يجب أن تساند قرار دولتها. عرفت فقط أنّها لا تريد أن تفقد زوجها. الوقت الّذي قضاه بعيداً عنها، وعن ولديه، كان مؤلماً لها. ظنّته نوعاً من الظلم أن يذهب للقتال على أراضي الآخرين. لم تكره العرب بل كرهت حكومتها.

كانت ماريان امرأة أميركية، لا تحب أميركا، لكن لا تستطيع أن تخرج منها في الوقت نفسه. بعد توجّه زوجها إلى الكويت، كرّرت له مراراً في مكالماتها الهاتفية، ورسائلها، أنّها غير موافقة على ما يحدث، وأنّها تشعر بالحنق لأنّ الحياة رمت بعائلتها في محنة عصيبة لا ذنب لها فيها.

صارت تتابع نشرات الأخبار باستمرار وتترقّب ما يحدث، وتراجع كتب التاريخ والسياسة، كأنّ هذين الحقلين سيرسمان ما تبقّى من حياتها. حتّى أنّها وجّهت رسالة إلى عمدة مدينة نيويورك، ووقعت كل عريضة ترفض التدخل الأميركي في حروب الآخرين. تصرّفت منذ بداية رحيله كأنّها تعرف أنّ الغياب سيطول. عبرّت في رسالتها للعمدة عن غضبها الشديد، وقالت له إنّها اكتشفت أنّ لا حرية في هذه المدينة المتلألئة بالأضواء.

"لا أستطيع وأنا أكتب لك هذه الرسالة سوى أن أشعر كأنّي امراة مجرّدة من الخيار، امرأة وجدت نفسها أمام حماسة زوجها مخدوعة بهذا الاندفاع. نحن نتحدث عن الحرية طوال الوقت، ونقول أنّنا نريد أن نلقّنها للعالم. ولكنّنا، أقلّه من يراقب هذا النظام بيننا، يعلم أنّنا نخادع. كل هذه القرارات الدولية، الّتي لا نوافق عليها، تنفّذ بعد خطاب صارخ عن الديموقراطية. الولايات المتحدة لا تحبّ الضعفاء والخاسرين،

لكنّها لا تنطق إلّا باسمهم. كنت أتخيّل زوجي، اليوم، واقفاً بين قافلة من الجنود الّذين يطلقون الرصاص من دون أن يعرفوا لماذا هم هناك، وبدا لي أنّنا لا نختلف بشيء عن ذاك الشرق الّذي ينقاد وراء حكّامه. أريد استرجاع زوجي، وأريد أن تتوقّف أسئلة ولديّ عن أبيهم. هذه هي الديموقراطية الوحيدة الّتي سترضيني كمواطنة أميركية".

جاءها بعد أيّام ردّ من العمدة، الّذي أبدى تعاطفه مع مشاعر الزوجة، لكنّه أوضح أن الرجل الموجود في الخليج الآن، ذهب إلى هناك بملء إرادته، ومن دون أن تمارس عليه السلطات، أو الحكومة الأميركية، أيّ نوع من الضغوط.

حدث كل هذا قبل أن يختفي جون، زوج ماريان، في الحرب، بعد أشهر من غيابه. فُقِد أثره تماماً، وما زالت حتى الآن، بعد أكثر من تسعة أعوام على غيابه، لا تستطيع الجزم إن كان قد لاقى حتفه، أو فقد ذاكرته، أو تاه، أو إن كان مدفوناً تحت رمال الصحاري.

مأساتها لم تلقَ أيّ نهاية لتصبح المصيبة الأكبر هي الانتظار، وفي أن تشعر أنّ الشعلة الّتي كانت في حياتك تحوّلت إلى شمعة خافتة ما عادت تضيء، بل تحرق فحسب. لم تكن تعرف إن كانت أرملة أو زوجة ولم تملك الأجوبة على أسئلة طفليها الكثيرة. كان تصحبهما، كلّ نهاية أسبوع، إلى "السنترال بارك" ليتنقلوا جميعاً، أحياناً، هناك بعربة الخيل أو يتوقفوا ظهراً عند أحد الأكشاك لتناول سندويس "الهوت دوغ". ثمّ كانوا يتجّهون نحو حديقة حيوان المنتزه، قرب الشارع 64، ويمدّ الصغيران أيديهما لملامسة الحيوانات. نادراً ما كانت تقوم بأنشطة من دون الولدين، كأنّ بها حاجة إلى تعويضهما عن غياب الأب. في بداية رحيله، كان الكبير يستيقظ ليلاً ويبكي، وهو يصرخ "أريد بابا،

أريـد بابـا". كانـت ترتبـك وتفقـد أعصابها أحيانـاً ولقـد لجـأت إلى أخصائية لكي تتعلّم الطريقة الأمثل للتعامل مع مواقف كهذه. تعلّمت أيضاً أن تضـع نفسها جانبـاً، وتتحوّل إلى حاضنة، وألّا تنقل غضبها إلى الطفلين وأن تبتسم أمامهما، في أشدّ لحظاتها وهناً.

كان الأمل بعودة زوجها يتضاءل يومـاً بعد يوم ولكن لا يختفي. تحوّل الأمل الخافت يأساً ولم يتوقّف. في بقعة من عقلها، كانت تحتاج إلى جثة، أو وثيقة وفاة، لتتأكّد أنّ بإمكانها التصرف بمنطق أنّه لـن يعود. من دون ذاك الدليل الحسّي على الموت، يبقى الإنسـان غارقـاً في الاحتمالات، رافضاً للنهاية ورافضاً معها لأيّ بداية أخرى.

"لـو كـان هنـاك جثـة، فقط جثـة... يحـق لي ان أحظى بجثـة"، قالت لي.

كلّ مـا تبقى منه حفنة أوراق، روى لها فيها يوميـات الانتظـار: كيـف كـانوا يرتـدون أقنعـة واقيـة مـن الغـاز، في عـزّ الحـرّ تحسّبـاً، لأيّ هجوم كيميـاوي. أخبرهـا أنّ الرجـال هنـاك أقويـاء. يستيقظون بـاكراً. يخضعون لتدريبات شاقة. يصطفّون وهم يستمعون لقائد الوحدة، وهو يخبرهم عن الولاء للوطن، وعن دورهـم في أن يجعلوا هـذا العالم مكانـاً أفضل.

"تحت الشمس"، كتب لها، "تنظرين إلى مجموعات من الجيوش، يتبادلون نظرات الحزم والقوة، ولا مجـال للخوف. الرمل يتلألأ تحـت أحـذيتهم العسـكرية منصـاعاً. أحـدّق إلى أعيـنهم، وأسـتمع إلى أحاديثهم، ونحن نتناول الطعام. واحدٌ منهم يتحدّث عن ابنته طوال الوقت، آخرعن صديقته. أحدهم يبقى صامتاً طوال الوقت، لدرجة أنّنا لم نحفـظ نـبرة صوته. في لحظات، نشعر بـالعجز أمـام قدرنا، نشعر

بحتميّة وجودنا هنا، كأنه مصير لا رجوع عنه. لا أحد يخبر عن اللّاجدوى الّتي يشعر بها أمام اقتراب الموت. لكن، أتعرفين، نشعر على الأقل أنّ مشاركتنا في صفوف الجيش ضرب من التميّز. يجب أن يشلّ المقاتل ذهنه ويشغل باله عن التفكير بالمعركة الآتية لكي لا يطول الانتظار القاتم. أعرف أنّك غاضبة منّي، لكن يجب أن تعرفي أنيّ أشتاق إليك وإلى الأولاد، وإلى البيت. كم يبدو البيت بعيداً من هنا، لكن ثقي أنيّ سأعود. أحبّك".

في الفترة الأخيرة، حاولت ماريان أن تستعيد المرأة في داخلها، وتتصرّف كأنّ جون لن يعود. كانت متعبة وخائفة، في حاجة إلى أن تفتح أفقاً ما، لكي تقاوم شعورها بالموت. ولكن في كلّ مرة تسلّلت فيها إلى شقة صديقها الجديد، وجدت نفسها تنسحب مذعورة، في منتصف اللّيل، لتعود إلى ولديها، وتغمرهما وتشدّ على جسديهما.

قالت لي إنّ الإنسان الّذي يقضي ليالي طويلة، وحده، يصبح من الصعب عليه جداً أن يكون مع أحدهم في فراش واحد. فكرة وجودها مع رجل، أو استيقاظها قربه كانت تحملها على الهرب، للحدّ من هذا الشعور بالامتلاء مع أحدهم. كانت ترى اختفاءً مفاجئاً، بدلاً من أن ترى وجود رجل قربها. لكن كانت هناك تلك الرغبة الّتي تعذّبها بأن يكون لها شريكٌ.

"أعرف أنيّ أحتاج أن أكون مع أحدهم، أن أشعر بأنيّ امرأة، وأضحك، وأستمتع، لكن أجدني خائفة، وأشدّ غربة عن نفسي، كأنيّ أخون جون، أو أحوّله بيديّ إلى ذكرى"، قالت لي وهي تعبّر عن خوفها من أنّها هستيرية أكثر مما يجب.

"حاولي أن تقيمي علاقة، أقلّه إرضاءً لجسدك"، قلت لها.

"ولكنّي أشعر أنّ الجنس سيف ذو حدين، إمّا يتركنا نشعر بالامتلاء، وإمّا يصيبنا بعده خواء ما بعده خواء. في حالّتي، لن يشبعني الجسد. سيخدّر وجعي ولكنّه لن يعطيني الراحة الّتي أحتاج"، أجابتني ماريان.

قالت أيضاً إنّها صارت تقلق من الانطباع الّذي تتركه في نفس صديقها، وتتحوّل فجأة من امرأة يحق لها أن تعشق، إلى عبء مثل تلك النساء اللّواتي يفسدن اللّحظات الجميلة، والّتي قاومت كل حياتها أن تكون إحداهنّ.

إنّه دائماً الصراع، بين أن ننتمي إلى أحدهم، أو نكتفي بالانتماء إلى أنفسنا، أن نكتمل بذواتنا، أو نحولها إلى أجزاء. ولكن حياة ماريان كانت مسلوبة، مزدحمة بمسؤوليات الأمومة، وغير مكتفية بها. دمعها كان حزناً على ما لم تعرفه وعلى غرفة النوم الّتي لن تتقاسمها مع أحد.

أنا أيضاً كنت أشعر بثقل العتمة عندما يخلد الجميع إلى النوم. كنت أراهم أزواجاً وزوجات، وأبناء، وأنظر إلى جهة السرير الّتي كانت تنام عليها هيلدا، ولا أجدها. لا أرى جعلكة في الفراش، ولا أسمع طرطقة ملعقة أخرى حين آكل.

قلت لماريان بعدما هدأت إنّها يجب أن تتحرّر من عبء مصير زوجها، وإنّ انتظارها بات أشبه بجرعات سمّ خفيفة، وإنّها يجب أن تسامحه على خياره، وتكتفي بأن تحبّه، وتحبّ كل ما تشاركاه معاً.

قلت لها إنّنا نضطر أحياناً للرضوخ إلى أنّ بعض الأشياء باتت ذكرى، لكي لا تدمّرنا. كنت أعرف تماماً صعوبة ألّا يكون هناك نهاية. الحق المهدور والجثث، الّتي لم تجد من يغطّيها من مجزرة صبرا وشاتيلا، بدت لي كأنّها لا تزال مكشوفة وكأنّ الأجساد العارية والمغتصبة تئن

حتّى الساعة. تذكّرت أرضية المخيّم، الّتي ما عدت أراها مصنوعة من الاسفلت، بل من تراكم أشلاء الموتى، وفكّرت أن أرض أميركا، الّتي أطأها، هي أيضاً رفات الهنود والسكّان الأصليّين.

وكان يصعب عليّ أن أقول لصديقتي إنّ الرهان على الحرية ليس رهاناً على الموت، بل رهاناً على الحب، انا الّذي غالبني الحقد في كثير من الأوقات وتآكلني، كما تأكل الدودة قلب التفاحة، فتفسدها من الصميم.

لكن كان من الضرورة لها أن تنسى، ليس لتسامح حكومتها، ولا لتتجاوز حزنها على زوجها، بل لتتمكّن من أن تستمر بشيء من القوة. الحياة تحرمنا من لذة الضعف، ومن البكاء على الأطلال فلا يعود التأقلم مع الظروف خياراً بل شرطاً للعيش. العذاب والحزن أيضاً، في قسوة هذه الدنيا، ترف لا يملكه المغلوبون. علينا أن ننسى ما لا يعجبنا، وما لا نريد، ونحوّل المأساة إلى سخرية، لكي نستطيع أن نقوم من فراشنا كل صباح. أليس هذا ما نفعله، نحاول أن نقنع أنفسنا بأمور كثيرة، أمام الغضب الّذي يعتمل في دواخلنا، كي نستمرّ؟ ألا نحتال على الألم، ونصبح جزءاً منه، ونحن نتظاهر أنّنا غلبناه؟ الألم الّذي يأتي من مكان ما، ويحفر في الإنسان، ليشعر أنّه ضئيل أمام هذه الحياة، وليس بوسعه شيء. هذا ما كان مقدراً لماريان، لأنّها أمّ والأمّهات لا يمكنهنّ الموت قبل أوانهنّ، قبل أن يعبرن بأطفالهن إلى درب الأمان. لا يمكنهنّ الوفاة، قبل الأوان، كما فعلت أمّي. كنت أستيقظ ليلاً بحثاً عنها لأدرك أنّ غيابها هدم صورة الولد المتّكئ على سندٍ ما. السندويشات الّتي كان والدي يلفّها بأوراق الجرائد، فآكلها، إمّا يابسة، أو رطبة، لم تضاهِ يوماً سندويشاتها الملفوفة بعناية بأوراق نايلون،

والمصفوفة في علب بلاستيكية، تحافظ عليها طازجة، لو تناولتها بعد ساعات. كنت أخجل من أن أخرجها من حقيبتي، بينما يخرج باقي التلاميذ شطائر بالخبز الافرنجي، أو السلطة، أو بسكويت الزبدة، وأذهب لآكلها في زاوية ما. بعدما انتقلنا إلى نيويورك، سجّلني والدي في المتوسّط في مدرسة "هاملتون هايتس" في "هارلم" على الرغم من أنّ سنّي ملائم للمرحلة الثانوية. ذلك كان الحلّ الوحيد لأنّي لم أستطع مجاراة أقراني قي اللّغة، ولأنّ الكثير من التعليم، فاتني بعد إصابتي. ما أسعفني هو أنّه كان مدرّساً صارماً ومنضبطاً، يشدّد طوال الوقت على أهميّة أن أتفوّق في الدراسة لأنّ هذا هو "الحلّ الوحيد المتاح لمن خسر وطنه".

كنت أرى في ماريان الإصرار نفسه على أن يدرس ولداها بجهد. بدت لي صديقتي، في مأزقها، عربية الهوى، أنا الّذي، كسواي من العرب، نجزم أنّ الإخلاص من شيمنا وحدنا، حتى وقد باتت الخيانة عرفاً في مجتمعاتنا. كان يصعب عليّ أن أتخيّلها أميركيّة، لأنّ رقعة ما من أوهامي كانت تقضي ألّا يكون للنساء الأجنبيات هذه المشاعر الحارّة.

كلّما سمعتها تتكلّم، فكرت كم أنّني، على الرغم من قدرتي على الاندماج مع هذا المجتمع الغربي، إلى حدّ ما، لا أزال نمطيّاً في الصميم. لم يكن بإمكاني التخلص من هذا التصنيف للأجانب والعرب، حتّى حين حاولت ذلك.

في مكان ما، بقوا "هم" وبقيت أنا جزءاً من "نحن". كنت، ولو عن غير وعي، أراهنّ - أي النساء الأجنبيات- سبايا. هذا التوصيف، على همجيته، وإنكاري له، كان موجوداً في مكان ما.

ربما كنت أرى في هيلدا أيضاً محاولة للانتقام من التهجير، ومحاولة للإثبات للعدو المسيحي القديم، عائلتها، أنّني أنا الفلسطيني، الّذي تواطأوا للقضاء عليه، قد عاد الآن من قلب ابنتهم، من قلب منزلهم.

ربما في وجه، من أوجه الحب، الّذي أحببتها إيّاه كانت هي خلاصي من دونية الماضي، وانتصاري على كبريائي التائه بين قتلى الحرب. كانت العنفوان الّذي أسترده. أن تحبني هيلدا المسيحية كان دليلاً على جدارتنا، نحن الفلسطينيين، بالحب وليس بالمجازر.

كان هذا أقصى ما يثيرني. الجانب البدائي والغرائزي من الشهوة. عدا عن أنّي كنت أعرج. لم أغرِها بجسد مكتمل، بل بجسد ناقص. ما أكثر من ذلك ليشعر رجلاً مثلي بالاكتمال؟ النقصان حين يصبح الجزء المكمّل لغسل العار. ألم يكن ذلك كافياً ليكون حبّنا ملحمة تاريخية؟

لكن على عكس ما يعتقد الجميع، لا تصنع الملاحم حبّاً بل فقط أساطير. الوجه الآخر لحبي لهيلدا هو ما أخرج المشهد من خدعة الأسطورة. كان ذلك الجانب المعاكس لعدائيتي تجاهها.

في قلبي، حيث توغلت، لم تكن هيلدا الفتاة المسيحية، وكم كان من الحماقة اختصارها بذلك، كما في الملحمة. كانت هيلدا المرآة الّتي لا أخاف النظر إليها، والبئر الّتي تحمل كل الاعترافات، والابتسامة الّتي أعطتني أملاً بالحياة.

كانت كل الديانات، في صفائها وشفافيتها، الدين الوحيد الصادق الّذي لا يراوغ ولا يُشعرك أنّك في اختبار. الدّين الّذي لا يحاول إغراءك، فيكون بمثابة سرّ يدفعك لاكتشافه. كانت كل هذا وأكثر، ولذلك، لكثرة التفاصيل بيني وبينها، لم يكن من الممكن

اعتبارها وهماً، أو ملحمة، أو انتقاماً. كانت في هذا الوجه من علاقتنا حبّاً فحسب.

كان هناك دوماً الصراع بين الجلاد في داخلي والضحية، والوقت الوحيد الّذي شعرت بالراحة فيه، الراحة وليس اللّذة، كان عند تنحيّ عن هذين الدورين، والاستمتاع بكوننا متحابين وعاشقين. عندما كانت تجلس في حضني، وأنا ألعب بخصلات شعرها، كنت فقط أحبها من دون أن أتذكّر ما لا يمكن ألّا أجاريها فيه.

بقيت وماريان نتسامر حتى الفجر حين لملمت نفسها، لتعود إلى ابنيها وتحتضنهما. كانا بالنسبة إليها رقعة الأمان كما وصفتهما دائماً. أخبرتني، في تلك الليلة، كم أنّها تجد صعوبة في إقامة علاقة مع رجل.

كانت تشعر أنّها شطران، الأول مأخوذ ومنهمك في مشاغل الحياة، مكتمل بالصعوبات وتخطيها. الشطر الثاني كان يتوق إلى الحياة فيصطدم بالنصف الأول. "ربّما هذه هي الحياة"، قالت لي، "تلك المحاولة للخروج من المأساة، ربما المأساة هي الحياة، لأنها تولّد الأمل بالأفضل". كنت أفهمها تماماً، تلك المحاولة أن تخرج من قوقعة ما لتعيش فتجد نفسك تصارع ما يُراد لك أن يكون قدراً.

لم تكن ماريان تريد أن تكون تلك المرأة الضائعة، الّتي لا تعرف شيئاً عن مصير زوجها، لكنّها وجدت نفسها كذلك، كما يجد معظم الناس أنفسهم في غير توقعاتهم من الدنيا. كان ذلك جانباً من حكايتي، الصراع مع البداية وذيولها، والرغبة الّتي اجتاحتني مراراً بأن أنسى من أين أتيت، أن أنسى بلاداً لم أعرفها سوى من خلال حكايا أبي وحنين أمّي، وأن أنسى تجربة الحرب الّتي تركت بصمتها على

جسدي، كما ترك زواج ماريان لها طفلين، كامتداد لحب لا تعرف إن كان ينبغي أن ينتهي.

أخبرتني ليلتها أيضاً أنّها على اتصال دائم بهيلدا فحاولت أن أخفي شغفي، وأن ألجم أسئلتي عن أحوال حبيبتي وإن كانت تذكرني في أحاديثهما. رأيت في عيني الصديقة الأميركية ملامة لعنادي وإصراري على معاقبة هيلدا لذهابها إلى بيروت.

كادت أن تقول لي مرات عدة أنّي أخطأت في حق هيلدا، وعلى الرغم من أنّها لم تفعل، رأيت نظرة العتاب في عينيها. قالت إنّ هيلدا امرأة استثنائية وحقيقية، كتأكيد على ظلمي لها. كان بإمكاني ان أعترف لماريان بكلّ ذلك الألم الّذي أشعر به لبعدي عن هيلدا، أن أقول لها إنّني أرى طيفها في كل أرجاء المنزل، وأن أعترف أنّي خائف ألّا يكون هذا الحب الّذي أشعر فيه ولا أعبّر عنه كما ينبغي متبادلاً.

كنت مصرّاً أن ابتعادنا اختبار، وأنّ هيلدا تملك خيار العودة إن أرادت، الخيار الّذي أردته تلقائياً، غافلاً عن أنّ حبيبتي الصغيرة ربما تحتاج لتطمين مثلي أنّها في صلبي، في ذاك المكان من القلب، الّذي لا يمكن أن يقتلعها منه أحد.

كنت أحلم بأن يكون لعلاقتنا نهاية، كما في الروايات التافهة، عودة البطلة من السفر في سبيل الحب الّذي يتغلب على كل شيء، العجز الجسدي وعدم قدرتي على الرقص، الفروقات في الهوية، شعور الموت الّذي يسكنني. أردت أن ينتصر الحب على كل هذا، من دون أن أقوم بجهد المحافظة عليه، كأنّي أنتقم من الحب، ومن حقّي به، ومن فرصة السعادة الّتي كانت بين يديّ.

-2-

"تعرف يا ابني أنا ليش جبتكن أمريكا، لأن كل هاد القتال بلبنان ما بعمره رح يغير اشي. ما تفكر في يوم اني مش وطني يا ابني، او أنيّ جبان. احنا الفلسطينية لو نضل بلبنان رح ينقطع نسلنا. أنا ممكن أكون غلطت لما تركت أرضي، بس هناك نحن غربا، وبأمريكا نحن غربا"، هكذا لخّص لي والدي رحيله عن المخيّم.

كان يحدّثني طويلاً عن الأرض ويصف القرية، لون ترابها وقرميد منازلها. وكان يردد دوماً أنّ كل امرئ يُهان خارج وطنه. "كلهم باعونا يا ابني، باعونا العرب لليهود واحنا صدقنا كل يوم نقول بكرا نرجع، شوي ونرجع ولهلق ما رجعنا. أمّك هناك، زي ما بقلك، أمّك هناك". كان يروي أنّ قومه نصبوا الخيم، لمّا خرجوا من وطنهم إلى هناك، ظنّاً منهم أنّها إقامة عابرة حتّى العودة إلى فلسطين. عرفوا أنّها نكبة لكنّهم لم يكونوا يعرفون كيف تكون النكبات. لم يختبروها من قبل، ولم يكن تصوّرهم عنها واضحاً. ظنّوا أنّ لحظة التهجير هي ذروة المأساة، لكنّهم تعلّموا بالطريقة الصعبة أنّ الآتي هو الأعظم، وأنّ الماضي يبدو الأفضل أحياناً، حين يصبح الحاضر قاتماً، والمستقبل مجهولاً. عاشوا في تلك الخيم خمس سنواتٍ تقريباً. كانت تطير من مكانها حين تشتدّ العواطف، أو تغرق في الوحول عندما يهطل المطر. سُمح لهم أخيراً بأن يبنوا مخيّماتهم، الّتي لم يتجاوز الواحد منها مساحة الكيلومتر ونصف،

كحدٍّ أقصى. ازداد عددهم، وبقيت المساحة نفسها، فصاروا يتوسّعون بالبناء عمودياً. وسمّوا الأحياء داخل المخيّمات بأسماء قراهم في فلسطين، طبريا وعين الزيتون ولوبيا والرأس الأحمر. وعلى الجدران، كتبوا المسافة الّتي يبعدها الوطن عن أماكن وجودهم الحالية. وأتذكّر تماماً اللّوحة في مخيّم شاتيلا: "تأسّس عام 1949، ويبعد 92 كيلومتراً عن الحدود الفلسطينية". حاولوا أن ينقلوا وطنهم معهم حيثما ذهبوا لكي لا تضيع هويّتهم. "ما عرفوش انّه الاحتلال رح يبلع هيدي الضيع، كيف بدهم يعرفوا. قالولهم راجعين. تخمين شوي وراجعين"، على حدّ قول والدي.

قبـل أن يمـوت، بعـد مجيئنـا إلى أميركـا بزهـاء خمسـة أعـوام، كان يوصيني بـأمّي "أمانتك أمّك، تنسـاش ترجع لها لما تروق الأوضاع". وبدت لي أمّي بالنسبة له فلسطين، تلك الّتي حلم بأنّه سيرجع يوماً إليها.

كان يطلب منّي أن أهتمّ بأشجار الزيتون، حين أعود، ويقول إنّ أمّي، على الـرغم مـن بنيتهـا القوية، لـن تستطيع أن تعتني بـالأرض بمفردها. للحظات، كنت أصدّق أنّها هناك وأرغب في أن أستسلم مثله لمساحة الحلم، بأن أرمي ثقل المأساة على أمل العودة وأعلّق عليه صور كلّ الأحباب الّذين فقدناهم، كأنّ الفلسطينيين، الّذين قضوا خارج أوطانهم، سينبعثون مـن المـوت لحظة تحرير الوطن، وكأنّ الزمن سيعود عقوداً إلى الوراء، إلى ما قبل التهجير، وتكمل الحكاية من هناك، كأنّ الدمار لم يمسّنا يوماً.

لكن أليست أحلام كهذه غير واقعية، وقد استفحلت اسرائيل في بلادنا، تفعل ما تشاء. من أين يكون لنا الأمل، نحن الفلسطينيين،

بالعودة وأراضينا تتناقص كل يوم. أي معجزة هذه الّتي ستدمّر هذا الشر المتربّص بنا نحن الشعب الّذي تخلّى عنه الله في محنته.

كيف انتقلنا إلى هذا الموقع الضعيف، وبتنا نخضع لنقاط تفتيش مذلّة في أرضنا؟ ما هذه القوة الكفيلة بأن تقتلعك من منزلك وتطردك منه، وتتربّع على عرش العالم؟ هل هذا ما يفعله الشرّ؟ هل هذا انتقام اليهود من المذابح الّتي كانوا عرضة لها، وهل إن انقلبت الآية، يوماً ما، سنصبح نحن الفلسطينيين، ظالمين هكذا؟ هل سننتقم من اسرائيل في شعب أضعف، عندما تنقلب موازين القوى في الحياة؟

تحت سماء نيويورك، حين أعبر في الشوارع، ولو متّكئاً على العصا، يغمرني أحياناً شعور بالحرية. أعبر بتؤدة وخطى بطيئة، وللحظات، تتلبسني الخفة المطلقة حين أكون هذا الّلا أحد، الغريب، عابر السبيل المجهول الّذي لا يعرف عنه أحد أيّ شيء.

حتّى هويّتي، تتوقف عن كونها عبئاً. أرى الناس مشغولين بأحوالهم اليومية، تفاصيل الحياة بعيداً عن الهموم والقضايا. بشر عاديون من كل الجنسيات، أحدهم يجر حقيبة صغيرة وراءه، والآخر ينظر إلى الخريطة الورقية في يده بحثاً عن وجهته.

رجل آخر يحمل حقيبة يد متّجها إلى مكان عمله، والشمس تشرق متساوية على الجميع. الغريب في الأمر أنّ الجميل في هذا المكان هو نفسه الأمر المؤلم، أنّي بقيت غريباً. لست في المخيّم حيث الجميع تقريباً يعرفون بعضهم البعض. ولكن أليس أمراً بديهياً أن يعرف الفلسطينيين بعضهم في تلك البقعة الضيّقة الّتي تكاد لا تراها الشمس.

عندما عبرت الفكرة في رأسي، شعرت بألم يعصر صدري، كما لو أنّ حيطان المخيّم تتحرّك وتضيق بعد لتعصر ساكنيه. ولكن لا أريد

التفكير بهم الآن، لا أريد لهذه اللعنة أن تلاحقني وأنا أهمّ بالجلوس لاحتساء فنجان قهوة. حاولت أن أطردهم من رأسي، لكن صورة ما عزّزت هذه المقارنة في داخلي.

حين استقلّيت "المترو"، بدا لي فجأة أنّي انتقلت إلى هذا العالم السفلي. الجنسيات المختلفة وكل ما يدور فيه، تحت الأرض، حيث يختبئ عادةً الهاربون من الحرب في الملاجئ، كانت هناك حياة رديفة. إن لم تسرع في الخروج من المترو لتستقلّ المحطة التالية، تركك في مكانك ومضى. هكذا كانت أميركا، لا مكان فيها للمتباطئين.

لا تتدارى في الأرض هنا، بل تراقب الخارجين والداخلين في حركة سريعة، وأنت تعرف أنّ أناساً آخرين يدوسون فوق هذه المحطة. غريبة كيف تحوّل الحضارة الأنفاق إلى وسيلة لتسهيل حياة الإنسان. الغريب أيضاً أن تدخل في نفق في نيويورك لتخرج وترى المباني الشاهقة. أيّ علاقة هذه بين الأسفل والأعلى، وما هي نقطة التوازن؟

خرجت من المترو، وجلست على ناصية الشارع، في مقهى صغير. فكّرت أنّي هنا وهناك، في السفلي وفي العلوي، في بلاد هيلدا أو في نيويورك أو أينما كنت، أنا الغريب. أنا الغريب الّذي أراد يوماً من الدنيا تعويضاً عن غربته، ولم يرغب في أن يتقيّد بالمأساة. هذا ما شعرت به أوّل قدومي إلى أميركا. ولولا تلك الشرارة، لما قررت يوماً أن أنسى وجهي وقدمي، وأن أعمل لساعات طويلة لأكمل تعليمي.

كانت تبلغ بي الأحلام أحياناً حدّ الظنّ أنّي أنا من قد يحرّر فلسطين يوماً ما. كنت أريد أن أكون قويّاً برغم كلّ شيء. ولا بد أن أقول أنّ الجزء الأكبر من صلابتي أتى من أبي، الأستاذ الّذي لم يفلح كمقاتل.

أبي، الرجل الّذي لبس الزيّ العسكري، حين كان يحلم بتحرير أرضه، وخلعه حين وجد أنّه يحارب في أرض الآخرين، كان هو من جعلني دائماً مذهولاً به. حبّ أمّي له، ونظرتها إليه كصديق وأب ورجل لا يُقهر، جعلاني أريد أن أكون هذا الرجل.

ولولا تلك القدم المكسورة، والخوف الّذي ألمّ بي من خسارة هيلدا، لأقسمت أنّه كان بإمكاني أن أكون العاشق المثالي. ولكنّ شيئاً ما في ذلك الخوف كان لا إراديّاً. كنت أعرف أنّه يسيطر عليّ، وأراه يتلبّسني وأرفض الاعتراف به. لماذا بعد هذه السنوات فقدت أحلامي؟ أين ذهبت؟ أتروضنا الحياة هكذا، أم أن النصر والنجاح وهم؟ لماذا كنت أتحدّى نفسي مراراً، وأنا شاب، وأجد نفسي مستسلماً الآن، لا أريد شيئاً سوى الغرق في النسيان. أن أنسى حتى ملامح وجهي. أيّ عقاب هذا؟

"لقد حصلت على الوظيفة".

قالها الموظّف في مركز الأبحاث، "ولكن عليك أن تنتبه، أنّها تحتاج إلى الكثير من الصبر والتركيز. ولا مجال للدلال هنا، ستعمل كما يعمل غيرك".

كنت أهزّ رأسي بسرعة ليعرف أنّي موافق على كل ما يقول. العمل كان في مكتب الأرشيف، وما أسعفني هو لغتي العربية. لم أكن أتقن اللغة الإنجليزية تماماً ولكن المطلوب كان أن أعمل على تجميع وثائق ومعلومات عربية عن مواضيع مختلفة أكلّف بها. وكنت آتي كل يوم منذ ساعات الصباح الأولى وأعمل حتى ساعات متأخرة من اللّيل.

ما علّمني إيّاه فيليب، الرجل الأميركي الّذي وظّفني، أنّ نظرة الآخر إليّ ستعتمد دائماً على نظرتي إلى نفسي. كان يستدعيني إلى مكتبه أحياناً ويحدّثني بلا تكليف.

"إجلس، إجلس".

كنت آخذ مكاني على الكرسي بحذر، وكان يأخذ مني الأوراق الّتي أعددتها ويتفحّصها قليلاً ثمّ يأخذ نفساً من السيجارة. كانت الطريقة الّتي يدخّن فيها غريبة. يأخذ مجّة طويلة ثم ينفخ. ثم ينتظر قليلاً ويعاود الأمر كأنّ هناك مدّة زمنية محدّدة يجب أن تفصل بين النفس والآخر وكأنّ سجائره كلّها يجب أن تحترق بالوتيرة ذاتها.

كان يعرف اللّغة العربية جيّداً، ويكلّمني بها. أخبرني أنّه عمل في الشرق الأوسط لفترة طويلة. كان يحدّثني بلا تكليف، ويشجّعني على العمل. "أتعرف، لـمّا أتيت إليّ، كنت أنت بمثابة تحدٍّ، أن أوظّف شخصاً غير عادي لأرى النتيجة. الحقيقة أنّك فاجأتني. لم تتصرف كأنّك تحتاج إلى معاملة خاصة. على العكس، كنت دؤوباً على العمل، أكثر من غيرك بكثير. هذا أمر مميّز".

شكرته فقال أن لا داعي للشكر. قال فقط "استمر". ابتسمت. شعرت بالفخر.

مرّة أخرى، كنا نتحدّث عن بلاده وبلادي. كان يصدمني بآرائه دوماً. فجّة ولكن حقيقية. "نحن بلاد بنيت على أنقاض الهنود، لن نمانع أن نقيم دولة حليفة على أنقاض أرضكم. أميركا هذه بلاد الحلم لأنّها مثله تماماً، مخادعة، لأنّها تعدك بأشياء كثيرة. قد تصدق معك، لكن أشياءها مثلها مبنية على التهافت والتسارع للبناء. هذه السرعة تزيل في دربها الكثير من الأمور، كما الجرافات، تأخذ كل ما في الطريق بقسوة. هذه بلاد لا تحب الفشل، وهمّها أن تبقى فوق، في أعلى الأبراج".

"ولكن هناك المترو أيضاً".

ضحك.

"المترو يكاد أن يكون الحقيقة الوحيدة في هذه البلاد. إنّه المكان الّذي تحصل فيه الحياة الفعليّة".

سألته لماذا تروق أميركا لمواطنيها إذا كانوا يرون قسوتها. قال إنّ القوة تعمي، وتجعلك تغض النظر عن أمور عدة.

"هناك درجة من الحرية ليست متاحة في مكان آخر، لا تستسهل هذا الأمر".

مـرّة أخـرى، اسـتدعاني إلى مكتبـه وعـرض مسـاعدتي لـدخول الجامعة. كـان يقولهـا بطريقـة عاديـة، كأنّه يستخف بهذا الأمل، ليس استخفافاً بـالمعنى السيئ بـل خفّـة. رفع سمّاعة الهاتف وكلّم أحـد أصدقائه، وأخبرني أنّه سيساعدني لأتسجّل في جامعة كولومبيا.

"يمكنك أن تفرح وأن تعانقني إن أردت"، قالها لي لأنّه عرف كم كنت فرحاً، وفعلاً عانقته بقوّة، وربّت على ظهري.

سألته "كولومبيا فعلاً؟ الجامعة الشهيرة في حيّ مانهاتن؟".

ضحك وقال: "نعم، مانهاتن الّذي ساعدنا بيتر مانويت لشرائها من الهنود الحمر بـ 22 غالورد فقط. هل تعرف أن ذلك يعادل1000 دولار في وقتنـا الحـالي فقط؟ منهـاتن كلّهـا اشـتريناها بـألف دولار، ويقولون أنّنا لسنا شعباً محظوظا!".

ذهبت ليلتها إلى المنزل، وأنا أريد أن ألتهم المسافة، لأنقل الخبر السار إلى أبي. فرح كثيراً، وراح يبكي. وضع كفّه على عينه وأغمض الأخرى فاقتربت منه وقبّلت يده. نظرت إلى عنقه الطويل، وخيّل لي أنّه يخفي، وراء جلده الرقيق، كمّاً من الأسى. شيء ما استوقفني دائماً في العنق، كأنّ طوله أو قصره يخفي كم من الألم يمكن للإنسان أن يحمل وما هي المسافة الّتي يجب أن تقطعها الغصة قبل أن تخرج.

كان هناك أمل جديد في منزلنا كأنّ الحياة توقّفت عن أن تكون مجرّد محطة ألم. ليلتها، فهمت قرار أبي الصعب بأن يرحل بنا. فكّرت أنّه يمكننا، ربما بعد أن هاجرنا، حتى لو ابتعدنا عن قومنا في المخيّم هناك، أن نفعل أكثر لفلسطين.

الآن وقد قطعت شوطاً كبيراً من النجاح، صرت أخاف من أن ينسى الفلسطينيون أرضهم كلما ابتعدوا عنها. صرت أخاف من أن نجاحي ما عاد متعلّقاً بأرضي الّتي لا أعرفها، لأنّي لم أنجح في إبقاء شعلتها كما يجب في داخلي.

عندما كان أبي حيّاً، كنت أكثر تعلّقاً بفكرة الوطن والأرض. لم أصدّق يوماً وهمه أنّ أمّي تنتظرنا هناك، لكنّي الآن أعرف جيّداً أن أبي لم يكن يهلوس. كان فقط يخاف أن ننسى. الأمّ هي الأرض. هذه هي الأم الّتي كان يتحدّث عنها أبي. الآن صرت أفهم. أبي لم يكن مختلّاً عقلياً، ولم يهتز توازنه لوفاة والدتي. كان أذكى وأشجع من ذلك.

كان مصرّاً وعنيداً. ذاك الإصرار الّذي يضيء في أعين الفلاحين الّذين وصفهم، وهم يحرثون أرض كفرياسيف قبل الاحتلال. كان يقول إنّه سيبقي حب التراب في قلبه، كما لو أنّه آخر الفلاحين. جميع من يريد أن يحتفظ بوطنيته يجب أن يحفظ هذه العلاقة مع الأرض. وعندما سألته مرّة لماذا يجب أن يكون لنا أوطان من الأساس. لماذا لا يعيش كل البشر في جميع الأمكنة، ولماذا قسّموا الأراضي إلى بلدان؟

"ليحتموا من بعضهم".

"أعني، ألا نأتي كلّنا من نفس المكان يا أبي؟ أليس كل البشر متّصلين بطريقة أو بأخرى؟".

"نعم، هم كذلك، لكن هناك المصالح وغريزة البقاء".

"لماذا هذا الغباء؟ البقاء مهدد أكثر في الحروب والمآسي والكراهية".

"لا أعرف يا ابني. أعرف أنّنا كنا شعباً أعزل تواطأ عليه القدر. أخرجوه من مكانه. لا تسألني كيف أصبحت فلسطين محتلّة. لقد أخرجونا بالاستقواء. اعتدوا علينا. لم يرحمونا أبداً. لا تعنيني المجازر الّتي ارتكبها هتلر بحقهم. فليذهبوا إلى الجحيم. لا يمكننا أن نتعاطف مع من قتلنا وشرّد أهلنا. تسألني ما هو الوطن؟ لماذا لا يعيش الجميع بحب وسلام؟ لأننا أغبياء أو لأنّ الأرض تضيق بنا. لا أعرف ولا يهمني. أعرف أن الوطن هو تلك المساحة الصغيرة الّتي تسمّيها منزلك. تخيّل نفسك من دون منزل. لسنا من الهيبيز. الهيبيز حمقى حالمون. الوطن هو ما يحفظ لك كرامتك وسيادتك. أنت خارج أرضك عبد. النفس البشرية هكذا، لا تفهم الرقة ولا الوداعة. الحياة شرسة وتحتاج إلى وطن. الأميركيون تدافعوا من كافة بقاع الآرض طمعاً بأراضٍ مجانية. الأرض هي مساحتك وحريتك، وهم أتوا وأخذوا منّا كل شيء".

سكت أبي لدقيقة ثم أكمل بحرقة. "أولاد كلب، وأولاد ستين كلب. كل من يستقوي عليك ابن كلب، ولن ينفع معه الضمير أو الكلام".

"تسألني ما هو الوطن، هو أن تنتمي لهذه الحياة. ولكي تنتمي، لا يمكنك أن توافق على الظلم، وإلّا فأنت تنتمي إلى عالمهم فحسب. ربما ليست فلسطين أجمل رقعة على الأرض، يا ابني، لكن كرامتنا هناك".

كرامتنا. نعم. أتعرف لماذا هي كرامتنا يا أبي. لأنّنا إن لم نعد، ليس البعد ما سيدمّرنا بل هذا الشعور القاتل بالمظلومية. أتعرف لماذا

أحترمك وأشتاقك يا أبي، لأنّ حبّك للأرض كان صافياً مثلها. أتعرف لماذا لا يمكنني أن أكون مثلك؟ ربّما لأنّي لم أعش هناك.

ربما لهذا أحتفظ فقط بصورة الأرض المغتصبة، لأنّي لم أعرف يوماً الأرض في جمالها. أنتم الجيل الّذي عرف التهجير والّذي لسعته بنادق العدوّ، ونحن الّذين لم نعرف بل حصدنا. أنا يا أبي أراهم عبر شاشات التلفزة، وأسمع حكاياهم، لكنّي لا أعرف إن كان هذا كافياً لأكون منهم.

أنت تقول إنّ كرامتنا هناك، وأنا أقول إنّ الألم هنا. أنا أقول إنّي لا أستطيع أن أرفع عن نفسي هذا الشعور بأنّي مهزوم يا أبي. لا أعرف من أين أتيت بالقدرة على أن تحمل ولديك وتهاجر بهم، أن تقاوم إغراء القتال.

كان يمكنك أن تبقى في الخديعة، وتحارب في غير أرضك، وتقنع نفسك أن الشعارات الكبرى تبرّر، لكنك انسحبت من المعركة قبل أن ترديك. كيف يمكننا، كفلسطينيين، يا أبي أن نحتفظ برجاحة عقلنا وأن نعرف الخطأ من الصواب. دفتر حساباتنا مضطرب ومليء بالغضب. كيف يستطيع الإنسان، الغارق في الألم، أن يميّز بين ما يجوز القيام به وما لا يجوز؟ هل يُحاسب الفقير على السرقة حين تصبح ملاذه الأخير؟

أنت رأيت في قتالنا في لبنان أنّه غلطة ورحلت، لكني لا أستطيع يا أبي، في لحظات يأسي، إلاّ أن ألوم الدنيا كلّها على مصيبتنا. أن ألوم اللّه وأن أفقد إيماني به. وأنت لم تعد هنا لتجيب على أسئلتي. ماذا سيحدث بعد؟ هل سنعود يوماً ما؟ تركتني وأنت متشبّث بإيمان العودة، لكنّك لم تضع لي خارطة طريق. كيف لي أن أؤمن مثلك

يا أبي؟ كيف لي أن أصدّق أنّ امرأة عاشت طوال عمرها، مع فكرة أنّنا أشرار أردنا أن نحتلّ بلادها، أن تحبني؟

في المقلب الآخر من العالم حيث هيلدا بعيدة، كنت أتوق لمعرفة كيف تمضي وقتها، إن كانت قد أخبرت أحدهم عنّي، إن كانت تذكرني. صرت أكثر اتّصالاً بقريبي في المخيّم، كأنّي أحاول اختصار الطريق إليها، كأنّي مستعد للعودة، لاستعادة الماضي، للغوص في الوطن الّذي استضافني وأهلي، وإن كانت الاستضافة على مضض. كنت أتخيّلها بينهم، القوم الّذين يكرهوننا نحن الفلسطينيين ويعتبروننا جزءاً من الحرب ومن خراب بلادهم. هل كانت لتجرؤ أن تدافع عني أمامهم؟

كنت أتصوّرهم مجموعين مع بعضهم، وأسأل نفسي ما الأحاديث الّتي يمكن أن تدور بينهم، ما الحكايات الّتي يتناقلونها. ماذا أخبرتهم عمّا تعلمته في أميركا، عن الرقص، عن حفلتها الّتي لم أحضرها.

-3-

جبل لبنان 2000 – هيلدا

"تركت الوطن من أجل الرقص؟ هل في هذا أي نوع من التعقل؟"، سألني صديق والدي.

"هذا جزء كبير من حلمي"، أجبته، وأنا أستفيض بالشرح عن علم الجسد، وأهمّيته في التعبير عن حالة المطلق والتوحد بالهواء، وبالموسيقى، حين يميل مع الألحان تحمله.

لم يسمع أبي. تظاهر بأنّه يستمع ولكنّه لم يكن مقتنعاً. كان يفرح بأنّي، ابنته، رمز للانفتاح، كأنّي عبر إقامتي في الغرب، حقّقت حلماً، لديه، بالانتماء إلى عالم أعلى أو شيء من هذا القبيل. هذا ما جعله يتقبّل فكرة سفري، أن يتباهى بأنّ فتاته في إحدى أكثر الدول نفوذاً. كان يريد أن يبدو منفتحاً هو الآخر وربّما أمل بأن يلحق بي، وتستقر العائلة كلّها هناك.

بدا ودوداً في كل ما يتّصل بالغرب، كأنّه عالم مثالي لا تشوبه الأخطاء، وكان يسألني دائماً إن كنت وقعت في غرام أحد مواطني بلاد العام سام. سألته مرّة ماذا لو أغرمت برجل عربي، هناك، لنقل سوريّ أو خليجي أو فلسطيني؟

ضحك بشكل هستيري كأنّه مقتنع بأنّ هذا أمر مستبعد كليّاً.

كان ينتظر أن أحبّ جورج أو آندرو أو مارك، ولم يكن يتوقّع أن أقول، مثلاً، إنّي تعرّفت إلى محمد في بلاد الاغتراب.

- لا يمكن أن تقدمي على أمر كهذا، أنا متأكد.
- وما الّذي يجعلك في كامل الثقة بهذا الأمر؟
- أعرف تربيتك جيداً، لست من هذا النوع.
- ماذا يعني هذا النوع؟
- لقد عشت الانفتاح معنا هنا، الحرية الّتي منحتك إيّاها، لن تذهب لتقعي في غرام شاب مسلم متزمّت يحرمك إيّاها.
- ولكن ألست حرّة يا أبي؟
- المسألة هنا تتخطّى الحرّيّة، أنت ثمرة كل ما زرعت في داخلك. سيتعبك أن تحبّي أحداً من غير لونك. ستجدين نفسك عاجزة.

أردت أن أقول له: تباً لك وللحرية، الّتي زرعتها في داخلي. كانت حرية من جهة واحدة يا أبي، حرية الأقوياء، المختلفة كلياً عن حرية الضعفاء. حريتنا أتت من ذاك النصر، أو التفوق الوهمي، من الإقطاع، من انتمائنا لعائلة كبيرة وعريقة، من عائلة لم تعرف يوماً الخجل ممّا قد ترتكب، وعائلة لم يتجرأ يوماً أحد على الاقتراب منها في محاولة لاستعبادها أو قهرها. أينما التفت في هذا البيت نياشين معلّقة ورايات نصر، وصور لجدي الكبير، والأكبر، والأكبر. لم تخبرني يوماً، لماذا نحن كبار إلى هذا الحد. أخبرتني فقط أنّ عمّي قتل نفسه لأنّه بطل.

لقد اقترب ثلاثة فلسطينيين منه أيّام الحرب. كان متوجهاً إلى بيروت الغربية في مهمة عسكرية. كان من أبرز الضباط في المدرسة

الحربية. أنظري إلى الأوسمة الّتي حصل عليها"، أخبرتني بهذا وأنا طفلة ورحت تعدّ النياشين.

"حذّرته ألّا يذهب ولكنّه كان عنيداً. جميع سلالتنا عنيدة. أنظري، أنت أيضاً، تتشبثين برأيك ولا تتراجعين عنه. ذهب إلى هناك واعترضوه. ثلاثة فلسطينيين". كنت تكرّر العدد، والجنسية، لتترسخ الصورة في ذهني، وأرى ثلاثة فلسطينيين بكوفيات يقتلون عمّي، وأشعر أنّهم، أولئك القوم كما كنت تصفهم، مجرّد مجرمين وقطّاع طرق.

أعرف الآن أنّهم لم يقتلوه ولكنّك كنت تخبر الحكاية كأنّهم فعلوا. "وضعوه في سيّارتهم عند تقاطع بشاره الخوري وحاولوا أن يسلبوه سلاحه العسكري. أتعرفين ما معنى أن يُجرّد ضابط من سلاحه العسكري. هذه إهانة كبرى. شعر بالعار. لم يحتمل الموقف. قاومهم وصوّب سلاحه نحوهم، وقتلهم ثم عاد إلى المنزل. دخل إلى غرفته وأوصد الباب وقتل نفسه بالمسدس عينه. لم يحتمل أن يكون قاتلاً. كان رجلاً بكل معنى الكلمة".

انتهت روايتك عن عمّي عدا عن المشهد التالي. "أتوا بابنته بعد وفاته بأشهر محمّلة في كيس أسود. أصيبت بشظية وتوفيّت. كانت تبلغ التاسعة من العمر فقط. كانت جميلة. لا كانت رائعة الجمال. تشبهك قليلاً. لو كانت حيّة لكانت تقريباً بعمرك، أكبر قليلاً. من الجيّد أنّه مات قبلها. هما في السماء معاً الآن".

"ولكن لماذا وضعوها في كيس أسود؟".

"هذا ما يحدث في الحرب، لا ملاءات بيضاء كافية لتكفين كل الموتى".

"ولماذا لم تأت زوجته لزيارتنا يوماً؟".

"ذهبت لتعيش في بيروت. تزوجت بعده رجلاً من آل كعدي، آمال كعدي"، كنت تكرر اسمها مرات عدّة مع كنية زوجها الجديد بحنق، كأنّها امرأة ساقطة لم تحترم ذكرى عمي.

"ولكنّها جاءت لحضور جنازة جدي، لم تنسانا".

"قلة حياء! لولا حرمة الموت، لطردتها".

"لماذا؟".

لا إجابة.

إذاً عمّي توفي لأنّه لم يحتمل أن يكون قاتلاً ولكنّه قتل كي لا يشعر بالإهانة ثم قتل نفسه لأنّه لم يحتمل القتل. ومن كانوا، أولئك الفلسطينيين الّذين قتلهم، وكيف تغلّب رجل واحد على ثلاثة رجال، مع أنّهم كانوا هم المعتدين، وكان هو في سيّارتهم. وزوجته لم تحترم عائلتنا ولا ذكراه. ما هي الحلقة الناقصة في الحكاية؟

كانت صورته تتوسّط الدار، وكنت أخاف منها، وأنا وحيدة في الغرفة، كأنّي أصبح في مواجهة الموت، وكأنّه سيخرج من الصورة. اعترفتَ في بعض الأحيان أنّه كان عصبياً ومزاجياً، وأنّ الجميع كان يخافه، حتّى أنت أخاه الأصغر. لم تكن تتجرأ أن تتواجد قربه كثيراً وأنت صغير، هذا ما قلته لي. ولكنك أحببته كثيراً، أكثر من والدك وأشقائك الآخرين. كان أفضل أعمامي كما كنت تؤكد. هل كان أفضلهم لأنّه مات ولأنّ الموتى يأخذون معهم ذكرياتنا السيئة عنهم ويأخذون قدرتنا على انتقادهم أمام قدسية أنفاسهم الأخيرة.

هذه الرواية من حكايا الحرب القليلة الّتي أخبرتني إياها، وعندما كنت أسألك إن كنت قد قتلت أحدهم في المعارك، لم تكن تجيب. مرّاتٍ كنت تنفي ذلك في نظراتك، ومرّات أخرى، كنت تبدو كأنّك

قتلت أعداداً هائلة، وكأنّك فخور بما فعلت. لكنذك لم تجبني يوماً، وكنت تقول أنّ كونك قتلت أم لم تفعل أمر بلا أهمية. "اسمها حرب"، تلك الإجابة الوحيدة الّتي نلتها منك، كأنّ هذا الاسم يشرّع الاحتمال الملتبس بأنّك قتلت.

وحده عمّي جورج كان الأشجع في الاعتراف بالقتل. كان يقول إنّه وقف عند أحد الحواجز وذبحهم "على الهوية". وماذا يعني الذبح على الهوية، سألته مرّة. "يعني يلي مش متلنا منخلص منه قبل ما يخلص منا".

هـذا هـو إذاً الـذبح علـى الهويـة. ومـن أولئـك الـ "هـم"؟ الفلسطينيون؟ اللّبنانيون؟ أم المسلمون؟

– هم أيضاً كانوا يقتلوننا. اسمها حرب. كنا أقوياء... آه كم كنّا أقوياء.

– ولكن ألم يكن لهم أسماء؟

– لا، لم يكن لهم شيء. كانوا متشابهين. تريدينني أن أكذب عليكِ وأمثّل دور النادم. الحقيقة أنّي لا أعرف إن كنت نادماً. كانوا يقولون لنا أن نقتل وكنا نفعل.

– من قال لكم أن تقتلوا؟.

– الحزب.

– أيّ حزب؟.

– أنت تعرفين الحزب.

– هكذا بكل بساطة.

– ماذا تريدين؟ هل تستدرجينني لتلاوة فعل الندامة؟ قلت لك لا أعرف أن أقيّم الأمور الآن. لقد حملنا السلاح لأنّ الجميع

كان يحمله، لا يمكن للمرء أن يبقى أعزل في غابة، ستلتهمه الوحوش. ثم أنّنا كنا نحلم بلبناننا الكبير. كنا نريده وطناً لنا، وكان الغرباء يتدفقون إليه، كأنّه مشرّع. ماذا تفعلين الآن إن رأيت الغرباء يصلون إلى عقر دارك؟ هل تفتحين لهم الباب؟.

- ولكنّهم كانوا يبحثون عن مأوى.
- من يبحث عن مأوى لا يحمل السلاح... ثمّ لماذا تصرّين أن تنبشي الدفاتر القديمة، إن كانت الدولة نفسها لم تحاسبنا.
- أيّ دولة؟
- الحكومة... السلطات.
- أنتم جزء من هذه السلطات.
- لا، لا. لم تكن الأمور هكذا. كان لنا هيبة.
- ولكنّ أبي تغيّر، لم يعد...
- لم يعد ماذا؟ لا أحد تغيّر. الزمن هو ما تغّير. لم يعد زماننا يا ابنتي.

كان عمّي محبطاً، يعتقد أنّ المسيحيين هم الوحيدون الّذين عاقبتهم الحرب، وغلّبت الآخرين عليهم. حتّى الغرب لم يعد يمد يد العون لهم. أغرقوهم بالخيبة، وبسطوا سلطاتهم على لبنان. لكنّ أبي آمن أنّ عزّه القديم سيعود. بالنسبة إليه، كانت مجرّد مسألة وقت لا غير. وكان يسعى جاهداً إلى منصبٍ سياسيّ يعيد له سلطته القديمة. يحضر قدّاس الأحد، ويوطّد علاقته مع البطاركة، ويسخّر ولده البكر للتذكير بنضالات الأب، وصموده لأجل "لبنان الكبير"، وطن المؤسسات وسويسرا الشرق. كان يصطحبنا إلى جولاتٍ في القرى،

ويشير إلى الخضار المنبسط أمامه والبحر المتواري خلفه. "هذا الجمال يثير الأطماع. لقد حميناه كي لا يسلبنا إيّاه احد. سيكافئنا الله في نهاية الأمر".

-4-

محسن صديقي من جيل الحرب أيضاً. لكنّه لم يقاتل. كان الرحيل خياره. هدّد والدته بأنّها إن لم تؤمّن له ثمن بطاقة السفر فهو سيحارب وينضم إلى الحزب الشيوعي. وقف تحت شرفة منزلهم في شارع قصقص، في بيروت، مع بضعة مقاتلين. حمل بندقية صديقه ونادى والدته لتراه.

صرخت به أن يأتي إلى المنزل في الحال. قالت له إنّها ستبيع قطعة من حليّها وتقطع له تذكرة الرحيل. "اليوم قبل بكرا اذا فيك تسافر بتسافر"، قالتها مجرّدة من حسرة الأمّهات هي الّتي كانت تحبّه أكثر من سائر إخوته. لم تتحمّل رؤية السلاح في يد ولدها. خافت من أنّ بقاءه هنا سيدمّره واستسلمت لرغبته. سلبتهم الحرب أقرباء كثراً وأقسمت أن تقتل نفسها إن رأت ولدها في عداد الموتى.

ما جمع بيني وبين محسن كان ذلك الشعور بأنّنا أفضل من غيرنا، بأنّه يمكننا أن نفعل ما نشاء، لأنّنا آتون من تجارب موجعة. ولكنّه بدا مختلفاً عني، كالهارب المنتصر في هروبه. وسيم ومحط أنظار الجميع، لأنّه يفرض وجوده عليهم. أذكر مرّة أنّني سألته ألا يخاف من الرفض من هذا المجتمع الّذي يعيش فيه.

قال لا وأشار إلى صليبٍ كان يلفّه حول عنقه هو المسلم. قال إنّه لا يؤمن بأيّ من خزعبلات أجدادنا عن الأوطان وأنّه منذ وصل

إلى أميركا، شعر أنّه ينتمي إليها أكثر من أيّ مكان آخر. ولكن ألم تقذفك أميركا بعيداً يا مايك؟ إلى أين عدت بعدما أعلنت إفلاسك غير وطنك؟ إجابته على هذ السؤال الغيابي كانت حتماً لتكون أنّه عائدٌ في يوم ما، عائد إلى أميركا.

كان يرتّب أمتعته وقد باع آخر ما يملكه من تحف في منزله وصفّى جميع أعماله. كان يرتدي حذاء كاوبوي عاجي اللون، وقميصاً أبيض، ويرجع شعره بيده إلى الخلف. لم يبدُ كالخاسرين. لم يبدُ كأحد، بل كنفسه فحسب.

نساء في فراشه، امرأتان وثلاث وأربع أحياناً، واستغراق في المجون والسكر. ومن بعدها نوبات من الحنين وحكاية صديقه الّذي مات في الحرب، وأمّه الّتي لا يتسنى له رؤيتها بسبب الغربة.

لكنّ نواحه لم يكن يوماً ذاك الّذي تشعر أنّه من وجع، بل من جراء الإفراط في المشروب، وتلك الرغبة في الوصول إلى الهاوية. رغبة إرادية. لم تكن هذه من النوستالجيا، بل فقط انفعالات لا تتعدى شخصه. حتى حديثه عن العائلة، كان مرتبطاً بتجاربه، أو إنجازاته، وليس بأفراد آخرين.

مرّة واحدة فقط كان محسن صادقاً في انهياره وإن للحظات. لكن حتى هذا الانهيار تلقّاه كجزء من الحياة، ببساطة غريبة. ليلتها، أتت إيفا المرأة الّتي أحبّها فعلاً إلى شقّته ليلاً. كان مايك غارقاً مع امرأة أخرى في الفراش. كان يخونها كأنّه يعتبر أنّ ذاك حقّه المشروع أو كجزء عادي من كل غرابة حياته.

لم تكن خيانة مدوية، بل تعوّد أن يكون محاطاً بنساء كثيرات. كان يخشى الوحدة، ويتلطى بأجساد الآخرين. دخلت إيفا،

المكسيكية الجميلة ذات الشعر البنيّ الداكن، والعينين الزرقاوين، والقوام الممشوق. المرأة المستحيلة في تناسق كل ما في جسدها مع تكاوين وجهها. الأنيقة دائماً والقويّة البنية.

- هل أقاطعكما؟

قالتها وهو مستغرق في ولوج المرأة الّتي كانت معه في الفراش. قام عنها مسرعاً ووضع يده على عضوه الذكري كما لو أنّه يخفيه، ويخبئ، معه، معالم الخيانة.

- أكملا براحتكما، أنا هنا لألملم بعض الأشياء فقط. لا داعي للذهول يا مايك.

صديقة مايك لملمت نفسها ووضعت الشرشف الأبيض على جسدها وهمّت بالخروج.

- لا داعي لذلك، إبقي هنا أيّتها العاهرة الصغيرة. لا يزال مكانك ساخناً.

أشار لها بيده أن تخرج وفعلت. لم تكن طامعة به، كانت تعرف أنّ له حبيبة، وأنّها فقط رفيقة مؤقتة. طلب من إيفا أن تجلس وأخبرها أنّه سيشرح لها الأمر، وأنّ الأشياء ليست كما تبدو.

وضع يده على فمه كمن يحاول أن يستدرج الكلام، لا أن يصدّه، لكنّها اقتربت منه بشراسة وأزاحت يده، ووضعتها على عضوه.

- حريّ بك أن تبقيها هناك. أقفل فمك بما سأخبرك إيّاه الآن أيّها الأحمق. هل ترى هذه المؤخرة الّتي كنت تقول إنّها لك كلما ضاجعتني. أترى نهديّ؟

كانت تقول هذا وهي تشير إلى قطع جسدها.

- أترى كل هذا أيّها البائس؟ كيف ستعرف إن لم أكن أخونك كما تخونني؟ يمكنني أن أخرج من هنا الآن، وأتركك أمام جميع الاحتمالات. أتركك وأنت تتذكر كلما عضضت شفتيّ امراة سواي خلال علاقتنا، أنّني أنا أيضاً كنت أعض.
- ماذا تقولين بحق الإله؟ إيفا، هل تخونينني؟
- لا، الأمر ليس كما يبدو.
- أريد أن أعرف.

صمتت. لوى ذراعها وصرخ بها "أريد أن أعرف".

أبعدت يده بضراوة أكبر.

- تريد أن تعرف. لا تلمسني أيّها الأحمق. ماذا تظن؟ أنّي كنت أسمع عن جميع تلك النساء وأجلس وحيدة أبكي على أطلالك؟ أترى هذا؟

أشارت إلى قلبها وقالت له بالمكسيكية "دي مي كوراسون، دي مي كوراسون".

- في بلادي أيّها الأبله، هو القلب. عندما كانت جدتي تصحبني إلى الكنيسة نهار الأحد. كانت توصيني به، وتقول طالما قلبك بخير، فأنت بخير. اعتني به جيداً. كانت تقول أشياء كثيرة ومنها أن الأمور تجري المثل بالمثل. "من يفقأ عينك، اجعليه أعمى!".

السافلون أمثالك مرّوا في حيّنا الفقير، وحاولوا دائماً أن يمدوا يداً على المؤخرة. كنت أركلهم دائماً إن حاولوا الاقتراب مني. أنا لست مثل عاهراتك الصغيرات. لا تغريني تفاهاتك ولا نجاحاتك. يهمّني

منك نفسي وأنت لم تحفظها. كنت معك لأنّك قوي وغبيّ، بما يكفي، لتؤمّن لي ما أحتاجه.

هل تظن أنيّ لم أكن أعرف. روائحهنّ الّتي لطالما ملأت ثيابك، يدك الّتي كانت تمتد لجسدي وشت بك. كان دائماً فعلاً ناقصاً، والتأوهات الّتي أطلقتها وملأت الغرفة، كانت ربما شعوراً بالأسى، لأنّ نفسي المختنقة بعطور عاهراتك كانت تئن. كانت تئن تحتك، وتئن في فراش غيرك، لأنّك كذبت عليّ. أحببتك في البداية وأخلصت، أقسم بجدتي أني أخلصت، ولكنّك خذلتني، ولم أستطع أن أبتعد عنك، فقد اعتدت نمط حياتك المترف.

- اصمتي.
- اه لا، ما زلنا في البداية.
- اصمتي.
- شربت ضعف ما كنت تشرب وأحياناً كنت آتيك مباشرة بعدما أنتهي من عشّاقي. أتعرف؟ مرّة تركت آثار منيّ رجل على يدي ولما جئت مسحتها بوجهك، بجسدك.
- اصمتي يا عاهرة.
- عاهرة ماذا؟ أنت العاهر. أتعرف؟ ضاجعتهم أحياناً هنا في سفرك. هذا السرير الآثم خير دليل على وسخنا نحن الاثنين. ماذا كنت تريدني أن أفعل؟ كيف أحتمل تفضيلك لأخريات عليّ؟ بم تفسّر ذلك أيّها العاشق؟ أتريد أن تعرف أكثر أم يكفيك؟
- اصمتي.
- حملت منك وأجهضت الجنين ولم أخبرك. لم أكن أريدك والداً لطفلي. أنت لا تستحق ذلك. أجهضته وأمسكت

الـدم بيـدي ومسـحته علـى صـدري كـأنّي أبـتر حقـي بالأمومة.

- اصمتي.

- فكرت مراراً ماذا يمكن أن أسمّيه لو لم أقضِ عليه وماذا لو كانت فتاة؟ فكّرت أنّه قد يكون مثلك فقتلته وفكّرت أنّها إن كانت فتاة، فلا بدّ أنّ الله سيرسل لها الرجال السيئين انتقاماً مـن والـدها. قتلت الجميـع، احتمـالات الأمومـة والبنـات والصبيان وقتلت إيفا. جرّدتها مـن كـل مـا عرفتـه في أحيـاء الفقراء في المكسيك، إلّا مقدرتها على الركل.

- لماذا؟ لماذا؟

سألها وهو ينهش بالبكاء.

- إبكِ مثل الأرامل، مثل المخنّثين.

- أخرجي من هنا.

- تظـن أنّـك شـديد الـذكاء، وأنّـك انتصرت علـى كـل شـيء وكوّنت ثروة هنا. تظنّ أنّك كنت تخدعني طوال الوقت. أنظر إلى بطني، أنت تعرف أنّه لم يكن الولد الأول الّذي أجهضه. أنت تعرف عن حملي من زوج والدتي. أنت تعرف كم كنت هشّة. ألا تعرف أيّها الأبله؟

قالت آخر كلماتها وجلست أرضاً تبكي بهستيرية. جلس في سريره عارياً يبكي هو الآخر ويصرخ بها: "أخرجي، أخرجي".

بقيت تشير إلى قلبها وتقول "دي مي كوراسون" وهي تعضّ على شفتها السفلى. كان يحاول أن يقوم ليضربها، فيغرق في البكاء، كرجل أردته المصيبة.

119

خرجت بعدما لملمت نفسها، وهجمت لتضربه وحطمت كل ما في غرفته. خرجت وهي تشتم وتبصق وتلعن. خرجت وهي تبدو كامرأة أسقط عنها الزمن جمالها، كما النساء اللواتي تقسو عليهنّ الحياة. خرجت وهي تمسح بكفّها عينيها الغارقتين في سواد الكحل وقد اختلط بالدمع. تمسح أنفها وتضع يدها في شعرها. خرجت ولم تعد.

لمّا عاود الاتصال بها ليسألها، إن كانت حكاية إجهاضها حقيقية. كانت تشتمه وتقول له "ستموت وأنت لا تعرف أيّها السافل". كان كالمجنون طوال تلك المدة. لم تؤثر فيه خسارة أمواله وأعماله كما أثّرت فيه إيفا.

"جعلتني أشعر أنّي أقل من حيوان، أريد أن أعرف إن كانت تلك العاهرة قتلت ابني"، قال لي.

أخبرته سابقاً عن حياتها في المكسيك، عن هروبها من المنزل بعدما اغتصبها زوج أمّها. "لم تعرف والدها يوماً. هجرهم وهي صغيرة وذاك السافل اغتصبها. كانت تقول لي أنّه وضع قضيبه في فمها عندما كانت في الثانية عشر فقط. أخبرت أمّها ولكن الأخيرة لم تصدقها وضربتها. كلّهم كانوا يضربونها إلّا الجدة. كلّما حكت لي عن نفسها، كان هناك ضرب في الرواية، سواء من الأم، أو ربّ عملها، أو أساتذتها في المدرسة. لقد أحببتها صدقاً. لم أخنها. كان شيئاً مختلفاً، لا أعرف كيف يمكن تفسيره".

كان يقول أنّ الفكرة الّتي لم يتحملها هو أنّه كان مجرد وغد في حياتها، كالأوغاد الّذين حكت له عنهم. "تراها تحكي عنّي الآن؟".

"لقد ضربتني في الصميم. المرأة الوحيدة الّتي جعلتني أشعر أنّ حلقي عالق في وضعية عوجاء. الضربة القاضية".

لكن ذلك لم يمنع مايك من متابعة معاشرة النساء عشوائياً. لم يتورط عاطفيا بعد ذلك. كان يحتفظ بالمرأة شهراً واحداً كحد أقصى ثم يرحل. أصدقاؤه، بمعظمهم، ابتعدوا عنه، بعدما أعلن إفلاسه. ذلك أيضا لم يمنعه من اتخاذ أصدقاء جدد ليسوا أفضل حالاً من القدامى تماماً، كأنّه مدمن على التهاوي إلى الأسفل، كرجل يستدرج القدر إلى قتله.

حبّه لإيفا كان صادقاً، إلى حدّ ما، لكنّه لم يكن كافياً ليلجمه عن اشتهاء غيرها. حتّى أنّه كان يقول إنّه لا يستمتع بالجنس مع الكثيرات من اللواتي يمارسه معهنّ. كان يفعل ذلك ليشعر أنّه مرغوب، ليكرّس هذه الهالة الّتي باتت بمثابة هويّته. كان يحكي عن نيويورك بشغف خاص، ويقول إنّها المكان الوحيد الّذي يليق بالعيش بالنسبة له.

"أضواؤها تشبهني، زحمتها، المترو، التصاقه بالأرض، الأبراج، تعلّقها بالسماء. كلّ هذا أنا. إنّها هذا المكان الّذي كلّما أشبعت رغبة منه، ازدادت لا بل تضاعفت واستمرّت بالتضاعف حتى لا تعود تشبعك الحياة خارجها... الآن يطردونني! حمقى! يتّهمونني بالمساهمة بتدمير الاقتصاد العالمي وبالتزوير. يمكنني أن أخرج وأقول إنّهم يكيّلون الاتهامات ضدي، لأنّي عربي، ولكني أخشى إن فعلت، ألّا أستطيع أن أعود، وأنا سأعود إلى أميركا. سأموت هنا".

كان مايك متّهماً بالتهرّب من دفع الضرائب لكن لم يكن هناك إثباتات كافية لإدانته. كانت تجارته ورهاناته في البورصة تخسر أيضاً. كلّ استثماراته باتت مصدر خيبة لا أكثر. لكنّه كان يعتقد أنّه إن ابتعد قليلاً ريثما تتحسّن الأمور، سيتمكّن من العودة والبناء من جديد.

رأى أنّ نيويورك هي الأرض الوحيدة الّتي ستسعه، كما اعتقد قبلها أنّ المسيحيين أرقى درجة من قومه. كان والده يطأطئ رأسه حين يمرّ أمام حواجز الميليشيات ويدفع "خوّة" شهرية للريّس حسن "أبو وائل"، مسؤول المنطقة ليضمن حماية عائلته في الحيّ، الّذي ارتفعت على مدخله لافتة سوداء، منقوش عليها بالأبيض "إنتبه خطر قنّاص". دخلوا أوّل مرّة إلى محل الأقمشة، الّذي كان والده يملكه، ومزّقوا ما مزّقوا وهم يصرخون في وجهه "ليش ما عم تدفع وليه. بدّك يفوتوا يكسروا المحل". وضع الريّس حسن قدمه اليسرى على الكرسي مقابل صندوق المحاسبة وهو يرمي سيجارته أرضاً: "فتحوا لشوف". أخرج الأب المفتاح من جيبه الخلفي وهو يرتجف. ضحك الريّس وهو يتّهمه بالبخل، وبأنّه معدوم الحسّ الوطنيّ، لأنّه يحجب النقود عن حماة الحيّ. وقال له إنّه سيعتبر هذا التصرّف قصر نظر غير مقصود، وبالتّالي لا يمكن أن يتكرّر، وإنّه بات الآن يعرف جيّداً من هم، وإنّه متأكّد أنّ تاجر الأقمشة البسيط سيصبح ممتنّاً لوجودهم هنا. "اختاروا يا شباب. الأخ بيحب الأوادم متلكم. ما تخجلوا، ولا تخلّوا بنفسكم شي، حملو يلّي فيه النصيب ويلّا". راح رجاله يحمّلون الأقمشة من المحل والأب لا يجرؤ على الاعتراض. كان يعضّ على شفتيه، في إشارة لمحسن، الّذي وصل إلى المحل، أن يصمت وألّا يدخل في مواجهة معهم. رأى الغضب يتّقد في نظرات ولده ولمّا صرخ محسن ليسأل ما الّذي يجري. "أبو وائل خيّي الكبير بمقام عمّك، ما في حدا غريب"، قال له والده ونظرات الرجاء تملأ عينيه بألّا يقوم الولد بأيّ تصرّف غير محسوب.

"كانوا مسلمين مثلنا ولم يرحمونا يوماً من إهاناتهم. لم تكن حرباً طائفية، صدّقني، الحروب كلّها متشابهة. لا تحتاج إلى مسيحيّ، أو

مسـلم، أو درزي. لا تحتـاج إلى يابـاني، أو هنـدي، أو أميركـي، أو فلسـطيني. هـذه التسـميات كلّهـا واجهـة. تحتـاج فقـط إلى القـويّ والضعيف"، كان محسن يقول.

-5-

أخبرني أبي مرّة أنّ أحد أصدقائه اللبنانيين فقد صوابه بعد الحرب. "اسمه شوقي رحمة. مسيحي. كنا نناديه أبو ايليا. بعد الحرب، صار إمام جامع. تخيّل شوقي إمام جامع. كان يقف على سطوح البنايات ويصوّب بندقيّته إلى المارة. القنّاص الّذي لم تخطئ رصاصته".

- اقلب الجثة.
- إنّها امرأة.
- اقلبها وابتعد.
- ما زالت تتنفس.
- ماذا تريد أن تفعل؟ دعها قبل أن يأتوا. أركض.

ركض أبي مع صديقه بعيداً. لم يعرف من كانت تلك المرأة الميتة ولا إن كانت لبنانية أو فلسطينية ومسلمة أو مسيحية، ولكنّه كان يقول إنّه لم ينسَ وجهها يوماً. كان يقول إنّه لطالما تساءل إن وجدت أمّي من يقلب جثّتها.

"تخيّل شوقي إمام جامع. لم يعد يكلّم أحداً إلا اثنين من الرفاق من الأيام الغابرة. يقف في المسجد ويلقي عظة دينية، ولا أعرف حتى لماذا قرّر أن يصبح مسلماً".

كنت أستمع إلى حكايا أبي عن الحرب بغرابة شديدة، وأتخيّل شوقي في جلباب أبيض. كنت أتخيّله مختلاً عقلياً دائماً، على الرغم من

أنّ الصديق الآخر لأبي، الّذي اختل بعد الحرب كان مختلفاً. عادل. عادل فقط. لم يذكر يوماً كنيته. أدخلوه المصح العقلي، ثم خرج بعد فترة ليصبح مخبول الحي. بحسب رواية أبي، عادل كان يصبح إنساناً متّزناً عند لقاء شوقي، لكن أمام الآخرين كان مجنوناً فقط.

إن اقترب أحد ليسلّم عليه، صرخ بوجهه. كان أولاد الحي يركضون وراءه أحياناً، ويرشقونه بالحجارة وكان يركض معهم كأنّه يلعب. ثم يتوقف ويزجر بهم. يتحوّل إلى أسد، وتنقلب الأدوار. هم يركضون وهو يلاحقهم.

بقي أبي على اتصال بأصدقائه اللبنانيين، بعد مجيئنا لأميركا، خصوصاً ابنة عادل. كانت تلجأ إليه، ولو عبر الهاتف حين تصبح حالة أبيها سيئة جداً وتطلب منه أن يكلّمه. كان شوقي قنّاصاً محترفاً، أمّا عادل فقد انتسب إلى الحزب الشيوعي، وبدأ القتال في عمر السابعة عشر. كان يقف وراء المدافع والدبابات، ويقاتل بضراوة وبلا رحمة. وكان مأخوذاً بالنضال، مستغرقاً فيه بشجاعة.

ولكن أثناء الاجتياح الاسرائيلي إلى بيروت، رأى أخاه الّذي يصغره بعام واحد محمولاً جثّة هامدة، وعرف أنّه كان قد هرب من المنزل ليقاتل. ذهب إلى أمّه وقلب المنزل رأساً على عقب. "أنا يلي كنت عم قاتل وقلتلكم خلّوه بالبيت". الأم المفجوعة طردت ولدها من المنزل واتهمته بالتسبّب بمقتل شقيقه. "هو مشي مشيتك، ولحقك، وأنا خسرته وأنت ما بدك توقف وبكرا بخسرك كمان. يا بتضل حدي هون يا ما عاد بدي شوفك".

خرج يبحث كالمجنون عن قاتل أخيه، قاتل قد يكون أيّ أحد، قاتل لم يعرفه يوماً. أليس هذا ما يحصل في الحروب، لا أحد يعرف من

القاتل، ولا القتيل، كأنّ الأسماء لا تعود ضرورية. هي أجساد تسقط. بعض ذويها يمضون سنوات بحثاً عن جثث أحباء لهم قضوا ولا يجدونهم. بعضهم يريد تعريفاً للقاتل، لشكل عينيه، لقامته، لبنيته، ولكن لا أحد يعرف أيضاً.

كان أبي وأصدقاؤه يحتلّون شقّة في "عين المريسة" ويجتمعون هناك كي ينسّقوا فيما بينهم. كان الحرس ينتشرون دوماً أسفل المبنى المهجور بأكمله. الشقة الأخرى الّتي احتلوها كانت تستعمل لتطبيب الجرحى، وكانت النساء يستعملنها أيضاً لتحضير الطعام للمقاتلين.

الشقة الأخرى، بحسب أبي أيضاً، شهدت ولادات، معظم ولادات ذلك الحيّ. أثناء الحرب كما كان يقول، تنقلب الأدوار وتصبح المرأة العادية ممرضة، أو قابلة، ويصبح الرجل العادي مقاتلاً. يصبح الدمار جزءاً من الحياة اليومية وإن حالفك الحظ لتستريح قليلاً، تشعر بسعادة لا مثيل لها. "كنا ننتظر البرد والعواصف أحياناً لنستريح من جولات العنف. حتّى في الملاجئ، كانت هناك ألفة بين الناس، ألفة لا تولّدها إلّا المصائب"، كان يقول لي.

بحسب أبي، اللّبنانيون كانوا الأشدّ ندماً بعد الحرب. الفلسطينيون لم يعانوا من تراكمات نفسية على قدر ما عانوا من الخسائر. "عندما تحارب على غير أرضك، لا يمكنك أن تصدق أنّها معركتك. بعد الفظائع والمجازر، طبعاً خرج معظمهم بندب، لكن بقي وجع الاحتلال أعظم من كل الحروب. ربما اعتبرنا أنّنا لو كنا على أرضنا، لما كنا على قدر غباء اللبنانيين الّذين قتلوا بعضهم. ولكن يا ابني، لمّا أرى الانقسام في فلسطين، أعجز فعلاً عن تقييم شعبنا".

كان أبي صاحب نظرية أنّ قوّتنا تكمن في وحدتنا وحدها، وأنّ الحياة شغلتنا عن الحقيقة ووجهت البوصلة في غير اتّجاهها. "ربما هذه الطبيعة البشرية. نحن في النهاية بشر ولا نستطيع أن نكون مناضلين ومقاومين طوال الوقت. الإنسان روح والروح تتعب. الإنسان جسد والجسد له قدرة معينة على التحمّل والمجالدة والصبر. لم يقاتلنا الإسرائيليون ببنادقهم فحسب، ولا بالسياسة. قاتلوا كراماتنا وشجاعتنا. ولاد الكلب هدّونا".

هيلدا أيضاً كانت تخبرني عن رجل مجنون في قريتها. "كنت أحبّه. أظنّ أنّه كان يستلطفني أيضاً. كان مجنوناً ولكن رقيقاً يهيم في الحقول ويقطف الأزهار. كان يحمل علبة دخانٍ في يده وتكاد السيجارة لا تفارقه. يمسكها بطريقة غريبة ويحرّك رأسه شمالاً ويميناً وهو يدخّن. كان يقول بضع كلمات فقط وأحياناً كان يشتم وحده كأنّه يتعارك مع أحدهم".

"كان ينهي عراكه دائماً بكلمة "خلص"، ويصمّ أذنيه، كأنّه ما عاد قادراً على تحمّل الأصوات الّتي يسمعها. أهل القرية يقولون إنّ أمّه هربت في صغره مع خوري الضيعة، فبات والده شديد القسوة عليه لينتقم به منها.

في المراهقة، تحوّل من صبيّ منعزل إلى مجنون. كاد والده أن يفقد عقله ثمّ مات. شعر بندم شديد على ما فعل بابنه، والأمّ لم تعد يوماً. كان يقترب من الدير دائماً ويرشقه بالحجارة، لكنّ الرهبان كانوا يشفقون عليه. أهل القرية كانوا يحنّون عليه أيضاً، ويطعمونه، حتّى أنّ أحد كبار الرجال أعطاه غرفة صغيرة في بستان بعيد لينام فيها. كانت لوريس تزور جورجيو المجنون وتنظّف مسكنه. كانت تقول إنّ هذه الغرفة

يتلبّسها العفاريت. تلملم فتات الطعام عن الأرض وتشمّس ملاءات السرير. تنفض الغبار، وتفتح النوافذ، لتدخل الشمس، لأنّه بحسب ما كانت تقول – البيت يلي ما بتفوتوا الشمس ما بتفوتوا الملائكة-".

كانت هيلدا تصف لوريس وهي تقترب من المجنون حين يمرض. كانت تهدهده كطفل صغير وتقول له "افتح تمّك، اجت الطيارة اجت". وكان يضحك من قلبه. ولولا أنّ جميع من في قريتهم كان يعرف أمّه الحقيقية، ولولا القابلة الّتي أشرفت على ولادة الطفل، لظنّه الجميع ابن لوريس.

لكنّ الأمر الوحيد الّذي كان يغيظ جورجيو، ويجعله راغباً بالانقضاض على لوريس، كان طلبها منه: "اقرا الأبانا والسلام".

كان يزجر وهي تصرّ والدمع في عينيها. "وحياة الصليب، اقرأ الأبانا والسلام". كان يلتفت إليها ويفتح ذراعيه على وسعهما ويصرخ فيحدث صوتاً "آع". وفي إلحاحها، يرفع نبرة الصراخ "آع، آع، آع".

"لن يقرأها أبداً، كفي عن المحاولة"، كانت هيلدا تقول لها. "يا حسرة قلبي عليك، يا حسرة قلبي عليك"، تندب لوريس وهو يستمر على نفس الوتيرة "آع، آع، آع".

كانت لوريس من البساطة إلى حد أنّها لم تصدق أن الصبي كوّن حقداً على الرهبان، لأنّ أحدهم هرب بأمّه. كانت تعتقد أنّ أحداً، مهما كان، لا يتجرأ أن يزعزع إيمانه بالمبشرين بالله وكانت تقول أنّ الأم طفشت من جراء بطش الأب، وتبلغ بها السذاجة إلى حد القول إنّ "الأبونا كان بدو يخلصا من العذاب" ولهذا فقط هرب معها.

سألتني هيلدا "لماذا تظن أنّه هرب معها؟".

– لا بدّ أنّه أغرم بها.

- أبناء القرية يقولون أنّها كانت تذهب إلى الكنيسة لتعترف، وكان هو من يستمع إلى إعترافاتها.
- لا بدّ أنّه أحبها كثيراً.
- لكن كيف استطاعت أن تتخلّى عن ولدها؟
- أحبّته هي أيضاً.
- ولكن هل نحب لهذه الدرجة؟ أيّ حبٍّ يسمح لأم أن تدمّر حياة ابنها؟
- ربما كان هذا قدره.
- وربما لو بقيت لاختلف الأمر.
- ربما أيضاً لكان الأب ليبطش بهما معاً.
- تظن أن الملامة تقع على الأب فقط؟
- كان باستطاعته أن يجنّب ولده تبعات ذنب الأم.
- ولكن ألست أنت من يقول أنّنا نفقد السيطرة أحياناً؟
- بلى أنا.
- تتلمّس له عذراً؟
- لا عذر على تحطيم طفل.
- تحبّني؟
- أكثر ممّا تتصوّرين.
- لكنك تجد أعذاراً لنهايتنا؟
- لماذا تقولين هذا الآن؟
- أفكّر بصوتٍ عالٍ، إن كانت الأشياء، في نهاية الأمر، تُقاس بنتيجتها، إن كانت الأشياء الجميلة تستمر أو تصبح بشعة بمجرد أن تنتهي.

- أحبّك.

- هل كنت لتهرب معي إن كنت مكان ذلك الراهب؟

- لا أعرف.

- أتعتقد أنّه كان شجاعاً؟

- أجل.

- وهي أنانية؟

- لا أعرف. ماذا تظنين أنت؟

- أنّها ربما إنسانة رهيبة وقاسية. صدّق. لا أعرف بم يجب أن أفكّر. أعرف أنّي أشفق عليه. أشفق عليها أيضاً، عليهما.

- ربما هو سعيد بجنونه.

- لا أحد يختار الجنون.

- بلى يا عزيزتي. كثيرون يفعلون ذلك.

- المجتمع يدفعهم لذلك. لذا ليس خياراً. إنّه حالة عقلية مرتبطة بعوامل كثيرة.

- لماذا صرنا نتحدث عن الجنون؟

- لأنّي مجنونة بك.

ضحكت عالياً واقتربت مني وطلبت منّي أن أحضنها وأقرّبها منّي أكثر. ثمّ نامت وتركتني مع عبقها وحكايا المجانين. انتابني الأرق وكلما فكرت أنّه لن يمكنني يوماً أن أملك شجاعة القسّ الهارب، وبأنّي سأتركها تفلت من يدي يوماً ما، تكدّرت وصرت أتصبب عرقاً. صرت أقترب وأقبّلها، كمن يزرع شتلة في تربة بحنو على أمل أن تكبر.

كلّما اقتربت منها، ازداد ارتعاش شفتيّ حتى تستقر على جسدها وتطبع قبلة. كان بإمكاني أن أكمل تقبيلها وهي نائمة، مستسلمة. كنت أريد كذلك ان أمرّر فمي على بشرتها، من دون أوقظها، وأن ألجها بعدها بسكون من دون أن تحدّق بي.

-6-

نيويورك 2000

كانت ماريان قابعة في الزاوية. سيجارتها في يدها وهي تبكي. ترجع شعرها إلى الخلف بيدها وتنتحب. جلست أمامها أنظر إليها فقط. سألتني إن كنت أجدها جميلة وأجبتها بنعم.

- أنت جميلة جداً.
- لماذا تظن أنّه تركني إذاً؟
- لم يتركك يا صديقتي.
- لقد اختار أن يذهب إلى الحرب. لماذا لم يرفض؟
- لأنّه واجبه. ربما لن تستطيعي رؤية الأمور، كما يراها هو، ولكنّه ظنّ أنّه قام بالأمر الصائب.
- لو أحبّني، لما رحل.
- لماذا تتمسكين بهذه المعادلة؟
- هل تحب هيلدا؟
- ما هذا السؤال؟
- أجب، هل تحبها؟
- نعم، أكثر ممّا تتصورين.
- لماذا تركتها ترحل إذاً؟

- كانت سترحل عاجلاً، أم آجلاً، ثمّ إنّي لم أتركها ترحل. كان خيارها.
- لماذا لا تجيب على رسائلها الآن؟
- لأني لا أريد هذه الرسائل، أريدها هي.
- ولماذا لا تخبرها بذلك؟
- لا أريد.
- أنت لا تحبها.
- لا يمكنك أن تحدّدي ما أشعر به.
- وهو لم يحبني بما يكفي للبقاء هنا.
- لماذا تصرين على معاقبة الرجل بالإساءة إلى ذكراه. كلانا نعرف جيداً أنّه أحبّكِ، وأحبّ الأولاد كثيراً. ألم يخبرك صديقه كم كان يتألم؟ ألستِ أنتِ من أخبرني أنّه كان يقضي حاجته في الخارج، إذ لا مرحاض، ولا أيّ شيء حيث يقاتل؟ ألست أنت من أخبرني أنّه كتب لك أنّه كانت له أسبابه الّتي دفعته إلى المشاركة في الحرب؟ لماذا فعل كل هذا إن لم يكن يحبّكِ؟
- لا أعرف. أعرف أنّي ما زلت عالقة في هذه الدوامة منذ سنوات، وأنّي لا أملك الإجابة لأولادي عن مصير أبيهم. أمور كثيرة لا أعرفها منها إن كنت امرأة أو رجلاً، إن كنت فقدت أنوثتي. هل تعرف من كم فراش هربت؟ لا أستطيع أن أرى رجلاً آخر في داخلي. لقد أحببته وحملت أطفاله في داخلي وكنا نتأمّل بطني سويّة، في انتظار أن يركل الجنين، وكان يضحك حين أخبره أنّي أشعر أنّ بطني كموج البحر ينخفض ويعلو.

صمتت وأشعلت سيجارة أخرى، وأرجعت شعرها إلى الخلف من جديد. كانت قد توقفت عن النحيب. سألتني إن كنت أظنّ أنّه لا يزال حيّاً.

لم أعرف كيف أجيبها. للحظة فكّرت في استحالة أن يكون الرجل حيّاً، وإلّا لظهر أيّ أثر له، وإن كان ضئيلاً، ولكنّي شعرت أن ليس في إمكاني أن أقول لها ذلك. لا يمكنك مصارحة إنسان، غارق في الهمّ والكآبة، بالحقيقة ولا يمكنك أن تصفعه. هذه الصفعة توقظه من تصديق الوهم. على العكس، ستشعره بالتعاطف مع الوهم، وقد تغرقه فيه أكثر. لم يكن بإمكاني توجيه تلك الصفعة، أقلّه ليس الآن وهي في هذه الحالة.

طال صمتي، وكانت ترمقني بنظرات استجداء، كأنّها تطلب منّي أن أصادق على أوهامها. فكّرت أنّها كأبي في رفضه أن يقبل موت أمّي، كأنّ ذلك سيعني موت فلسطين. فكّرت، ماذا لو أتاني أحمقٌ ما، في أحد الأيام، ليصفعني مثلاً قائلاً بأنّ لا أمل بالعودة.

ربما كنت لأكرهه ولو كنت أتفق معه ضمناً على صعوبة استعادة أرضنا. يقولون لك إنّ الشجاع يستطيع أن يتلقى الحقيقة وأنا أعرف تماماً أن هذا الاستنتاج كاذب. ذاك الّذي يتلقى خبر الموت، أو خبر انعدام الأمل، برباطة جأش ليس الشجاع المغوار، هو البائس سرّاً الّذي تعلّم فقط فنّ إخفاء الوجع.

كان صمت ونظرات، تماماً كأنّي في امتحان. هل أمسكها وأقول لها أنّه مات وأهزّها وأطلب منها أن تستفيق من الوهم، وأطلب منها أن ندفنه هنا سوياً، وأطلب منها أن تبكي، حتى ينتهي الأمر، وتذهب إلى الخارج، وتعيش حياةً جديدة، أم أُسمعها ما ترغب به؟

قطعت صمتي، لأقول لها إنّي لا أعرف، فما كان منها إلّا أن أجهشت بالبكاء مجدداً. كنت أريدها أن تنصرف فقط، أن ترحل. لماذا تسألني أنا إن كان حيّاً. لست إلهاً. كنت أريد، مثلها، لهذه المأساة أن تنتهي.

بعدما هدأت ماريان، قامت عن الأرض واتّجهت إلى الحمّام. لحقت بها وراقبتها وهي تغسل وجهها بالصابون والماء وتحرّك أصابعها على وجنتيها وهي مغمضة العينين. عرضت عليها أن تمضي الليلة في غرفة الزوار ولكنها قالت إنّها يجب أن تذهب إلى أولادها. عانقتني، وقبّلت وجنتيّ، وقالت إنّي صديق رائع، وإنّها ستكون بخير.

سمعت هدير محرّك سيارتها في الخارج، وشعرت بالراحة بعد رحيلها. ليس لأنّي لم أكن متعاطفاً معها، لكن لأنّي كنت بحاجة إلى الهدوء، وربما إلى أن أكون وحدي. كنت قد تذكرت كم أشعرني هدير محرك سيارة هيلدا بالأمان، أحياناً، وأنا جالس أنتظر عودتها من تدريباتها. والآن وأنا أنتظر ذلك الصوت، شعرت كم أنّ بعض النساء يشبهن الموت، ليس لشيء، إنّما لأنّهن الحياة. إن فارقتهنّ، تفارقك. ربما لهذا آلمني رحيل هيلدا، لأنّه أعادني رجلاً مهزوماً.

لا أعرف لماذا أصرّت أن تعود، لا أعرف لماذا أصرّت أن تفتح لي كل هذا العالم الّذي هربت منه، وتضعه أمام عينيّ. هل كانت هذه طريقتها لمعاقبتي؟ هل نقلت لها هذه الرغبة بالثأر؟

كم شعرت بالخوف حين فكّرت أنّي لن أراها مجدداً. ألهذا يا ترى كنت أخشى رحيلها، هل تخطّى الأمر الخوف من خسارتها وكان خوفاً من المواجهة؟ ألهذا أردت أن أبتعد عنها الآن، بكل ما أوتيت من قوّة، ألّا أجيب إن اتّصلت وألّا أكلّمها؟ ماذا كانت تفعل؟ تصفّي

حسابها مع ماضيها من خلالي؟ أين ذهبت تلك الفتاة الوديعة، الّتي لم تكن تجرؤ أن تنظر إلى المرآة، حين أمارس معها الحب؟ أين ذهبت تلك الّتي كنت أرفع رأسها وأطلب منها أن تراقب الضوء الخارج من عينيها كيف يشعّ من كل جسدها حين تكون عارية؟

"اللّحم المضيء"، قالت لي مرّة وهي تتحسّس نهديها. "عندما تقترب منهما، يشعّان"، قالتها ثم ابتسمت وخبّأت وجهها بخجل. ثمّ أمسكت يدي وقالت ضعها عليه. "ضعها هنا، حرّكها، ضعها على وجهي، ضع إصبعك على عينيّ. أترى كيف يمكننا أن نمسك العالم بأيدينا أحياناً. هكذا أشعر وأنا معك كجسد يتقلّص ليصبح بمتّسع الكفّ. أشعر أنّي في مأمن من كل شيء تماماً كما لو أنّني أرقص. الجسد الثابت هنا يصبح بمثابة المتحرّك المنطلق إلى الهواء، لكن بطريقة معاكسة".

ثمّ قبّلتني ليلتها وطلبت منّي أن أضمّها إلى صدري حتى تغفو. فعلت، وبقيت أتأمّل إغماضة عينيها، وأتخيّلنا نرقص سويّة. أرى نفسي رشيق القوام قادراً على التحليق معها. ونمت وأنا في أعلى نقطة من الكون، هانئاً ومطمئناً.

-7-

بعد انفصالها عن مايك، واعدت إيفا مخرجاً عرض عليها دوراً في مسلسل soap opera أميركي، وصارت تظهر على الشاشة الصغيرة في الإعلان عنه، قبل أن يتمّ بثّه. سرت إشاعات كثيرة عن معاشرتها لامرأة شديدة الثراء كانت هي منتجة المسلسل وسرعان ما بات الأمر شبه مؤكّد، بعد انتقال الممثلة المغمورة سابقاً إلى الشارع الخامس (فيفث آفينيو)، أحد أغلى شوارع نيويورك.

انتقلت المكسيكية إلى عالم أفضل من ذلك الّذي كان محسن يستطيع تحمّل تكاليفه، على الرغم من ثرائه، وباتت تصعد في عالم النجومية، كأنّها بهذا تسترد منه حقّها المهدور. "لا بد من تعويضٍ كبيرٍ لي عن حياتي السابقة، لن أرضى يوماً بأقلّ من كلّ شيء"، كانت تقول دائماً. كانت تضحك، وتسرف في الشراب، وشراء الملابس الّتي تحتاجها ولا تحتاجها، الماركات العالمية "شانيل" و"غوتشي" و"بولغاري" و"ايف سان لوران" وأحدث السيارات، وأفخم الأطعمة. "أنظري إلى ساعتي الجديدة، قدّري ثمنها... رأيت الحذاء؟ أشعر بالنشوة... أشعر بالنشوة بمجرّد أن أضع سوار الكارتييه حول معصمي"، كانت تقول لهيلدا.

لكنّ إيفا لم تشترِ يوماً غرضاً من مالها الخاص، أيّ من مردود عملها. كانت تريد دائماً أن تستمدّ رفاهيتها من الآخر، وتضع أموالها في حسابها المصرفيّ. السمة الأبرز لحديثها عن الرجال كانت حسابهم

المصرفي. لم تخفِ هذا الوله الماديّ عن هيلدا. كانت تخبرها بكلّ شيء تقريباً. أصبحتا صديقتين مقرّبتين في فترة قياسية، وكان هذا أمراً مستغرباً نظراً إلى غياب القواسم المشتركة بينهما، أقلّه في الظاهر.

لم أعرف يوماً ما جمع بينهما، ولا لماذا كانت هيلدا تحبّ إيفا إلى هذا الحدّ، وترفض أن تطلق الأحكام عليها. كانت تصفها بامرأة ذكية في هذا العالم المتوحّش، حتّى أنّها كانت تتحدّث عنها بأمومة زائدة ورفق. "أنت لا تعرف ما تعرضت إليه هذه المرأة، كل ما تفعله الآن هو شكل من أشكال الانتقام"، كانت تقول.

كان يغلق الهاتف بعنف كأنّها داخل الجهاز ويرفع يده ليمسّد بها شعره إلى الوراء ثم يضرب باطن يده على جبينه ثلاث مرات متتالية كأنّه يبحث عن حل.

- دعها يا رجل، ماذا تريد منها؟
- لا أستطيع يا مجد. كل يوم أقول أني سأنسى أمرها ولكنّ الغضب يتآكلني.
- في فراشك نساء أخريات كل يوم... هل لأنّها فرّت منك؟
- لقد قتلت ولدي... ابنتي... كيف سأتركها ترتاح؟
- هل أنت متأكّد؟

لا أعرف. هذا ما يقتلني. لا أعرف.

كان محسن يطفئ جهاز التلفاز كلما رأى إيفا، ولا يلبث أن يصيبه الجنون ويتصّل بها ليكون ردّها الشتائم كالعادة.

- آلو... إيفا... اسمعيني... أيّتها العاهرة... أصبحتِ تسكنين في فيفث آفينيو الآن. من ينفق عليكِ؟ هل تضاجعين النساء الآن... لا تقفلي... عاهرة...

لم أعرف إن كانت تصرّفاته نابعة من حبّ كبير، أو من شعور بالخسارة. مرّاتٍ عدة، حين لم تجب على هاتفها الخلوي، اتّصل بمنزلها، حتّى أنّه بقي مرّةً طوال اللّيل، تحت شرفتها مهدّداً إيّاها بأنّه لن يرحل حتى تكلّمه.

لم تتصل ليلتها بالشرطة، ولا أدري إن كانت قد أشفقت عليه، لكنّها نزلت وهي تلف رداء على جسدها المكسيكي المثير. كان يسند رأسه إلى مقود السيارة، حين وقفت قبالة النافذة وهي تشعل سيجارة. سألته ماذا يريد وقال لها باستجداء "أريد أن أعرف إن كنت فعلاً حامل وأجهضت الجنين".

لم تجب.

‏- لماذا فعلت ذلك؟

‏- لماذا كنت تخونني؟

‏- لم تكن خيانة... كان هروباً من الوحدة.

‏- لا تبدأ بهذه التبريرات السخيفة أرجوك.

‏- يمكننا أن نصلح كل شيء، لكن أريد أن أعرف.

‏- لن تعرف، ولا أريد أن أصلح شيئاً.

‏- لماذا؟ هل صرتِ تضاجعين النساء الآن؟

‏- لأنّي أعرف أنّي إن عدت إليك، لن تتخلّى عن النساء الأخريات في فراشك. ستفعل ذلك لبضعة أشهر، على أفضل حال، وستعود إلى الخيانة مجدداً. أنت مدمن خيانة يا رجل.

‏- لا، لن أفعل ذلك.

‏- هل تصدّق رنين صوتك وأنت تقولها؟ كيف تريدني أن أصدّقك؟

- أحبّك إيفا، أحبّك بصدق. أختنق في اللّيل لأنّك بعيدة وكلّ امرأة أخرى... كلّ امرأة... بعدما أنتهي منها، أشتاقك أكثر، تماماً كأنّي لم أثبت لنفسي سوى أنّه لا يمكن استبدالك.

- هل تسمع ما تقول عندما تتكلّم؟ هل تسمع نفسك؟

- أحبّك إيفا، وأريدك أن تعودي إلي. إنّهم يريدون تدميري الآن. أحتاجك جداً.

- من سيدمّرك؟

- الأميركيون، النظام، كلّ شي ضدّي. أرجوك إيفا. الحرب أوّلاً، والآن هذا! لا تتركيني وحيداً!

- هل أنت ثمل؟ تظنّ أنّي لا زلت أصدّق هذا الهراء؟ أهانوا أبي، سرقوا متجرنا، رأيت الدماء في الحرب. بحق الآلهة، هل نسيت كم مرّة كرّرت هذه الحكايا؟ أخرج من هذا الدور الفاشل يا رجل. إن كنت متألّماً حقاً، تعالج. لا ترمي مصائبك عليّ.

- سأحطّمهم كلّهم، وستكونين ملكتي، إيفا حبيبتي.

- اسمع، لم أنزل إلى هنا لأستمع إلى نغمتك. لقد كسرت لي صورتي عن نفسي. بقائي معك لن يفعل شيئاً سوى أن يدمّرني. لقد جعلتني أسأل نفسي، يوميّاً، لماذا يريد أخريات، جعلتني أنظر إلى وجهي وأراه قبيحاً. حتّى يديّ وأصابعي الّتي أحببتها، لم أعد أعرف إن كان يجدر أن تكون أصابع ويديّ امرأة أخرى. لا أستطيع، ولا أريد القيام بذلك مرّة أخرى. أريدك أن ترحل عنّي إلى الأبد، أن تنسى أنّك عرفتني، وأن تنسى قصّة الجنين. كل شيء. فقط ارحل.

لم تنتظر سماع ردّه وأدارت ظهرها ومشت. تركته وحيداً، هو الّذي طرد عشرات النسوة من سريره، يسأل نفسه مئات الأسئلة. كان يصفها بـ "عقابه من الحياة" وكانت فعلاً كذلك، المرأة الصحوة الّتي توقظ رجلاً من أوهامه عن ذاته. المرأة الّتي ترفض أن تفقد نفسها كليّاً تحت رحمة رجل، لأنّها تريده شريكاً، وليس معذِّباً، وتفاجئه، ليس فقط بالغياب، بل أيضاً بالانقطاع التام والجدّي.

مشت بخطوات ثابتة وواثقة إلى منزلها، وتركته لا يعرف ماذا يفعل. أين يذهب الآن؟ بدا كأنّ أحدهم قد رماه للتوّ خارج منزله، على الرغم من أنّ الحال لم يكن كذلك. بدا كأولئك الّذين يفقدون، في لحظة واحدة، اتّجاه مقود السيارة واتجاه الحياة، كرجل جرّده قطّاع طرق من ملابسه، وراح يجهد لإخفاء عورته، كامرأة علمت أنّ زوجها اتّخذ له زوجة أخرى.

كان من الممكن أن يمضي ما تبقى من اللّيل تحت شرفة إيفا، ليس لانتظارها، بل فقط لأنّه لم يعد يعرف ماذا يفعل، كجسد ثقيل فقد للتوّ كل وزنه، لكنّه لم يقع أرضاً. عندما عاد إلى منزله وكلّمني لآتي إليه، كنت صريحاً جداً معه، ولم أكن أشعر بالشفقة على حاله. "تريد أن تحبّ أجنبية بذهنية عربي، بتعددية ذكوريتك وتريدها أن تتقبّل ذلك برحابة صدر. ما هذا يا رجل؟ لسنا في ذاك الزمن، ولا ذاك المكان".

لم يعجبه حديثي. قلّما أراد صديقي أن يواجه الحقائق. كان مايك ظاهراً ومحسن قالباً. وعلى الرغم من انزعاجه، لم أنادِه يوماً بغير اسمه العربي. كان يكرهني أحياناً لذلك، لكن كان ذاك شرطي الأول لصداقتنا، ألّا أساومه كما يفعل الجميع، وألا أحاول أن أرضيه. قاطعني

لفترات ثم كان يتصل بي من تلقاء نفسه، لأنّه كان يعرف أنّه بين القطيع الّذي أحاط به، كان في حاجة أحياناً للحظات صداقة حقيقية.

كان يضع يده على خده وهو يستمع إلى حديثي، كأنّه في حالة ملل ممّا أقول. لم يستفزّني حاله، وبقيت أتحدّث، وبقي يقاطعني ليسأل السؤال نفسه: "هل تظن أنّها كانت فعلاً حاملاً وأنّها خانتني؟ وإن أجهضت فعلاً، كيف كانت تعرف أنّ الجنين ابني؟".

"لا أعرف"، قلت له، "ولكن ليس هذا ما يهمّ فعليّاً. يجب أن تنسى الأمر وتترك الفتاة في حال سبيلها".

سكب كأساً من الويسكي وهزّ برأسه "أنت محقّ، سأنساها تلك العاهرة".

غيّر الموضوع، وأصرّ أن يأخذني في جولة في أنحاء منزله، وهو يشرح لي عن اللّوحات المعلّقة على الحائط، ومجسّم رأس الحصان الّذي كلّفه ثروة. كان يمسك الكأس بيده، وسيجارة بيده الأخرى، ويبالغ في حركة جسده، كأنّه يريد أن يقنعني بأنّه في هذه الدقائق القليلة، نجح حقّاً في نسيان إيفا وكلّ ما يتعلّق بها.

حاولت مراراً أن أتعاطف مع محسن ضد إيفا، وألّا أبرّر لها ما فعلته به خصوصاً حين رأيته منكسراً أو غاضباً، لكن بقيت لا إراديّاً مشفقاً على الفتاة. حين كنت أشاهدها في التلفاز، كنت أفكّر بالمضايقات الّتي تعرضت لها، وأتخيّل زوج الأمّ الّذي اغتصبها، لأراها ظلّا لهذه المآسي الّتي عاشتها، والّتي أخبرت هيلدا عنها. كنت أعرف أنّ محسن غير مقصّر معها، وأنّه كان يلبّي جميع طلباتها ويرضي جموحها إلى الشراء ولركوب أفضل السيارات وشراء الملابس الّتي احتاجتها ولم تحتجها.

كنت أعرف كم أحبّها ودلّلها، وكيف حوّلها إلى تلك المرأة الّتي صارت تريد ان تحصل على كل شيء. كان هو من عوّدها على البذخ والترف، وكانت تستمتع بدورها الجديد، كأنّها في خطاها الأولى لفيلم سينمائي. المرأة الّتي تحوّلت من ضحية إلى سيّدة آمرة وناهية. كانت هي نجمته أيضاً الّتي أراد أن يعوّضها عن مآسي الحياة، لكنّ عادته السيّئة غلبته.

لم ينجح الحب في القضاء على رغبته في أن يضمّ في فراشه نساء كثيرات. في بداية الأمر، لم يخطر لها أنّ هذا العاشق، الّذي أغدق عليها بكل شيء، قد يخونها يوماً. كانت تشعر بالحب والرضى والأمان، لكن شيئاً فشيئاً، صارت تكتشف هذا الوجه الآخر.

كانت هي أيضاً كامرأة فاجأها هذا التفاوت بين الأبراج العالية في نيويورك وعالم المترو السفلي. رفعها إلى أعلى قمّة ثمّ عاد بها إلى الأسفل. حاولت أن تتأقلم مع طبعه، كما أخبرت هيلدا مرّة، لكنّها لم تستطع.

قالت لها إنّها في لحظات خلوتها بمحسن وانفرادها به، كانت تشعر أنّها أهمّ امرأة على الإطلاق. "كنت أفكّ أزرار قميصه وأقبّل كلّ جسده لأشعره أنّه ملكي تماماً كأنّي أريد التهامه وتركه في داخلي. هناك، قرب جسده سواءً كنت تحت أو فوق، أو في أيّ وضعية، كنت كالمرأة الّتي تقف على غيمة في السّماء. ولـمّا عرفت أنّه يعاشر أخريات، أنهكتني فكرة أنّ امراة أخرى تأخذه. صرت أريد أن أعرف مكانه في كلّ لحظة. لـمّا لم يجب على اتصالاتي، شعرت ككلبة وضعها صاحبها في قفص وأقفل الباب. لم يعد في إمكاني أن أستمرّ هكذا ولا

أعرف إن كان يمكنني أن أضحّي بالعلوي لأنّه متزامن مع السفلي، لكن يجب أن أتحرّر من كل هذا. أليس كذلك؟"، هذا ما قالته لهيلدا.

كانت هيلدا تقارن شعور إيفا بالسقوط من علّ. "أنت في القمّة، في الطابق 99 من مكتبك ثم يرميك أحدهم، أو شيء ما هكذا. كيف تحافظ على توازنك بعدها؟ لم يعجبني هذا المحسن يوماً. لا أحبّه".

كانت هيلدا تعتبر أنّ محسن يتصرّف بهذه اللّامبالاة، ويعتقد أنّ من حقه أن يفعل ما يشاء، فقط لأنّه من جيل الحرب. "ربّما أنا أصغر سنّاً منه بقليل، لكن كلّنا أبناء تلك المعارك السخيفة. لا يمكن أن نتركها تعطينا أفضلية وهمية لأنّنا بذلك نجترّ أخطاء أسلافنا. هو تافه ولا أدري ما يعجبك فيه".

"تعرف لماذا يحب أميركا، لأنّها بلاد الأعذار... أنا ابن الحرب، لقد مات أصدقائي، فقدت عائلتي، أنا مضطرب نفسياً، يحق لي أن أخون. غبي".

كنت أضحك حين كانت تتكلّم عنه بهذه الطريقة وبتلك النبرة المتهكّمة، وكنت أعرف أنّها لا تكرهه فعلياً، بل فقط غير معجبة به. في شق من شخصيتها، كانت هيلدا مؤمنة فقط بالحب كقيمة أسمى من أن نمسّها بالسوء، ذاك الحب المطلق الّذي لا يجب أن ندنّسه بشيء.

كانت تشبّه الأمر بالرقص، وتقول إن الإنسان حين يطلق العنان لجسده ليتوحّد بالموسيقى، تتوقّف العملية عن أن تكون مجرّد تحرّك. "أنا أرقص تعبيراً عن الجمال، الحرية المطلقة من كل شيء، البغض والكراهية والذاكرة. عندما أكون على المسرح، نكون أنا والألحان فقط وتلك اللحظة بعيداً عن الماضي وبعيداً عن التفكير بما سيأتي، في ذاك اللّامحسوس فحسب".

قلت لها مرّة أنّها أشبه بفتاة ترقص طريقها خارج الظلمة كي لا يرى أحد عينيها ويلتهون بالجسد. قلت لها أنّي حين راقبتها وهي تتدرّب، رأيت كيف كانت في لحظات عدّة تغمض عينيها كأنّها تريد أن تفقد ذلك الاتصال بالحياة.

"أراكِ وأفكّر كم تبدو هذه المرأة جميلة. في أيّ عالمٍ تراها الآن؟ هل هناك شريك ما في مخيّلتها يشاركها الرقص؟ أحياناً وأنا أراك ترتفعين عن الأرض، أرغب بشدّة بأن أفلت هذا العكّاز من يدي وأن أنضم إليك. أنت تغمضين عينيك لترقصي وأنا أغمض عينيّ لأراكِ".

غفت ليلتها في حضني، وأنا ألعب بشعرها في غرفة الجلوس. قبّلت جبينها ثمّ أسندت رأسها إلى وسادة وذهبت إلى السرير.

والآن، وأنا أنظر إلى هذه الأريكة الّتي غفت عليها حبيبتي الصغيرة، شعرت كم أنّ حبّها طهّرني من الكثير من الأحقاد. لقد غيّرت كياني، وجعلتني أشعر أنّ كل أولئك الأعداء، الّذين حاربناهم لسنوات، لم يعودوا جميعهم أعداءً.

كلّما فكّرت أنّ أحد أقربائها قد يكون متورّطاً في قتل أهلي من الفلسطينيين، وأنّي الآن مع أحد بنات الأعداء، شعرت بقشعريرة في جسدي. لماذا تحبّني هي الّتي من المفترض ألّا تفعل؟ لقد حرّكت فيّ ذاك العداء الثابت وجعلته متقلّباً وقابلاً للتشكيك. لم أعد ذاك الرجل الفلسطيني المكروه، لم أعد فلسطينياً، ولا رجلاً، ولا ذا عاهة ولا شيء. كانت تحب مجد فقط، وهذا المجد أربكني حين وقف وحيداً منفصلاً عن كل تلك الهويات.

كان الأمر بمثابة تحد أو ولادة جديدة عاندتها. كانت أشبه بامرأة تقف في الضوء وتناديني لأرى الشمس وأنا عاجز عن التقدّم. كان من

السهل، بالنسبة إليها، أن تتجاوز، وتنظر إلى الأمام، فالخسارات الّتي تكبّدتها قليلة، مقارنة بخساراتنا، نحن الشعب المشرّد، الخسارات الّتي لا تنتهي. ربما يكون الحل في أن نخرج إلى الضوء وأن نسلب الحياة حقّنا بالفرح، لكن كشعب تقتله الحياة كل يوم، لا يمكن لأيٍّ كان أن يطلب منّا أن نتوقّف عن الموت.

حتّى تعاطفها. حتّى تعاطف هذا العالم كلّه معنا، لم يفهم أحد، كم هو غير مجدٍ في بعض الأحيان. ربّما كان من المريح لي أن تبقى هي العدو. لم يكن هذا ليمسّ الثوابت، لكن حبّها، على قدر ما كان يجب أن يخلّصني، دمّرني. ربما هذا الدمار الضروري لإعادة البناء، لكن هل كنت فعلاً أريد أن أخرج إلى الحياة من جديد؟

لقد فعلت كل شي. لقد تألّمت. لقد خسرت أمّي. لقد انتهت أمور كثيرة بالنسبة إليّ. لا أريد نسيان ذلك. لماذا عليها أن ترقص وتنفصل عن الأرض؟ لماذا لا تبقى هنا، معي؟

في لحظات، كان ينقلب كلّ الحب إلى حقد عليها، وتنتابني رغبة في أن تكون هنا لكي أشدّها من شعرها إلى جسدي وأراقبها وهي مذعورة. في تلك الوضعية، كانت تبدو لي كفأرة صغيرة تحت سيطرتي تماماً. وكنت أحشر وجهها بين فخذيّ وأسمعها تتاوّه. صوتها وحده كان بإمكانه أن يجعلني أشعر بالنشوة. كانت تبدو ضعيفة جداً وهي تتألّم لأجلي، لمتعتي. وكان هذا دليلي الوحيد أنّها لي، بجسدها الّذي يتمايل وكلّ ما فيها. بأكملها.

"لن تجد يوماً امرأة تحبّك كما أفعل"، كانت تقول لي، وهي تقبّل الجرح في وجهي. "أحبّك طوعاً. هل تعرف ما يعني هذا؟ يعني أنّ حبّك صار خياري مع الأيام، ليست بي حاجةً إليك، بل حبّ فقط".

عندما كانت تقول تلك العبارات، أعترف أنّي لم أكن أفهم معظم ما أرادت أن توصله لي، لكنّي استمتعت بذلك. قالت لي أيضاً إنّ هذا النوع من الحب خطير لأنّه يريد كل شيء. قالت إنّها أرادت أن تتوحّد بي لتصبحني، وإنّ رفضي مشاركتها تفاصيلها الصغيرة يصيبها بالجنون. "هذا خطير، ألّا يرضى الحب بأقلّ من الجنون. هذا أمر خطير، يقود للهدم أحياناً".

لم أفهم يوماً إصرارها على العودة إلى الـ "هناك"، حتّى حين شرحت لي كيف أنّ عائلتها، وماضيها، جزء لا يمكن تجاهله من حياتها. قالت إنّها تريد أن تعرف كل شيء، عن ذاك المكان الّذي عاشت فيه أكثر من عقدين، ولكنّه بقي مسكوناً بالأسرار.

- أنا أعرف وطني وبلدتي وعائلتي كما عرّفوا عنها هم، أريد أن أستكشفها بمنظار آخر.
- لماذا؟
- أنت تتحدّث مثلاً عن فلسطين. هي بمثابة حلم لك، لكنك لا تعرفها عن كثب.
- أعرف ما يكفي.
- تعرف ما تريد أن تعرفه، وليس الصورة بأكملها... تعرف الاحتلال والتهجير عن سكان بلدان بعيدة، وتحاول أن تكونهم، لكن ربما لو كنت هناك لاختلفت أمور كثيرة.
- من السهل أن تتكلمي هكذا لأنّك لست جزءاً منّا.
- هل تسمع ما تقول؟
- ماذا أقول؟

- هل تسمع كلامك؟ لست جزءاً ربما، لكنّي جزء منك، أو هكذا ينبغي أن أكون على الأقل. تصرّ أن تعتبرني عدوّاً ما، وتسألني لماذا أشعر بالحزن. تريدني أن أكون في قلب المأساة، لكن تريدني أن أكون عدوّاً كأنّك تجلدني.
- لا، أبداً.
- أكثر من ذلك، صدّقني.
- أعتذر إن كنت أجعلك تشعرين هكذا. أحبّك. أقسم أنّي أحبّك.

في تلك اللّحظات، لم أكن فعلاً أتعمّد إيذاءها، لكن كان من الصعب، بالنسبة إليّ، أن أعبّر عن مشاعري، كما هي، أو أن أنتبه ماذا يجب أن يقال لأنثى وما لا يجب أن يقال. لم أكن أعرف أنّ عبارة كهذه قد تحفر في داخلها، ولا أنّها كانت تعتبر أنّها تسبقني في الحب لأنّها تشاركني كلّ شيء.

مرّات عدة، بدت لي بعيدة، كأنّ هناك حاجز بيننا لا يمكنني اختراقه. حاجز لا أعرفه. كانت تبدو، على وضوحها، كأنّها تخفي أسرار الحياة في جعبتها. كأنّها عاشت في أزمانٍ أخرى وكأنّها عدّة نساء. انتقالها من البراءة إلى النضج، من الضحك إلى البكاء، من الإلحاد إلى الإيمان، ورسم علامة الصليب على وجهها. هل كانت تتلاعب بي؟

لم أفهم هذا التناقض الحاد في شخصيّتها، ولمّا سألتها قالت لي "هكذا لا يصيبك الملل، تتعلّم أن تحب جميع النساء في امرأة واحدة"، ثمّ ضحكت عالياً. وكنت أنظر، وأنا أحاول تفسير احتمالات هذه القهقهة، وإن كانت فعلاً لغزاً ما أم أنّها مجرّد طفلة تلعب.

كانت تقف في الزاوية الأخرى. نظرتها إلى الأسفل في انتظار أن تبدأ الموسيقى. رفعت ذراعها إلى الأعلى، وتلاه الذراع الآخر، ثم ضمّتهما، وصارت تعلو وتهبط بأردافها. كنت أتأمّل تناسق حركتها، والتفاف شعرها حول عنقها ثم تحرّرها منه.

بدت كالحياة المتمعنّة في الانفجار، فرحاً أو يأساً، لست أدري. لم يكن هذا ما يهمّ. كانت ترقص فقط وتبدو متوحّدة بذاتها وممتلئة بها كأن لا مكان لأيّ أمرٍ آخر. صفّقت لها عندما انتهت وركضت لتعانقني وتسألني كيف كان أداؤها.

- رائعة. رائعة.
- ستأتي إلى المسرح لتشاهدني؟
- سأحاول نعم.
- لقد رأيتني أتدرّب وأعجبك الأمر. يجب أن تأتي.
- نعم، طبعاً.
- أريدك أن تعدني بذلك.
- سآتي.

قلت لها إنّي سآتي لأنّه لم يكن من خيارٍ آخر في ذلك الحين. وبقيتِ أفكر لماذا يجب أن أذهب إلى هناك. بالنسبة لها، كان الأمر يعني أنّي هكذا أمشي معها إلى نهاية الخط، أي نقطة اللّاعودة. "أن أراك هناك. سيعني لي الكثير"، قالت لي. لكنّي لم أكن أريد أن أكون متفرجاً عاجزاً. ربما لم أكن أريد أن أمشي إلى نهاية الخط أنا المشدود إلى الذاكرة المضرجة بالدماء، كيف سأقتنع بأنّه حان الوقت لأنسى؟ كان هذا ما يقيّدني: نكران الذاكرة والعيش فيها.

لـمّا عـادت إلى "هنـاك"، كتبـت لي في إحـدى رسـائلها أنيّ "نـذل وحقـير" لأنيّ أخلفـت بوعـدي. قالـت إنّهـا سـئمت: "ليش مـا بتجرب تعمل عملية؟". قرأت السؤال كأنّه ضربة على النخاع. قالت إنّ الندبة في وجهـي لم تزعجهـا يومـاً، وإنّها لطالما انحنت لتقبّل الجرح في رجلي، وإنّها كانت تلثم ساقيّ بشغف، وإنّها لم تطلب منّي أن أخضع للعلاج لكي لا أظن أنّها تشمئز منّي.

"لكـن، أتعـرف؟ لم يعـد يعنيـني بمـاذا تفكّـر؟ لمـاذا لا تحـاول علـى الأقـل؟ لا يعنيـني إن كنـت سـتقول أنيّ أشمئـز، ولا أنيّ لا أقـدّر حجـم المجـزرة، لأنيّ لم أكـن المسـؤولة عنهـا. لم يعـد يعنيـني إن كنـت ستشـعرني أنيّ عديمـة الرحمـة، لأنيّ لا أنـدب مأسـاة بلـدك طـوال الوقـت. لا داعـي للشـفقة ولا للتعـاطف، التعـاطف الّذي لم تبدِه يومـاً تجاهي".

قـرأت رسـالتها وأغلقـت الكومبيوتر بعنـف. هـل تسـبّبت لهـا فعـلاً بهـذا الألم؟ بقيـت طـوال اللّيـل أفكّـر لمـاذا لم أحـاول يومـاً أن أطبّـب سـاقي. لقـد كـان هنـاك مـال وفير، لكـن هـذا الوجـع هـو جـزء مني. أيـن كانـت هيلـدا وأنـا أتحامـل علـى قـدمي لأعمـل سـاعات طويلـة، بكـل تصميم ومثابرة، لأبني شركتي الصغيرة؟ كيف أتنكّر للألم الّذي صنعني؟ ألم يكـن ضروريـاً أن أسـتعرض هـذا الجـرح، علنـاً، لزبـائني ليـدركوا مـدى عظمتي؟

قالـت لي أيضـاً إنّ أمّـي وأبـي لمـا أرادا أن أحتفـظ بالعاهـة لـو كانـا على قيد الحياة. "والدك، على حسـب ما تحكي عنه، كان يريدك أن تتعـافى ولكـن أنـت لا تريـد أن ترضيـه. تريـد أن تحتفـظ بهمـا وشمـاً علـى جسدك، وشماً من الوجع".

كانت تقول إننّا غالباً ما نفكّر بالأموات، وفق خساراتنا وشعورنا بالفقد، وأنّ أحداً لا يكترث بفقدهم هم، فقدهم حيواتهم وأحلامهم وحرمانهم من أن يرونا سعداء. ربما تفكيري بوالدتي كان متعلقاً بخسارتي أنا. لم أعرف يوماً أنّني أناني، إلّا لما فكّرت بخسارتها هي، خسارتها حياتها ولذة أن ترى زوجها وأن ترى ولديها يكبران.

"أنت ترثيها طوال الوقت، كأنّها تعمّدت الموت. أتعرف؟ هم لا يختارون الرحيل. إنّه قدرهم".

إصرار هيلدا على مواجهتي، بكل ما لا أريد، هو ما دفعني بعيداً عنها. كنت في سلام مع حزني وجاءت لتعكّره. جاءت لتقول لي إنّها لن تطبطب على الماضي، بل لتحبّني ولنرتاح منه معاً، ونمشي إلى أرضٍ ما. لكن لا، يجب أن تعرف أنّ الأمور لم تنته، أقلّه بالنسبة إلينا نحن الّذين لم نسترجع حقوقنا، وما زلنا لم نحاسب أحداً على ما فعلوه بنا.

151

الفصل الثالث

-1-

جبل لبنان 2000

في غرفته الصغيرة، جلست هيلدا قرب جورجيو بينما كانت لوريس تنظف المكان. كانا يضحكان بسلام كأنّهما طفلان يلعبان. ثمّ تركا المرأة في الغرفة وخرجا ليتنزها قليلاً. لم تكن تخافه، ولم تتعامل معه كأنّه مجنون. جلسا تحت شجرة زيتون وراحت هيلدا تحدّثه عن أميركا، كأنّه يفهم تماماً ما تقول.

كان يهزّ رأسه وينظر شمالاً ويميناً، كأنّه يسمعها ولا يسمعها في آن.

- هل تفهمني حين أتحدّث جورجيو؟ لماذا لا تجيب؟ جورجيو... إن سألتك أنا أن تقرأ الأبانا والسلام من أجلي. هل تفعلها؟

لم يجب وبقي يتلفت حوله.

- لنقرأها معاً. أبانا الّذي في السماوات...
- آع، آع، آع.
- لماذا يا صديقي؟ لنقرأها لنا نحن، وليس لأجلهم. كنت أقراها في سرّي، من دون أن يسمعني أحد في نيويورك، كلّما شعرت أنّي وحيدة. كنت أرتّل أحياناً أيضاً... في ظلّ حمايتك، نلتجئ يا مريم...

ابتسم جورجيو.

– تعجبك هذه؟ لنرتّل معاً.

– آع. آع.

– عنيد.

قاطعهما صوت لوريس، وهي تنادي ليدخلا إلى الغرفة. حضّرت لهما الطعام وجلسوا جميعاً إلى المائدة. كان يطرق بالملعقة على الطاولة ويضحك. اقتربت منه لوريس. أخذت بيده وغرفت القليل من الحساء بالملعقة، ثم رفعتها إلى فمه. ما إن لامس الحساء شفتيه حتّى مدّ لسانه كأنّه يتذوق. ثمّ صار يأكل وحده. كان يمسك الملعقة من الأعلى، مطبقاً عليها كفّه بإحكام، ويحرّك الحساء قليلاً قبل أن يغرف منه ويأكل.

لم يكن مهمّاً كم من الألم حمل في داخله، ولا ما دفعه إلى الجنون. كان جميلاً، جمال البراءة الّتي تختار عذريتها مبتعدة عن ضجيج الجميع. كان متصالحاً مع هذه الحالة البدائية من الحياة، العيش بلا تصنّع، وبلا أن يجبر نفسه لا على الترتيل، ولا على تلاوة فعل الندامة. الصبي الهارب من فظاعة البشر، المتّكئ على اللّاوعي والمتحرّر من كل القيود، العقل ضمناً.

جلست هيلدا معه في الحديقة بعد تناول الطعام. كانت هي أيضاً مزهوّة بأزهار الوزّال الصفراء في بداية بزوغها، راغبة في التوحّد معها. كانت تفكّر بمجد، وتتحدّث عنه لصديقها الّذي لا يفهم ما تقول.

قالت لجورجيو إنّه اختار اللّاشيء، التحرر من ثقل الماضي والحاضر والمستقبل. التداعي الجميل الّذي لا تستطيع إليه سبيلاً لأنّها تريد أن تغوص في كل شيء، وتستخرج منه العبر. لكن وهي جالسة

في الطبيعة تفكّر بكل هذا الذنب والألم غير المنطقي الّذي تركها حبيبها فريستهما، فكّرت أنّ أوراق الأزهار لا تنغلق، بل تتساقط وتذبل وتنتهي. الزمن لا يعود إلى الوراء. لم تعد الفتاة الّتي كانت قبل أن تغادر هذا المكان قبل أعوام. وربما حين تعود إلى نيويورك، لن تكون المرأة الّتي عرفها مجد. كتبت له: "لا أفهم لماذا اخترت أن تعاقبني على حبي لك، ولا لماذا لم تعد تجيب على مكالماتي. لأيّام عدة، آلمني الأمر وفكّرت طويلاً ماذا فعلت لأستحق منك هذه المعاملة؟ لم أعثر على إجابة، واليوم تحديداً، لم أعد أريد أن أعرف. ربما بعض الأشياء مقدّر لها أن تبقى بلا تفسيرَ. ربما أنت لا تختلف كثيراً عمّن سميتهم جلّاديك في الحرب، أنت مثلهم انتظرت السوط لتنهال به على حبنا. اللّعنة عليك وعليهم وعلى كل شيء".

مرّات عدّة، لم تزد مجد رسائل هيلدا إلّا شعوراً بالنقمة عليها. كان ينظر إلى كلماتها الغاضبة كالعاجز. كان شيئاً اقوى منه لا يستطيع تفسيره. هذه السعادة، الّتي من الممكن أن تكون في متناول يده، وهو يصدّها على الرغم من حبّه لها. كانت هنا من قبل، وكان يتلذّذ بوجودها، كأنّها قطة صغيرة في المنزل.

ضحكتها العالية. هذه الضحكة الّتي كانت تنطلق في كلّ أرجاء المكان. ظلّ يسمعها حتّى الآن. لم يكن يعاقبها على شيء. الواقع أنّه لم يعرف ماذا كان يفعل. كان أخاف من أشيائها، ما خلّفته في منزله، ومرّات عدة فكّر في أن يحرق كلّ أغراضها على قدر ما اشتاق مرّات أخرى إلى احتضانها.

‒2‒

نيويورك 2000

خرجت لأتناول العشاء في مطعم شعبي في شارع هارلم، الشارع الّذي عشنا فيه بداية وصولنا إلى نيويورك، والمكان الّذي استمرّ يحتضنني، عندما كنت أدرس في جامعة كولومبيا. كنت أنتظر النادلة لتقدّم لي الطعام، وأنا أتذكر عبارة "ستعيش هنا ألف عام وستبقى عربياً غاضباً". كنت أشرب البيرة وأفكّر أنّي هنا، في هذه البلاد، أعيش مع مئات الألوف من الأشخاص، الّذين لا يؤمنون بقضيّتي ولا يعيرونها أهميّة، بل ربما أنا أساهم في تكريس كيانٍ صهيوني في مكان ما.

سأبقى طبعاً عربياً غاضباً لأنّني لا أتساوى معهم في الحقوق. هذا الغضب هو شعلتي الوحيدة الّتي أعيش بها. حاولت كثيراً أن أنسى وأتأقلم، أن أصبح جزءاً من هذه المدينة الساحرة، لكن كامرأة يشدّها ثوبها إلى الخلف كلما فارقت حبيبها، استعبدني كياني الأصلي ولا أخجل من ذلك.

جاءت النادلة بالبيتزا الّتي طلبتها، الغنية بشرائح البيبروني. أكلت بسرعة كما تحدث معظم الأشياء هنا. كان أمامي شاب ملأت الأوشام جسده وكانت تسريحة شعره غريبة، نصف رأسه حليق تماماً، والنصف الآخر مصفّف إلى الجنب. نادراً ما التفت أحد في الأماكن

العامـة، إلى الندبـة في وجهـي، ولا أعـرف إن كـان الأمـر يرضـيني أو يزعجني.

تـرى هنـا أشـكالاً وأنماطـاً غريبـة مـن البشـر، إلى درجـة قـد يخـال البعض الندبة موضة ما. بدوت أحياناً سخيفاً في تصوّري عن ذاتي، وسط كل هؤلاء البشر. كانوا دليلاً على أنّ أحداً هنا لن يعنيه الوجع الّذي أشعر به، لكني كنت مصراً على الاحتفاظ بالألم، وبأن أبقى غريباً عنهم، وأن أكوّن صداقات قليلة مع أجانب هم أقرب إلى العرب. هناك أمر ما في تكوين الإنسان الأول ومحيطه، يطبعه كوصمة لا مفر منها، كأنّ لا مثوى أخير إلّا الوطن.

كـان شـارع هـارلم، بالنسبة إليّ، مختلفـاً كليّـاً عـن بـاقي نيويـورك، والواقع أن كلّ شارع من هذه المدينة كانت له سمة خاصّة. عندما وصلنا إلى مدينة الأضواء في منتصف الثمانينات تقريباً، كان هذا المكان الوحيد الّذي يمكن لأبي تحمّل نفقاته. مقارنةً مع باقي أجزاء المدينة، بدا لي "هارلم" كمخيمات النزوح في المكان الّذي تركناه للتوّ آنذاك، النسخة الأميركية لصبرا وشاتيلا وإن كان أكثر تحضراً. كان هذا شارع السود وكنت أضحك حين أفكّر بهم كأنّهم فلسطينيو نيويورك، الأشخاص الذين ربما يجدر بهم أن يكونوا، في جنوب أميركا، لكنهم عثروا على رقعة في شمالها، وجعلوا منها مكاناً لحيواتهم الصاخبة، الحيوات الّتي تكون غالباً في أسفل الدرك.

عشنا هنا لأنّنا لم نكن نملك المال لنكون في مكانٍ آخر، وربما لأنّ هؤلاء الأشخاص كانوا أكثر تقبلاً لكوننا عرب. لكنّ أبي أراد دائماً أن يبعدني عن المخدرات المنتشرة كثيراً في هذا المكان، وكان يقول إنّ الإقامة هنا موقتة ريثما يجد مكاناً آخر لنا.

لم يكن يريد أن يبعدني عن حرب ليزجّ بي في حرب شوارع أخرى. لذا حرص أن أكمل تعليمي وتدبّر عملاً في محلٍ للورد. كان المحلّ لرجل مسنّ لم يعد يريد أن يعمل، ولم يكن يريد أن يسلّم المحلّ إلى شاب صغير فيسرقه. لذا وجد في أبي المواصفات المناسبة. تنقّل أبي بين وظائف عدّة في حياته، والآن حين أفكّر بها، أضحك لأنّ واحدتها لم تشبه الأخرى، من أستاذ إلى مقاتل إلى بائع ورد.

كان يلف وزرة حول خصره وهو يشذّب الورد وينزع الشوك عنه. بدا رقيقاً وسعيداً كأنّه متحرّر من ثقل السلاح الّذي فشل في حمله. وصار يقرأ الكتب عن أنواع النبات، وكيفية تنسيق الزهور، ومدّة حياة كلّ نوع من الورد. نجح أبي في هذه المهنة وصار معروفاً في الحيّ بـ Arabo. لم يعد الأستاذ ولكنّ انجليزيته البسيطة ساعدته كثيراً.

- Good morning Arabo
- Good morning

كان يردّ التحية على جيرانه بحفاوة، وهو يرفع يده إلى الأعلى، ويكمل أحياناً قائلاً the sun is shining today، أي الشمس مشرقة اليوم. غالباً ما تكون العبارة الجديدة الّتي يقولها قد مرّت في فيلم أجنبي حضره في الليلة السابقة، وحفظها وأراد امتحان قدرته على تكرارها.

اندمج في الحيّ بسلاسة وسهولة وظلّ في المنزل فلسطينياً، وليس Arabo. بالنسبة لي، بقي أبي دائماً الأستاذ. جميع ألقابه وأزيائه الأخرى بدت لي مستعارة. كان المعلّم في مدارس الأونروا الّذي تفخر به زوجته. ربما لأنّ صورته هذه كانت مرتبطة بالفترة الأشدّ سعادة في حياتنا فأردت أن أحتفظ بها عنه. كنّا أثناءها، على الرغم من التهجير، عائلة صغيرة وسعيدة. وكان المخيّم، على ضيقه، مكاناً لنا جميعاً. إن

طبخت إحدى النساء الملوخية، فاحت رائحتها من كل منزل في صبرا وشاتيلا، لأنّ كل عائلة ستحصل على حصّتها.

كنت أدخل جميع البيوت، من دون تحفّظ كأنّنا عائلة كبيرة. مجالس النساء، الّتي كانت تصحبني إليها أمّي وأنا طفل، أو تلك الّتي كانت تحدث في منزلنا، ومجالس الرجال الّذين يفرشون "الطراريح" على الأرض، والّتي صرت أحضرها مع أبي، بعدما أنهيت عامي العاشر. كانوا جميعاً، نساءً ورجالاً، يبدون متآلفين على نحو غريب.

جمعتهم اللّهجة والحكاية وبعض الأغراض القديمة الّتي أتوا بها من فلسطين. حتّى أنّي أذكر حكاية الرجل الّذي ذهب خارج المخيّم ليعمل في جنوب لبنان لشهرين، ولمّا عاد، اكتشف أنّ زوجته رمت بالأغراض الّتي أتوا بها من فلسطين، أثناء التهجير، خارج المنزل. أراد أن يطلّقها لولا تدخّل وجهاء الحيّ. ربما ما أسعفها، هو أنّها احتفظت بمصباح جاؤوا به من منزلهم في أرض الوطن.

"ما زال هناك هذا المصباح. لم أرمِه"، خرجت تبشّره وهو واقف عند عتبة المنزل، مع رجالٍ ونساء يحاولون أن يهدئوا من روعه. "لولا هذا المصباح، لكنت رميتك أنت خارجاً أيضاً. أدخلي إلى غرفتك"، دخلت وسط زغاريد النساء، اللواتي فرحن أنّه تراجع عن قراره، تماماً كما لو أنّ المرأة تُزفّ من جديد.

-3-

تعرّفت إلى هيلدا بعد وصولها إلى نيويورك بنحو عامٍ تقريباً. كانت تتدرّج في مكتب لتصميم الأزياء في المبنى نفسه الّذي يتمركز فيه مكتبي. كنت أراها يومياً تقريباً. شعرها طويل يصل إلى نصف ظهرها تقريباً. جسدها رشيق ونحيل قليلاً، ليس النحول المنفّر بل المغري. كانت تبدو أوروبية ولم يخطر لي بادئ الأمر أنّها عربية.

سمعتها مرّة تتحدّث بالهاتف في مدخل المبنى وكانت تتكلّم بالعربية. هذا ما شجّعني على الاقتراب منها وسألتها من أين تاتي.

- أنا لبنانية، أنت من وين؟
- أنا فلسطيني، فلسطيني بس عشت بلبنان فترة.
- من قديه تقريباً؟
- سنين، سنين طويلة.

"أنا هيلدا. تشرّفنا"، قالتها، ومدّت يدها لتصافح يدي. فعلت المثل. كانت تبتسم.

- شو اسمك؟ ما قلتلي شو اسمك؟
- اه طبعاً. بعتذر. مجد. اسمي مجد.

لم أكن معتاداً على الحفاوة الّتي كلّمتني بها، ولا أعرف لماذا فعلت ذلك. شجّعني الأمر على دعوتها لارتشاف القهوة. نظرت إلى ساعتها

وقالت أنّها ستنهي عملها بعد ساعتين تقريباً، ثم تستطيع ملاقاتي إن كنت متوفراً.

– عظيم. نلتقي هنا بعد ساعتين.

أخذت هيلدا إلى مقهى قريب من مكتبي. تناولنا الطعام سوياً. بقينا نتحدّث لساعتين تقريباً. كنت أراقب حركة فمها وهي تتناول الطعام. كانت تمضغ من جهة واحدة ويبدو فكّها كأنّه يتحرّك بطراوة. وكانت تضع يدها على فمها إن قاطعت طعامها لتتكلّم.

– تعرف أنّها المرة الأولى الّتي أجلس فيها مع فلسطيني؟

– حقّاً؟ لماذا؟

– نحنا كتائب... مش نحنا يعني أنا، أهلي يعني... يعني أهلي كتائب. فيك تقول هيك شي.

لم أعرف ماذا يمكن أن أجاوب. سكتت لبرهة.

– أنا أيضاً، هذه المرة الأولى الّتي أجلس فيها مع شخص من حزب الكتائب.

– ليست أنا. أهلي.

– وهم هنا معك؟

– لا، في لبنان.

– وماذا تفعلين هنا في نيويورك وحدك؟

– أرقص.

– ترقصين؟

– نعم، أتخصّص في الرقص وتصميم الأزياء. اختصاصان. الأوّل من أجلي أنا والثاني إرضاءً للحياة. أرقص منذ كنت صغيرة وأريد أن أحترف.

- تحترفين؟
- نعم، أن أرقص على المسارح في استعراضات فنية. ليس رقصاً سيئاً. لا تقلق.
- لا، لم أفكّر بالسوء.
- من أين من فلسطين؟
- تعرفين فلسطين؟
- لا، لكن ما اسم بلدتك؟
- قرية أبي كفرياسيف وأمي من قرية تدعى ابو سنان. نحن من الجليل.

ضحكت هيلدا ثم اعتذرت.

- آسفة لكن الاسم مضحك... ابو سنان. لماذا سمّيت كذلك؟
- لا أعرف فعلاً.

كنت أحاول أن أتوخّى الحذر في كلامي معها، خصوصاً بعدما عرفت أنّ أهلها من حزب الكتائب. ربما لو عرفت ذلك مسبقاً، لما دعوتها إلى المقهى. ولكن وقد حدث ما حدث، لم يكن بإمكاني ألّا أعِجب بعفويّتها وطريقة كلامها. تلك اللّامبالاة. ليس اللّامبالاة المزعجة، بل تلك الّتي تشعر أنّها تكسر كل احتمالات التصنّع والتوقعات.

وجدت نفسي أتكلّم بشيء من التفحّص، كأنّي أراقب رد فعلها حين أقول أيّ شيء لأجد هذه الفتاة دائماً على المسافة نفسها من كل ما أقول. تعبيران، إمّا الضحك، أو الاستماع على الوتيرة ذاتها ومقاطعتي لتسألني عن بعض التفاصيل كمكان سكني، وطبيعة عملي، وفترة وجودي هنا.

- إحكيني فلسطيني.
- ليش؟
- بدّي أعرف كيف بتحكوا.
- إيش بدّي أقلّك.
- أيّ شي.
- يا بنت الحلال. احنا منحكي زيّكم. ومن زمان كتير ما حكيتش فلسطيني. انتي بتوخديني على مكان قديم. أقلّك إحكيني كتائبي مثلاً. أحنا منحكي عربي زيّكم.

بدت لي هيلدا في البداية تحدّياً، المرأة الآتية من بعيد والّتي تحمل جزءاً من ذاكرتي، تحديداً الجزء الّذي لا أعرفه. لو كنت التقيتها قبل سنوات، لقلبت الطاولة على رأسها لما عرفت من أهلها، لكن الوقت كفيل بتغييرنا. الخروج من الشرنقة الضيّقة للحياة ومخالطة أناس آخرين، في بلادٍ عديدة، معظمهم احتمال عدو، يجعلك أكثر تقبلاً للآخر. كنت أريد أن أكتشفها، من هي، ماذا تفعل هنا؟ لماذا قبلت أن تجلس معي؟ ما الّذي يثير اهتمامها؟

- فيني اسأل... ليش وجّك هيك؟
- إصابة من أيّام الحرب.
- ما حاولت تعمل تجميل؟
- لا...
- إجرك كمان من الحرب؟
- نعم.
- بضايقك نحكي بالموضوع؟
- بحبش احكي بالموضوع.

- متل ما بدّك.

توالت لقاءاتنا بعدها، وكنت أحاول ان أثير إعجابها دائماً، أن أملك إجابة على جميع تساؤلاتها. كانت شديدة الاهتمام بفلسطين وبماضيّ، بأمّي، بأبي، بالمجزرة.

"أنا عمّي قتل ثلاثة فلسطينيين في الحرب... ثم قتل نفسه... أهانوه، لا أعرف ماذا فعلوا"، هكذا أعرف.

- قتلهم؟
- نعم، ماتوا.
- لماذا تخبرينني بالأمر؟
- لكي تعرف. هذه الحقيقة.
- ماذا فعلوا له ليقتلهم؟
- لا أدري، كان فخوراً بنفسه... أهانوه. قتلهم ثم قتل نفسه حين عاد إلى المنزل لأنّه لم يحتمل فكرة أن يكون قاتلاً.

قالت إنّ هذا ما كوّن في ذاكرتها صورة بشعة عن الفلسطينيين، أنّهم مجرّد قطّاع طرق. لم تكن تعرف شيئاً عن احتلال بلادنا، ولا المأساة الّتي نعيشها. كانت تعرف فقط أنّنا هاجمنا عمّها، وأنّه انتحر.

أخبرتني أيضاً أنّها اتّخذت قرار الرحيل عن أرضها، لأنّها مثقلة بتلك الصورة الّتي توقّعها أهلها منها. "أبي رجل طيّب، لكنّه لا يرى فيّ أبعد من ابنته الصغيرة الّتي يجب أن تتصرّف كأميرة، كابنة ملكٍ ما. لم يحدثني يوماً الأحاديث الّتي تدور بين البنات وآبائهن. كان يغدق عليّ بالنقود. أفسدني. اشترى لي كلّ ما لزم، وما لم يلزم. تخيّل أنّه ما زال يرسل لي مصروفي حتى الآن. كل نفقات تعلمي... كل شيء. لا يقبل بأن أنفق على نفسي أنا، بل هو فقط".

لم أفهـم لم يمكـن لأمـر كهـذا أن يكـون مزعجـاً. فتيـات كثيرات سيتمنّين أن يكون لهن أب كوالد هيلدا. لكن بالنسبة لها، كانت تلك وسيلة الوالـد ليبقـي الفتـاة تحـت جناحيـه، وفي كنـف العائلـة. كانـت تقـول لي أنّ هـذا الحـب المكثـف مـن العائلـة قـد يتحـوّل إلى عـبء، يمنعك من أن تكون أنت، وأنّها أرادت أن تكتشف ذاتها بعيداً عن كلّ شيء.

"صدّق أنّ هناك أشخاص يعيشـون حياةً بأكملها مـن دون أن يعوا من هم، وماذا يريدون، وإن كانوا سعداء. لقد اتخذت خطّاً آخر. ليس سهلاً طريقي، أؤكد لك، لكنّه طريقي"، قالت لي.

أخبرتني هيلدا أنّ أكثر ما أقلقها، أنّها شكّكت دائماً إن كانت قراراتها صائبة، وأنّها كانت تبدو، في كثير من الأحيان، أقسى ممّا هي فعلاً.

"عندما تـذهب عكـس جذورك، يُحدث الأمـر خضّـة في كيانـك بأكمله، كالنبتة تماماً. تخيّل أنّ نبتةً ما أرادت أن تزور أرضاً أخرى، أن تعرف وجهاً آخر للشمس. ستموت ربما. لا أدري ما قد يحدث. أنا نبتـة شـعرت أنّ أقـدام المـارّة ستدوسـها فاقتلعـت نفسـها مـن التربـة ومضت".

قالت أيضاً إنّها تحب المكان الّذي أتت منه، لكنّه يؤلمها كثيراً. "ربمـا لـو أحبّـه بهـذا القـدر لمـا آلمـني، تمامـاً كمـا تؤلمـك فلسـطين. ربمـا فلسـطين مختلفـة، لأنّهـا لم تتسـبّب لـك بـالأذى عـن قصـد. لم تختبرهـا لتعرف إن كانت ستحتضنك، كما ينبغي للأوطان أن تحتضن أبناءها. لم ترَهـا تظلـم شـعبها، وتغرقـه في الحـرب والمأسـاة عـن قصـد. عرفتهـا محتلّة ومظلومة".

لكن فلسطين تشعرني بالعجز يا حبيبتي، تماماً كما لو أنّ هناك مطرقة ما تدقّني إلى الأسفل، كأنّ أمّي فعلاً هناك، وأنا غير قادر على الوصول إليها. ربما تهدم الحرب والمآسي فكرة الوطن، لكن الاحتلال يغذّي حبّه. نصبح وإيّاه في الظلم واحداً، وتنشأ بيننا، وبين أرضنا لحمة وودّ موجع من الصعب تخطّيهما، لأنّهما موجودان في داخلنا وليس على أرض الواقع، خصوصاً بالنسبة إلينا نحن المهجّرين والبعيدين عن الأرض. ربما يختلف الأمر لمن يعيش في الداخل. ربما يتمنّى الهرب أحياناً، لكن الهارب يبقى هارباً. فكرة الهروب وحدها تذكّره بما فرّ منه، فيصبح الأمر أشبه بلعنة.

كانت هذه إجابتي لهيلدا. شعرت أنّها على شفير البكاء ذلك اليوم. كانت تقترب منّي، كأنّها تبحث عن شيء ما، كأنّها تريدني أن آخذها بين ذراعيّ. رفعت يدها وأسندت كفّها على جبينها.

– أنا هاربة أيضاً، وأحتاج أن أعود لأعرف.

– لكنك تعرفين ولهذا هربتِ. أليس كذلك؟

– أعـرف أنّي يجـب أن أذهـب إلى هنـاك وأراهـم وأسمعهـم وأكلّمهم. ليتك تفهم ذلك. أشعر بالخوف أحياناً، كتلك النبتة المبتورة، حين تشتاق إلى أرضٍ تغرس نفسها فيها.

– ألست أنا أرضكِ يا هيلدا؟

– أنت أكثر من ذلك، وتعرف أنّي أحبك كثيراً، لكن الأمر مختلف.

– لماذا؟

– ستغضب إن قلت لك.

– لا، لن أغضب.

168

- ستقول أنّك لن تغضب، لكنّك ستفعل.
- أخبريني، هيّا.
- أنت أيضاً تريدني كما ترسمني. لا تريد أن تشاركني أهمّ ما في حياتي. لا تريد أن تراني وأنا أرقص. لا تريدني أن أتصادق مع ماضيّ. لقد علّمتني أن أنظر إلى نفسي وأنا عارية في فراشك. والآن وقد أصبحت شجاعة بما يكفي، لم تعد تريدني أن أشاهدها. تظنّ أن من السهل عليّ ألّا أشعر بالغربة والحنين. وأنا أعتقد أنّ الغربة والحنين موروثان، لا يمكننا الخروج عنهما، حتّى إن أردنا ذلك. ربما هي الطبيعة البشرية، تذكّرنا باستمرار بطفولتنا الأولى. لا أعرف ماذا سيحدث حين أعود، ولا إن كان سيؤلمني المكان، لكن أعرف أنّه أمر ضروري.
- لماذا تكلّمينني هكذا؟
- لأنّك سألتني، وأنا أخبرك بما أشعر.
- هل أنا مخطئ لأنّي أريدك هنا بقربي؟
- لا، لكنّك لا ترى ما في داخلي.
- اذهبي هيلدا إن كان هذا قرارك.

قلت لها اذهبي وابتعدت. لم آخذها في ذراعيّ، ولم أكمل المحادثة. لم أكن أريد أن أفهم. لم أكن أريد أن أحتضنها أيضاً. لماذا أفعل إن لم يكن حضني كافياً لتعتبره وطناً؟ ألم تقم هي بكل هذه الخيارات في الحياة؟ كنت أريدها أن تذهب إلى عائلتها، ان تذهب إلى ماضيها، فقط لكي تعود إليّ مستسلمة وضعيفة. عندها، كنت سأقرّر، إن أردت احتضانها.

لا شيء يزعج رجلاً أكثر من فكرة عدم اكتفاء امرأته به، بغض النظر عمّا إذا كان يكفيها فعلاً. وأنا أردت أن أصبح كلّ شيء بالنسبة

إليها. عندما كنت أراها في المرات الأولى، كنت أتجنّب أن أقف أمامها، وأسبقها غالباً إلى مواعيدنا، لأجلس في مقعدي قبلها، كي لا ترى أنّي أعرج.

وعندما كنت أقف بعد انتهاء جلستنا، كنت أقوم بجهد خفيّ كبير كي أبدو متوازناً وصلباً، وكنت أرفض، طبعاً، أيّ محاولة منها لمساعدتي على النهوض، أو أيّ عرض للاتّكاء عليها. كنت أرمقها بنظرات حادّة، حتّى تتوقّف عن هذه المحاولات. وحين كنت أطارحها الغرام، كنت أتعمّد أن أدير أنا المشهد، كأن أقول لها أن تقف، أو تجلس، أو تستلقي على نحوٍ معيّن. كنت أطلب منها أن تغمض عينيها أو أن تفتحهما. وكنت أحاول ألّا تعيقني مشاكلي الجسدية عن شغفي بها، لكي لا أبدو غير قادر على التحكم بالعملية الجنسية.

أحياناً بعد أن ننتهي، كانت تنام على صدري وتقبّله. مرّات أخرى، كانت تقبّل ساقيّ. كانت تقول إنّها لا تستطيع أن تتخيّل رجلاً غيري يلجها كأنّني مطبوعٌ في داخلها، وأنّها تشعر أنّ جسدها انطبع بشكل جسدي، بعرض كتفيّ، وطولي، وحجم يديّ، وكلّ شيء.

"عندما يلج رجل امرأة، الأمر مختلف عمّا قد تشعرون أنتم به، لقد صار في الداخل. عندما يخرج، يبدو الأمر كأنّه أغلق الباب بعنفٍ وراءه. لهذا أريد أن أحتفظ بنا هكذا حين ننتهي. قد يبدو الأمر تافهاً لكنّك تشعرني بالامتلاء حين تنام معي. ليس بالنشوة، النشوة أمر عاديّ يمكننا بلوغه وحدنا إن شئنا. إنّه الامتلاء".

-3-

ما تعلّمته خلال حياتي هو أن أكابر على جرحي، هذه المكابرة الّتي من الممكن أن تتحوّل إلى فخّ، في بعض الأحيان، إذ أنّك تصبح أسير نفسك. كنت أريد دائماً أن أبدو في صورة هذا الرجل الحديديّ الّذي لا يعيقه شيء، ولا تؤلمه الحياة. كنت أرى في نيويورك ملاذاً آمناً، كأنّها مدينة الغرباء الّذين لن يعرفوا عنّي شيئاً. كانت شوارع المدينة ساحرة ومكتظّة إلى درجةٍ تمكّنك من أن تصبح شخصاً آخر. بدت الحياة كأنّها تحدث بسرعة، كأنّها تمتزج لتصبح خليطاً رائعاً من كلّ شيء، كأنّها بكل بساطة الحياة.

كان بإمكاني أن أخرج من "السنترال بارك" لأرى بعض الأشخاص الّذين انتظروا ساعات طويلة ليشاهدوا ما حدث، أو أشخاصاً آخرين افترشوا الأرض في انتظار محلّ جديد لبيع الملابس، أو لأراهم يخرجون من مطعم يقدّم الأكل السريع، ليدخلوا بعدها إلى متحفٍ ما. ما يحدث هنا هو أنّك ترى كلّ هذه الهويات الصيني والفرنسي والإفريقي والهندي والمكسيكي والعربي وتمشي هكذا بين الجميع من دون أن تشعر بالغرابة.

لطالما فكرت في ما قد يحدث إن دخل أشخاص من كل هذه الجنسيات إلى المخيّم، مثلاً، سيخرج أبناء صبرا وشاتيلا ليروا من هناك، ظنّاً منهم أنّهم ممثلو الأونروا، أو منظمة دولية أخرى، أو حتى إسرائيليون.

في المخيّم، كل الوجوه مألوفة وكل الناس تعرف بعضها، من بائع الخضار حتى مسؤول اللّجان الشعبية. حتّى اللّبناني إن دخل علينا نعرفه. هناك، نحن مقسّمون ومنعزلون في هذه المساحات الضيّقة، الّتي بدأت خيماً صغيرةً، وصارت مباني نصف عمارتها غير شرعية. هناك، نحن محشورون في أماكن محدّدة حتّى إشعار آخر. في زاوية ما، بنى أبو حسن غرفة من دون رخصة ليتزوّج فيها ابنه، وفي زاوية أخرى، وسّع أبو محمد دارته، لتسع لأولاده الّذين كبروا.

أعرف أنّها حماقة أن أقارن مخيّماً للّاجئين بنيويورك، لكن لماذا نعيش نحن من أجبرنا على ترك أرضنا، كأنّنا قوم في الزاوية. لماذا نعيش على أطراف الأحياء، ولماذا نحن مصدر خطر وتهديد للجميع؟ يمشي جميع الأشخاص في مدينة الضوء، بعضهم بمحاذاة البعض، ونبقى نحن أشبه بالفائض الّذي يوزّع على وحدات سكنية، كان من المفترض أن تكون موقتة.

مع اتّساع كلّ مخيّم، كان أمل العودة يتضاءل، لأنّ الناس حين يعتادون العيش في مكانٍ ما، وإن كان ضيّقاً وغير مريح، يصبح من الصعب عليهم أن يغادروه. كان أبي يخبرني أنّه عندما بنى أوّل غرفة في لبنان ليتزوّج فيها، شعر كأنّه هدم حجراً في بلاده المنكوبة.

"إنّه نوع من الاستسلام، الاستسلام الّذي يولّده غياب الخيار. شيئاً فشيئاً، ولأنّنا لم نتمكّن من احتمال شروط العيش الصعبة، صرنا نريد أن نشعر باستقرار ما. ما فعلته يا ابني هو أنّي أبقيت خريطة فلسطين في البيت. هذه الخريطة الّتي أستحلفك أن تأخذها معك حيثما ذهبت"، كان أبي يقول لي.

172

لقد أبقيت فعلاً على الخريطة. علّقتها على جدار منزلي. كان بإمكاني أن آخذها إلى المكتب، لكن عرفت أنّ مكانها في البيت حيث الدفء. لكن في أحيان كثيرة، وأنا أنظر إلى المكان الّذي أعيش فيه، والترف الّذي أتمتّع به، كنت أسأل نفسي إن كانت تغريني العودة، وإن كان بقي شغف للنضال، كما لو أنّني كنت في قلب الأزمة. هذا المكان البديل كان مشبعاً، ومغرياً حدّ الرغبة بنسيان موطني أحياناً. ولولا أنيّ لم أحتفظ بهذه الندبة في وجهي، لكنت نسيت ربما الكثير من الإجحاف الّذي يلحق بأرضي كل يوم. لو لم أتمسّك بعاهة رجلي، لنسيت أنّ هناك عدوّاً يتربصّ بفلسطينيين آخرين، يعذّبهم ويأسرهم ويجبرهم على العمل تحت إمرته، والخضوع لاستبداده كلّ يوم.

كان لا بدّ أن أبقي على هذا الألم، ليس كنوع من المازوشية، بل لإبقاء شعلة الغضب، هذه الشعلة الوحيدة الكفيلة بألّا تذهب حقوقنا أدراج الريح.

كما أتذكّر أبي بعد موته قبل أربعة أعوام، أتذكّر فيليب، رب عملي الأوّل، وكيف كان يقول لي "تمسّك بحقك من الحياة، لكن لا تدعه يدمّرك. يجب أن تعرف، في لحظة ما، أنّ أحداً لا يحصل على كل حقوقه. ستضطرون يوماً ما أن تقبلوا بتسوية. لا أدري إن كانت حلّ الدولتين. لا أدري شيئاً ولكن لا بدّ لكم من تسوية".

كان يحاول إقناعي بأن ألجأ إلى العلاج، وأجري جراحة تجميلية لوجهي، وأطبّب رجلي. ربما أبي أيضاً أراد أن أداوي آثار الحرب على جسدي، لكن أحداً لم يفهم هذه الحاجة في داخلي، لأن أبقى متّصلاً بالماضي. كان يمكنني أن أبقى مرتبطاً بالذكريات، من دون أن أدع ألمها يوجعني كلّ ليلة ولكنّي كنت أعرف أنّ الحياة قبيحة وليست شيئاً

جميلاً. أن أسعى لتجميل نفسي، بالنسبة إليّ، كان أشبه بعملية اقتلاع جزء الشر من الحكاية.

كان الأمر بالنسبة إليّ أشبه بحداد ممتد وطويل، ليس لرغبةٍ في السواد، بل لأنّ الموت لم ينته، ولأنّنا لم نحصل على اعتذار من قاتلينا. هذا ما لم تستطع هيلدا أن تفهمه. لم أكن أعيش في العتمة طواعيةً، لكنّ أحداً لم يشعل النور بعد كل هذه الدّماء.

ربما هي أيضاً عادت للسبب نفسه، لتفهم ولتسأل، ولكي لا تكون هاربة من ذلك الماضي. لا أعرف لماذا كانت تبدو هذه المحاسبة مشروعة، من ناحيتي، لكنّي لم أكن أريدها أن تحاسب هي الأخرى. كنت أريدها أن تقتنع أنّها ستولد من جديد معي، ولم أفهمها حين قالت أنّها لا تريدني أن أكون منزلها ووطنها وأنّها تريد أن تذهب إلى الهناك، لأنّه جزء منها، يجب أن تنظر إليه، وتتمعّن فيه.

قالت إنّها ليست أسيرة الألم، وإنّها تمكّنت، قبل أن تعرفني، من أن تتحرّر من وطأة الحرب والقتل، لكنّها لم تستطع أن تنسى. "النسيان فعل تعجيزي، لأنّ كل ما راكمته، في سنوات سابقة، يبقى في داخلك، ويتّخذ أشكالاً أخرى إن لم تبحث عن تعريف لكل هذه الذكريات. عندها، تكون مجرد امتداد لما سبق وأنا لا أريد ذلك لنفسي. أريد أن أعود، وأجد مفهوماً آخر، أو أن أختبر على الأقل مفهوماً آخر"، قالت هيلدا.

لم أفهمها حين كانت هنا، وما زلت لا أريد أن أفهمها، لأنّي أخشى من هذه المسافة بيننا. أخشى من الحقول الّتي لعبت فيها، ومن الطعام الّذي تحبّه هناك، ومن رائحة غرفتها، ومن عناق أمّها وأبيها. أخشى أن تستأنس بهم فتنساني. أخشى عليها من أن ترقص أمامهم،

أخشى عليها من أن ترقص أمام أحد، فيظنّ المتفرجون أنّ هذا الجسد مكشوف، أو مباح. أخشى، وأعرف أنّها ليست قاصرة، ولا عبثيّة، لكن لا يمكنني ألّا أخشى. لا يمكنني أن أجرّد هذا الحب من خوفه ولا أن أعترف بهذه الخشية فأقسو.

وما يتآكلني الآن هو مزيج من الندم والغضب، كأنّ هذه المرأة صارت لعنة تلاحقني. كل ما تركته بيننا ولم أقله لها. أراها تقفز، وهي تلوّح بشعرها وتضحك. أراها وهي ترفع ذارعيها إلى الأعلى، في حركة متناسقة مع قدميها، الّتي تتقدم بهما خطوتين إلى الأمام، وأخرى إلى الوراء. خصرها الّذي يسابق ساقيها، وانحناءاتها الخفيفة، قبل أن تنفض جسدها عنها. أرى شغفها ونارها، وأتمنى لو أنّي قبضت عليهما، ولو كان الأمر سيعني إحراق يديّ.

لا شيء أقسى على الرجل من أن يخنق امرأة يحبّها، وهي حبلى بذكرياتهما معاً. وأنا أحاول أن أفعل هذا كلّ يوم، أن أعلّق حبل مشنقة لنا، فأشعر به ينزلق عن رقبتها ليلفّني كلّي، ليصبح غطاءً أندسّ تحته، وأبكي من دون أن يراني أحد.

كان هذا ما يعذّبني، كما عذّبني لسنوات طويلة شعوري بأنّي لم أستطع أن أحمي أمّي. كنت أرى الرصاص يخترق جسدها، من دون أن أكون فعلاً شاهداً على موتها، ومن دون أن أعرف أين أصابها، وإن كانت تألّمت.

هل توجّعت قبل أن تموت، أم أنّها رحلت فور تصويب الجنود النار عليها. هل ركلوا بطنها؟ من أغمض عينيها، أم تراهما بقيتا مفتوحتين، وشاخصتين؟ هل أشفق القاتل عليها، أم أنّه لم يكترث؟ هل أهانها أحد؟ شتمها؟ اغتصبها؟ ولماذا لم يقل أبي شيئاً عن الجريمة؟

لماذا لم يلمني على موتها؟ لماذا لم يغضب، لأنّ إصابتي هي ما دفع به أن يتركها وحدها؟ لماذا لم يشر إلى ذنبي؟ هذا الكرم الفائض منه كان مؤلماً لي. كيف أتخلّص من جرحٍ، كان هو ما علّمني كلّ هذا الحب من والدي؟ لماذا لم تستطع هيلدا أن تفهم ذلك؟

البعض يعذّبه أن يظلمه أقرباؤه وأنا يعذّبني حبّ أبي. أنا من ورثت هذا الكرم كدَين لا يمكنني أن أفيه. كنت أحاول أن أنجح وأثابر لأثبت له أنّ ولده يقدّر كلّ هذه التضحيات والحب. لكن ماذا سيقول لو عرف أنّي أحب ابنة العدوّ؟ هل كان ليقبلها بيننا؟

-4-

مات أبي في شتاء عام 1994. مات موتاً عادياً. مرض لبضعة أشهر ثمّ مضى. كان لدي متّسعٌ من الوقت لوداعه، للحديث معه. لم أكن قد تعرّفت بهيلدا بعد، والآن أفكّر ماذا كان ليقول عنها. كنت أتخيّل أيضاً أنّي لو ذهبت إلى بيت أبيها وقابلته وتكلّمنا، ماذا كنّا لنقول.

- لقد قتلت عائلتي، هل يمكنك أن تتصور كم كان ذلك مؤلماً؟
- لقد أردت أن تسيطر على أرضي. هل كنّا لنتفرج فحسب؟
- أمّي كانت حاملاً.
- وماذا تريد من ابنتي الآن؟
- أحبّها... هل تريد أن أصف لك كيف بدت أمّي؟
- أخي مات بسببكم.
- كيف تراني الآن؟
- لا أريد أن أراك.
- لا تريد أن تعرف ماذا أفكّر بك؟
- لا يهمّني.

كان ذلك حواراً متخيّلاً مع العدو القديم. لا أعرف حتّى كيف كان من الممكن تخيّل هذا الحديث. كلما حاولت أن أنظر إلى الماضي، شعرت أن يدا سوداء التقطتني، وراحت تزيد الحفر في

جسدي، الأمر كان مختلفاً عندما تكلمت مع هيلدا، كانت تستمع إليّ وتطمئنني أني لم أكن مذنبا لا في إعاقتي ولا في كوني من بلد محتلّ. كانت تقول أنّ الظلمة في هذه الحياة تشعرنا أنّنا نحن الخطأ.

كنت أرى العدو القديم متعنّتاً في رفضه الإقرار بالذنب، لنحمله نحن. من سمح لأرييل شارون أن يدخل صبرا وشاتيلا. كانت فضيحة كبيرة. لقد شاهدوه هناك، قال لي أبي. قال أيضاً أن الإسرائيليين استغلّوا المسيحيّين.

"المجزرة فضحت الجميع. صاروا يتبادلون التهم... الإعلام... الصور... العالم بأسره انتقد ما حدث فصاروا يلومون بعضهم البعض. الكتائب والإسرائيليون"، قال أبي.

قال أيضاً أنّ ذلك كلّه كذب ونفاق من العالم بأكمله، "أكل خرا" لأنّه لم يمنع الجرائم اللاحقة بحق الفلسطينيين. عندما تكون الجثث في الأرض، يتضامن الجميع، كأنّهم يتحسّسون رقابهم، وكأنّ الموت يعنيهم بشكل مباشر، كأنّه يثير فيهم الذعر من أن يصلهم. ثمّ بعد فترة حين يصبح الدم بارداً، تُنسى الجثث، كأنّها ما كانت. تجتمع الجثث لتعطي لقباً للمجزرة، كأنّ الموت الجماعي لا يصلح لغير التوثيق.

مات أبي وهو يشعر بهذه الغصّة. كنت أعرف من بروده، وانعدام لهفته تجاه الحياة، أنّ هذا ليس يأساً بل نوع من التسليم. كان يقول "جميعنا هربنا إلى السلم بعدما أثبتت الحرب أنّها لم تكن مجدية". بدا الامر أشبه بحكايا العاهرات التائبات، اللواتي نفد جمالهن، فاخترن طريق الله، مثلاً، أو التوبة. لم يعترفن بأنّ الدعارة أعطتهن كل تلك المكاسب ولهذا أمضين معظم حيواتهن فيها. انتقلوا من المأساة، الّتي دفعت بهن

إلى هـذا الطريـق، والمـبررات إلى التوبـة. لم يعـترفن بفضـل المهنـة ولا سحرها. الشرّ إغراء أيضاً كما في الكراهية سحر ليس له تفسير. نمضي نحـن البشـر أعمـاراً في تمجيـد الخـير ونـرفض أن نجسّـده. لا نخـبر عـن الظلمـات الّـتي تتآكـل أرواحنـا وشـكوكنا وغيرتنـا وظمأنـا إلى العتمـة أحياناً. لا نخرج نتوءات أرواحنا إلى العلن، فتبقى لنا نفسان لا تلتقيان.

لم أكـن أريد أن أعترف لهيلدا بظلامية شـهوتي أحيانـاً. لم أقوَ أن أقـول لهـا، إنّنـا أحيانـاً نقسـو حيـن نحـب خوفـاً مـن خسـارة أنفسـنا. في الحب، كما في الموت، تسليم الروح مشقة. كنت أريدها أن تجثو أمامي كـأنّ الحـب لا يجـب أن يكـون أقـلّ مـن فعـل عبـادة. لم أكـن أريـد أن أفعل ذلك لأؤذيها بل لأثبت لها أنّي ملاذها الآمن.

كنت أريد أن أستقي من عينيهـا نظرة كتلك الّتي نظرتها أمّي إلى أبـي، نظرة النسـاء الخام، النسـاء البريئات. "أرضٌ بكرٌ لم يطأها مخلوق من قبل"، كنت أريدها هكذا كما وصف أبي أمّي.

هـل كنـت أهـرب مـن رؤيتهـا تـرقص بسـبب قـدمي فحسـب، أم أيضـاً هربـاً مـن صـورة المـرأة الّـتي مـا عـادت امـرأة بكـر؟ هـل كنـت علـى الرغم من عيشي هنا، عقدين تقريباً، أريد للمرأة أن تكون شبيهة بنسوة المخيّم، يرتجفن إن هدّدهن أزواجهن بالهجر أو الطلاق؟ يهرعن لتغطية رؤوسهن إن لمحن الغرباء؟

يـا لقسـاوة الفكـرة، أن أكتشـف بعـد أعـوام أنّي كسـائر المغتربيـن، نأتي بجلدنا معنا إلى أرض جديدة، ونتظاهر أنّنا ما عدنا مثل قبل. لم يكـن صـراعي معهـا صـراعاً متعلّقـاً بجسـدي فحسـب بـل مـع وضـوحها، لـذا احتجـت أن تطمئنني طوال الوقت أنّها ستبقى أرضي البكـر. ويا للحماقة، مـاذا كنـت أفعـل الآن سوى معاقبتهـا علـى خـوفي أنـا! لكـن،

هل كانت هناك إمكانية للتراجع؟ ربما، كان احتمال كهذا موجوداً، لكنّي لم أقوَ على فعله.

لم تعرف هيلدا كم كنت أشعر بالخوف. لم تعرف كم مرّة غرقت في التفاصيل القديمة. لقد أصبحت رجلاً ميسور الحال، لكن بقيت أحمل الألم القديم نفسه. تغيّر الزيّ، وبقي الشعور بالمهانة والغضب. أتذكّر كيف مضى بي أبي إلى مستشفى غزّة لما أصبت. أتذكّر تفاصيل المكان، كيف استيقظت من الغيبوبة، والكمّامة الّتي وضعتها الممرّضة. يوم نظرت إلى المرآة أوّل مرّة ورأيت الضمّادات على وجهي. حاولت أن أزيلها لكنّ أبي أمسك بيدي وأبعدها عن وجهي. كنت أنظر إلى ساقي كأنّها غريبة عنّي أيضاً. أن تفقد أمّك وصورتك عن نفسك، وحياتك، وأخاك المنتظر، وتخيّلك عن أبيك أنّه بطل، وتدرك أنّ الحياة وجّهت لك صفعة سترافقك ما حييت. ألم غير مستحقّ يأتي ويطبع نفسه على جسدك، وأنت لا تستطيع شيئاً أمامه، كأنّك صرت فجأةً نكرة.

- أريد أن أرى وجهي يا أبي.
- ستفعل في الوقت المناسب.
- ماذا حدث لي؟
- اهدأ يا ابني.

حاولت أن أتحسّس ملامحي تحت الضمّادات. أردت أن أعرف إن كان فراغ تام. حبست دموعي حتّى أتى اللّيل، وبكيت وحيداً في الفراش. لما ذهبنا إلى مشفى حيفا، في مخيّم البرج، قرب منزل خالتي زهرة، بعد بضعة أيّام لتنظيف الجرح، لم يكن هناك مرايا. وضعت يدي على خدي ورأيت الدّم يسيل. امتداد الجرح. المسافة بين بدايته ونهايته. متى أرى نفسي؟

بعدما التأم وجهي قليلاً وحين رأيته للمرّة الأولى. أردت أن أكسر المرآة. صرت أتجنّب المرايا أينما ذهبت. مضى كثير من الوقت قبل أن أصير قادراً على رؤية نفسي. نما في داخلي، مع الوقت، إحساس بأنّ هذه الندبة هي أنا، تختصرني. صرتها.

إن نجحت في الهرب من المرآة في بداية الأمر، لم يكن هناك مهرب من قدمي. عبارة خالتي "يا حسرتي عليه هالصبي" كانت ترنّ في أذني، فأحاول أن أندفع في المشي أمامها، كأنّي أقول أنّي بخير، ولا أريد هذه الشفقة. "على مهلك يا خالتي"، كانت تقول بنبرة قلق، فأشتعل غضباً وأقول لها "ما فيني اشي، عم قُلّك ما فيني اشي".

"تركي الصبي. اسّا عالطالعة والنازلة عمّال تحكي"، صرخ بها أبي فراحت تجول في الغرفة ذهاباً وإياباً "شو حكيت، حكيتش شي غلط". "خلاص يا اختي، احنا حنروّح!، قال أبي. جلست يومها تنتحب وتشكو لله. أمسك أبي بيدي وغادر. "معليش يا ابني، هي بتحبّك".

كان المشي مشقة صعبة فعلاً، لكنّي كنت أحاول أن أقنع أبي أنّي بخير. ولـمّا كنت أصل إلى منزلي، كنت أنظر إلى قدمي، وأنا ممدّد على السرير كأنّها سبب كلّ المشاكل. لم أعد ألعب مع أبناء المخيّم. انزويت معظم الوقت في غرفتي بعيداً عن الجميع. نظراتهم إليّ كانت تشي، إمّا بالاحتقار، أو بالشفقة. أذكر حين كانوا يسرقون ساعة من اللّعب بالكرة في أزقة المخيّم. كان يومها الوضع هادئاً على غير المعتاد. اقتربت منهم وحاولت أن أركلها برجلي السليمة. يومها وقعت أرضاً. ضحكوا كلهم. جاء محمد ابن خالتي، وأسندني حتّى وصلت إلى البيت.

"مـاذا حـدث"، سـأل أبـي. "لمـاذا ثيابـك متّسـخة". لم أجبـه.
"حصل خير يا عمّي، حصل خير"، قال له محمد. بقيت لأيّام طريح
الفراش حتّى أتعافى.

"الله يسامحك على هيك عملة يا ابني! الله يسامحك".

-5-

نيويورك -شتاء 2000

كان قد مضى على رحيل هيلدا أكثر من ستة أشهر. انقطعت رسائلها ومكالماتها منذ أكثر من ثلاثة أشهر ولم أحاول أن أتّصل بها. بدا لي أنّها لن تعود وأنّه يجدر بي أن أنساها إلى الأبد. كانت الحياة قد اتّخذت منحى روتينياً لم يعد هناك أيّ أمل للحب فيه. كنت متيقّناً من أنّها نستني، وصارت سعيدة هناك، وأنّها إن شاءت أن تعود، فسيكون ذلك لتلملم أغراضها فحسب. لم أعرف إن كانت ستختار حتّى أن تعيش في نيويورك، وإن كان شغفها بالرقص سيعيدها إلى هنا.

في لحظات، كنت متأكّداً من أنّها ستعود ولكن ليس من أجلي. كانت ستعود لكي ترقص. كان لا بد لشغفها أن يعيدها أو عساها تستسلم إلى أرضها وتختار أن تبقى فيها. كانت تلك الحيرة تقضّ مضجعي، كأنّها نوعٌ من الهوس. كيف ستتصرّف هذه المرأة، ماذا تفعل هناك؟ ماذا تأكل؟ هل عادت تقطف ثمار "الأفندي" من الأشجار، وتقشّرها، وتأكلها، ثم تشتم تعبيراً عن انزعاجها، لأنّ الرائحة الحامضة علقت على يديها، كما كان يحدث وهي طفلة؟ هل ستأكل اللّوز الأخضر وتغمّسه بالملح؟

183

هل عادت لتمشي على سور من الحجر كما كانت تفعل وهي صغيرة؟ "سور غير مرتفع... ولكنّي لم أكن أعرف أن أمشي على الأرض العادية كسائر أبناء القرية"، قالت لي مرّة.

كانت تمشي دائماً على طرف الطريق حيث ينتهي الرصيف لحساب تراب الأرض. "كان أبي يلومني على ذلك دائماً وأمّي كذلك... هيلدا، ستوسّخين حذاءك... هيلدا... هل ستتعلمين يوماً أن تبقي ملابسك نظيفة... هيلدا...".

لم تكن تستمع إلى النصائح، وبقيت تمشي على السور، حتّى صارت مراهقة وبدأ جسدها يأخذ شكلاً مختلفاً. صار لثديها حلمة يتغير شكلها أحياناً، وصار لها تضاريس كما كانت تصفها. "لو مشيت على السور وأنا مراهقة، لتبعني معظم شباب القرية، كأنّي درس جغرافيا يحتاجون إلى اكتشافه".

"أنظروا إلى جسدها كعود الخيزران... إذا وضعت الخاتم في أعلاه، تزحلق إلى الأسفل بليونة"، كانت تتهامس نساء القرية حين يشرن إليها.

كانت هيلدا محظوظة لأنّ والدها وافق أن تتعلّم الباليه وهي صغيرة، وكان يرسلها مع السائق إلى معهد لتعليم الرقص في جونيه، مرّتين أسبوعياً. كان يفعل ذلك من باب الوجاهة والأرستقراطية. كانت دروس البيانو، الّتي تلقتها، من هذا الباب أيضاً. لكنّها لم تجد نفسها يوماً موسيقية.

كانت تقول إنّ الأصوات الّتي تستفزّ حواسها كانت تلك الّتي يحدثها الجسد، وهو يلاعب الهواء. أخبرتني أن الإنسان البدائي كان يستغل الإيقاع الّذي يحدثه الجسد بوصفه ذروة الاستخدام البشري

للصوت في ذلك الوقت. "لم تكن هناك آلات تحدث الصوت في ذلك الوقت، لا بيانو ولا سواه. التصفيق وأنت ترقص أو صوت ارتطام الجسد بالأرض أو بجسد آخر. وقع أقدامك وهي تتحرّك. هكذا كانت الموسيقى".

كل هذه العقول الّتي نصفها بأنّها متحضرة، اليوم، كانت تصمت في حضرة الجسد لتلتقط ذبذباته. كانت تمجّد هذا الحراك، والآن حين يتمايل الجسد، لم يعد يفعل ذلك من دون الألحان. كان هذا بالنسبة إليها أمراً في غاية السوء.

- فقط حين يتغلّب الرقص على الموسيقى، حين يطوّعها... يصبح رقصاً.
- لماذا لا تقولين أنّهما متلازمان؟
- هي الحياة هكذا. يجب أن يكون هناك دائماً غالب ومغلوب.
- صراع؟
- تنافس... ليخرج منّا الأفضل. إسمع... الأمر شبيه برجل وامرأة. حين يتلازمان فقط، لا يعود أحدهم مثيراً للاهتمام بالنسبة إلى الآخر.
- هل يجب أن يتصارعا دائماً يا حبيبتي؟
- لا، ليس صراعاً. لكن يجب أن يبقيا مخبوءين عن بعضهما، كأن تبقى تنظر إلى شريكك وتشعر أنّه ما زال هنا المزيد لاكتشافه فيه رغم أنّه مكشوف أمامك... عارٍ ولكن ما زال هناك آلاف الأثواب الّتي لم يلبسها، الّتي تتوق لرؤيتها عليه.
- لكي لا تنتهي الأشياء. صح؟
- الأشياء لا تنتهي، نحن فقط نتوقّف عن رؤية توهّجها.

– ولكن ألا تكون الذروة حين يصبح الرقص والموسيقى كياناً واحداً؟

– لا أعرف، ربما. ربما لا يستطيعان أن يكونا كذلك.

– ألا تكتمل الحياة حين يصبح الرجل والمرأة واحداً؟ عندما يلجها، يسدّ ثغرة في داخلها. إسمعي، لو لم يتوحدا... لما استطاعا الإنجاب. لما كان هناك فعل ولادة.

– ربما أنت محقّ، لكن في لحظة معيّنة، يعودان إلى الانفصال. يعود هو رجل وهي امرأة. ربما لا تريد الموسيقى أن تصبح أداة للرقص وربما لا يريد الرقص أن يحتاج إلى اللّحن كشرط مكمّل.

– لكن لحظة اقترانهما ببعض، يصبحان لوحة فنية.

ابتسمت يومها، ربما ليس دليل اقتناع، لكن تعبيراً عن سعادتها بحوارنا. كنت أنا أيضاً أحب أحاديثنا عن كلّ شيء، أحب اختلافنا، جدالنا، نقاشاتنا، تساؤلاتنا الّتي لم تولّد غالباً إلّا تساؤلات جديدة، كحكايا شهرزاد، وفتنتها وترك الحكايا هكذا مفتوحة. كنا في تلك اللحظات كنيويورك، كجميع المدن الّتي لا تنتهي.

لا أدري أين ذهب هذا البريق وكيف استحال الحب جفاءً، ولا كيف تحوّلت من عاشق أنيق إلى رجل يتخبّط. لا أدري أيّ غريزة تلك الّتي تدفع الإنسان – الرجل والمرأة – إلى استبدال الألق بالتوجّس والخوف. ربما هي الهموم اليومية الّتي تجعل الرجل مثلاً ينسى لماذا أحبّ زوجته واقترن بها أساساً وربما هذه الغريزة أيضاً تدفع المرأة إلى أن تتوقّف عن رؤية رجل أحبّته كما كان في صورته الأولى.

لماذا تبدأ العلاقات دائماً بدهشة، وتنتهي بالخمول والبلادة. هل هي طباع البشر؟ قلّة الصراحة بينهما؟ الملل؟ لماذا يتوقّف العشاق عن

186

أن يكونوا مثيرين للاهتمام، بعد انقضاء بعضٍ من الوقت، وإن طال أو قصر بحسب الظروف؟ لماذا يبدو الحب دائماً كأنّ له تاريخ انتهاء، كأنّه محكوم عليه ألّا يتجدد؟ هل يختفي الشغف والمثابرة على إحياء علاقة ما؟ هل فعلاً تصبح العلاقات الرائعة أفضل مع مرور الأيام وأيّ هاجس لأبديّة الحب هذا؟

لا أدري لماذا لم أستطع أن أصدّق أنّ أحلى الحبّ بداياته، كما يعمّم غالبية الناس. أين التفاصيل الّتي ستصنع هذه الحلاوة؟ "الحب تمرين مستمر على الحب. هو لا يتخلّى عنّا. نحن من يفعل"، كانت هيلدا تقول لي.

كانت تسألني دائماً إن كنت سأبقى معها إن مرضت يوماً ما، إن كنت سآخذ أسوأ ما فيها. والآن وقد فات الأوان على أن أخبرها بإجابتي، صرت أعرفها. صرت أعرف أنّه كان يجدر بي أن أقول لها إنّ حتّى أسوأ ما فيها يستثير رغبتي.

أليست تضاريس المرأة ما يُخرج جسدها على المألوف؟ أليست هي كل الفرق؟ لم أخبرها كم أحبّ ملمس شعرها، ولا كم أحبّ تمرّدها - على قدر خوفي من أن ينقلب عليّ- ولا كم شعرت أحياناً بالرغبة في أن أتلمّس شفتيها بأصابعي، وأبقى أتحسّسهما لساعات. لم أخبرها أنّ بعدها جعلني أستعيد كلّ ما فيها، حجم ثديها وطول أصابعها وحتّى شكل عضلات خصرها وظهرها. لم أخبرها أنّ كل الأشياء باتت هي، وأنّي كنت أريد استرجاعها كثيراً.

كنت أريدها أيضاً أن تطرق هي بابي، وتتوسلني لتعود إليّ، ليس من باب الكبرياء، بل من باب تأكيد حبّها لي. لماذا لم تكتب لي، في رسائلها، أنّها تموت من دوني، لماذا لم تكن تموت من دوني؟ لماذا لم

تكن تخبرني أنّها تتألّم كما أنا أتألّم؟ لماذا أصرّت أن تكون تلك الرسائل نوعاً من السرد ليومياتها، ولماذا توقّفت فجأة. لماذا لم يكن هناك رسالة أخيرة تتوسّل فيها؟ لماذا!

"ربما أنت لا تختلف كثيراً عمّن سميتهم جلّاديك في الحرب، أنت مثلهم انتظرت السوط لتنهال به على حبنا. اللّعنة عليك وعليهم وعلى كل شيء".

لماذا كانت هذه كلماتها الأخيرة، قاسية.

"حبيبتي هيلدا،

أنا لست مثلهم. أنا لا زلت انتظر عودتك يوماً ما. لا زلت أنتظر أن أسمع طرق يديك الصغيرتين على باب المنزل...".

بدأت بكتابة هذه الرسالة، لكن سرعان ما محوت كلّ حرف. لم أكن أستطيع أن أقول لها ذلك. لم أكن أريد أن أثير شفقتها. ربما هي فعلاً تراني مثلهم، وحشاً كاسراً، ولا تريد أن تفهم حبي الكبير وراء كل ذلك.

كنت غارقاً وراء شاشة الكمبيوتر، متردداً بين كتابة رسالة أخرى، أو نسيان الأمر حين رنّ جرس الهاتف. وبينما قمت لأجيب، كان المتّصل قد ترك رسالة صوتية.

"هيلدا، أنا إيفا... أحاول أن أتّصل بك على جهازك الخلْوي منذ مدّة، لكنّه مقفل. كنت أريد أن نلتقي لنشرب القهوة سوياً. أعرف أنّي كنت بعيدة جداً في الفترة الأخيرة... لقد غيّرت رقم هاتفي بعد انفصالي عن مايك ولم أخبرك... لكن هناك الكثير من الأمور لنتحدّث بشأنها. أشتاقك كثيراً. عاودي الاتصال بي على هذا الرقم عزيزتي... 2931075... في انتظارك. قبلاتي".

عاودت أنا الاتصال بإيفا على الرقم الّذي تركته. كنت أريد أن أكون قريباً من أيّ شيء يذكرني بهيلدا، أيّ شخص أحسّه جسر تواصل بيني وبينها.

- آلو إيفا... أنا مجد، كيف حالك؟
- أهلاً مجد. بخير وأنت؟
- بخير أيضاً. تلقيت رسالتك. هيلدا ليست هنا. سافرت إلى بيروت.
- آه حقاً، متى؟
- قبل بضعة أشهر...
- لماذا؟ هل أنتما على ما يرام؟
- لا أعرف. ليست هنا.
- إسمع مجد. ما هو رقمها في بيروت؟
- لا أعرف.
- ألا تكلّمها.
- إنّه أمر يصعب شرحه...
- أين أنت الآن؟
- في المنزل.
- هل تستطيع ملاقاتي لنشرب القهوة؟
- نعم.
- أنا في الشارع الخامس. سأنتظرك في الإيمباير كافيه.
- حسناً. سآتي.

كنت أقود سيارتي في اتجاه المقهى، الّذي اتفقنا أن نلتقي فيه، وأنا أفكّر بأميركا، تلك الأسطورة الّتي تسحر الأجنبي والأميركي معاً.

كنت أراها كمدينة الأضداد، وقد كانت كذلك فعلاً. فمن يقارن بين شارع برودواي والشارع الخامس اللّذين تفصل بينهما "التايمز سكوير" يشعر أنّه انتقل من عالم إلى آخر في غضون دقائق.

كل شيء في هذه المدينة بدا ممتلئاً، الرفاه المادي، ومصادر الثروة المتنوعة الّتي تحسبها لا تنتهي، من صناعة السيارات إلى صناعة الأفلام في هوليوود، وما إلى هناك من أعمال لا تنتهي. بدت لي نيويورك أيضاً مدينة على شفير الهاوية، كأنّ كل هذه السرعة في العمران والتقدم، الّذي لا يردعه شيء لا بد أن ينتهي بشكل تراجيدي كالأساطير الإغريقية القديمة. وكنت أسأل نفسي دائماً إلى أين تذهب هذه القوة، إلى مزيد من الصعود أو إلى الهاوية؟ كانت بالنسبة لي كرسم رجل جبار لا تعرف ما هو مصيره.

هل يمكن لبقعة واحدة أن تجمع كل شيء، السطحية في بعض المناهج الدراسية والعمق في التخصص، أهالي الشمال الصناعيين، والجنوبيين المتمسكين بعاداتهم القديمة؟ ربما كان هذا سبب سلطة هذه الولايات المتحدة، كونها هذا اللغز المحيّر كنهر فيه روافد عدة ومصب واحد.

وكنت على قدر حبي لها، أحسدها وأكره قوّتها. لا يمكن لبلاد في هذه القوة أن تكون رحيمة ولهذا ربما كنت أشعر، أننا كعرب أو فلسطينيين، وقود لهذه البلاد.

وقد شعرت دوماً أنّي أقرب إلى شارع برودواي من الشارع الخامس. كان برودواي شارعاً متعرجاً، بادي القذارة. كنت أشعر وأنا أعبره كأنّ رجات كهربائية مستمرة تعصف بي من شدة تسارعه. مطاعمه رخيصة تضج بالناس من جنسيات مختلفة. يسمع المارّة رنين

الأشواك والسكاكين بين أيدي الرجال والنساء وهو يعبر فيه. كنت أرى دائماً كهولاً جلست الوحدة على وجوههم ونساء متوسطات العمر في ثرثرة لا تنتهي.

بدا لي شارع العالم السفلي بامتياز، ولطالما سألت لماذا يكون أهم مسرح في نيويورك في أرخص شوارعها؟ هل لأنّ المسرح حالة شعبية ترينا ماهية الناس العاديين. هذا الشارع الّذي يخبئ في خفاياه المجرمين والسفاحين، وتكاد تكون نفاياته مرتعاً لهم. أمتعته الرخيصة. عواطفه الرخيصة. كلّها بدت حقيقية. الشوارع لها جلدٌ ولحمٌ أيضاً. وهنا كان هذا الجسد، جسد برودواي، في حالة سيلان مستمرّ. كان هذا وجه أميركا المكتظ بالسكان، بكلّ شيء، القيم وانعدام القيم، الأخلاق وانعدام الأخلاق، الحب وغياب الحب.

بعد أن تجتازه في اتجاه الشارع الخامس، تشعر أنّك تعرّفت إلى أميركا جديدة. هنا الوجه القاسي لهذا المكان. الوجه الرأسمالي الّذي لا مكان للفقير فيه، كما لا مكان في سائر العالم، بالنسبة إلى أميركا، للفاشلين والدول الأقل مستوى. هنا العنجهية والتعنت، وصيغ المبالغة الّتي استعملها المسؤولون الأميركيون في خطبهم لتعريف بلادهم، كالمكان الّذي لا يُقهر، والحلم الّذي لا ينتهي. شارع أرستقراطي متلألئ النظافة، سكنه وجهاء نيويورك، وبقوا فيه. شاهق العمارات. تُباع فيه أغلى الأمتعة، وأشدّها إغراء للنفس البشرية. مستقيم ومنظم وعديم المبالاة، إلّا بمن أوتي الكثير من المال أو الكثير من الجمال. شارع لا يرحم أحداً، كجميع الأماكن الّتي لا وقت فيها للعويل الإنساني. هنا الماركات العالمية وأجود أنواع الطعام. هنا وجدت إيفا نفسها ملكة العالم. كيف لا وقد رفعها من الحضيض إلى القمة؟ من يستطيع مقاومة

إغراءات الثراء الفاحش، إن لم يكن محصّناً ضد الوفرة؟ ولماذا يقاومه أساساً؟

وصلت إلى المقهى، ووجدت إيفا في انتظاري. قامت من مقعدها واقتربت منّي وطبعت قبلة على خدّي. كانت تضع الكثير من مساحيق التجميل على وجهها، وأحمر شفاه فاقع اللّون. كانت ترتدي بنطلون جينز ضيّق وقميصاً أسود يبرز منه نهداها الكبيران. لكنّها كانت جميلة ومغرية. امرأة فيها الكثير من الكنوز، والشبق بادٍ من نظرات عينيها كتلك النساء اللواتي ينادينك من دون أن يتلفّظن بكلمة واحدة. انتبهت أنّها المرّة الأولى الّتي أنظر إلى إيفا بعينيّ رجل غريب عنها. لم أكن مشدوداً لها، لكن كأنّني انتبهت فجأة إلى تفاصيلها المكثّفة، أو ربما لأنّها كانت يومها قد بالغت في الاعتناء بمظهرها.

- أرى انّك تزدادين جمالاً.

ضحكت. رفعت كوب الماء إلى شفتيها واستمرّت تبتسم.

- النساء بحاجة دائماً إلى سماع الإطراء والكلمات الجميلة.

- أنت جميلة سيدتي.

ضحكت مجدداً. وانتقلت فجأة إلى ملامح جدية كأنّها تتدرّب على دور تمثيلي.

- قل لي الآن، أين هيلدا؟ ماذا يجري بينكما؟

- حسناً... منذ فترة، قرّرت هيلدا أن تعود إلى بيروت، ولم تعطِ موعداً محدداً لعودتها. وانقطع التواصل بيننا.

- ماذا تعني انقطع التواصل بينكما؟ هكذا؟ بهذه السهولة؟ كنتما متحابين كما في الروايات...

- لا أعرف يا صديقتي. لا أعرف ما الّذي أخذها إلى هناك.

- ألا تشتاق إليها؟

صمتت. ماذا أجيب؟

- ماذا دهاك؟ بربّك؟ ألا تشتاق إليها؟

- بلى أشتاق إليها كثيراً.

- ما هذا الغباء إذاً؟ لماذا لا تكلّمها؟

- لا أريد.

- تبدو كالأطفال. أعطني رقمها. سأكلّمها أنا.

- اسمعي إيفا. علاقتي بهيلدا مستحيلة. نعم مستحيلة. هي الجنوب وأنا الغرب. هي الشمال وأنا الشرق. هي النار وأنا الماء. هي من هناك، وأنا لست من أيّ مكان. هي ترقص وأنا بالكاد أحرّك رجلي.

- ولكنّكما متحابّان...

- هي ذلك الشيء البعيد الّذي لا يمكن أن تتوسلني نفسي لالتقاطه. تظنين أنّي لا أحبّها؟ أنا أعشقها، لكن أعرف أنّ قدرنا أن نفترق. هناك هذا الماضي السحيق بيننا. ليس لأنّي أكترث له، لكن لأنّهم لن يقبلوني يوماً. بالنسبة لها، أنا جزء من تاريخ مرّ، وهي كذلك بالنسبة لي. ليست هي ولكن كلّ الأمور الّتي حصلت في الماضي... هل تفهمينني؟

- لا أفهم... ربما أفهم ولكني لا أوافق.

- لقد ابتعدنا كثيراً... حتى في الآونة الأخيرة من وجودنا سوياً. كان هناك هوة لا أفهمها. كنت أشعر كمن يخاف الاقتراب منها. أمور كثيرة لا أقوى على تفسيرها وفهمها. والآن أحاول كل يوم تعويد نفسي على فكرة أنّ هيلدا ذهبت، وأنّي

حصلت على لحظات معها، على بعض منها، لحظات كانت صادقة وحقيقية جداً.

- وهل تتخلى بسهولة عن هذه اللحظات؟
- لا، ليس تخلّياً. هو الواقع.
- لا أفهم... أنا مثلاً تخلّيت عن صديقك السافل بسبب خياناته المتكررة. كان هناك سبب ملموس، نهاية، هل تقوى أن تحتمل ألّا يكون هناك سبب لنهاية حبّكما؟
- لا أستطيع، أقلّه ليس الآن. ولكن ربما مع الوقت سأستطيع.
- إسمع مجد، أعرف أنّي لست الشخص الأفضل ليسدي إليك النصائح. لطالما كانت حياتي أشبه ببؤرة من الانحدار، لكن أنا أعرف أنّي لا أتخلّى عن سعادتي بسهولة. إن وجدت أمراً يفرحني، أتشبث به بأسناني. أحياناً أعضّ عليه بشدة خشية خسارته فأؤذيه، وأنتبه إلى ذلك، فأعود لأمسكه برقّة. ماذا لو كنت تفعل هذا من دون أن تشعر؟ تعضّ على هيلدا بأسنانك؟
- لكنّها هي أيضاً... لكنّها لم تبقَ هنا...

في حديثي مع إيفا، شعرت كرجل عارٍ من صلابته، كأنّي أتعرّى أمامها. لست جباراً كالشارع الّذي نحن فيه. لست صلباً. هشّ فحسب. ربما كانت قوّتها ما استثار ضعفي. كانت واحدة من تلك النساء اللّواتي لا يمكنك أن تخدعهنّ، أو تكذب أمامهنّ. لا يمكنك أن تتظاهر باللّامبالاة، لأنّها ستعتبر عدم الاكتراث خطيئة كبرى، وستحاسبك عليها. كانت نظرتي تشي بي، نظرة الانكسار لأنّي فقدت المرأة الّتي أحبّ. كان من الممكن إخفاء هذا الإحباط الّذي أشعر به عن الجميع عداها.

قاطعت صمتي وقالت لي أنّني يجب أن أكلّم هيلدا. وجدت نفسي على شفير البكاء أمام إصرارها.

- إسمع، لا تكن أحمقا. لا تضيّع مشاعرك من أجل الخوف، من أجل الوهم. إذهب إليها. كلّمها. أخبرها كم تريدها.

- لكنّك لا تعرفين... لا يمكنني أن أفعل ذلك. أنظري إليّ إيفا، وأمعني التحديق. ترين أمامك رجلاً ناجحاً، مستقيماً كهذا الشارع الّذي نجلس فيه، لكن هل تعرفين ما أخفي في داخلي؟ هل تعرفين كم مرّة كابرت على جسدي ليكون مستقيماً كالفيفث آفينيو؟ هل تعرفين أنّي مثله أخفي ورائي شارع برودواي بكلّ الحطام الّذي يتكدّس فيه؟ ماذا أقدّم لها؟ خيبتي؟ وطناً لم أعرفه؟ جنسية أميركية لا أشعر أنّها تعكس من أنا؟

- لا أعرف لماذا يجدر بك أن تخلط الأمور ببعضها، وتحشر الحب في هذا كلّه.

- هل استطعتِ أنتِ أن تفصلي ماضيكِ عن حاضرك يا عزيزتي؟

لم تجب إيفا. لم نكن هنا لنتسابق ماضي من فينا أسوأ. كنّا غريبين في مدينة تجمعنا، لأنّها تجهل أسرارنا. كنّا هنا لأنّنا في نيويورك استطعنا، أو ظننّا أنّ في استطاعتنا، أن نكون لا أحد، أن نمشي في الشارع ولا نرى وجوه الماضي. لا أحد ممّن يشاهدون إيفا، الممثلة الآتية من المكسيك، يعرف أنّها الفتاة الّتي هربت من زوج أمّها ومن انتهاك جسدها.

- أفعل ذلك لأنّي أريد لك حياةً جيّدة وسعيدة.

- وهل ستكون حياتي تعيسة من غير الحب؟

- إسمع مجد. أنا لست هيلدا. لست فتاةً هربت من بيت أرستقراطي، كانت علّته الكبرى الإفراط في الدلال. أنا امرأة مجبولة بتراب الأرض، برملها وبعرقها. أعرف كيف تشعر. أعرف معنى أن يكون المرء وحيداً. أعرف معنى أن تلجأ إلى أحدٍ ما وتظنّه سينصفك لترى الأبواب المغلقة. أعرف الصدّ. ولأنّي أعرف كل هذا، أعرف جيّداً أن أميّز الأشياء الطيّبة والجيّدة وأنت وهيلدا كذلك. لذلك، تليقان أحدكما بالآخر.

لـمّا كانت تحكي، شعرت لوهلة أنّي أفهم لماذا أحبّتها هيلدا. لم تعد إيفا للحظات تلك المرأة الّتي تجهض الأطفال، بل امرأة حكيمة وطيّبة.

- أريد أن أسألك إن كنت فعلاً أجهضتِ طفل محسن؟
- وماذا لو فعلت ذلك؟
- أريد أن أعرف.
- لن أخبرك.
- هل فعلاً تعاشرين امرأة الآن؟
- لماذا تحشر نفسك في حياتي الخاصة الآن؟
- أريد أن أعرف.
- ماذا تريدني أن أقول؟ لا، لم أجهض طفل محسن ولم أصبح شاذّة؟ هل ستريحك إجابة كهذه؟ إسمع مجد، أنت تعرف حكايتي؟ ألا تعرفها؟

تبّاً لتلك المرأة، لماذا لا تضطرب أمام إجاباتي؟ لماذا تأخذ كلّ شيء بالتعبير ذاته. لماذا لا تنهار وتبكي، وتخبرني أنّها أجهضت فعلاً،

وأنّها نادمة، وأنّها تعاشر النساء لأنّ صورة الرجل مشوّهة في حياتها؟ لماذا تصرّ أن تبدو متماسكة، متماسكة أكثر منّي؟

- إسمع، سيُسعدك أن تسمع أنّي أعاقر الخمر كلّ ليلة لأنسى مأساتي، وأنّ داخلي محطّم، لكن الواقع ليس كذلك. كان من الممكن أن أكون كذلك قبل سنوات، وأن أبكي كلّما تحدّثت عن الماضي، لكن هناك شيء ما قد تغيّر. لا أعرف إن كان الوقت أو أنا. لكنّي لست المراة المكسورة والمغتصبة. لقد خلعت تلك الصورة.

استمرّت إيفا في الحديث طويلاً. قالت إنّها حين رحلت، كانت تعرف أنّها لا تريد شفقة أحد، وأنّها تريد أن تنتزع حقّها في السعادة انتزاعاً. أخبرتني أنّها لجأت إلى والدها بعد حادثة الاغتصاب، وأنّه لم يقل شيئاً وبدا كأنّه لا يكترث.

"كان هناك ألم وحزن في عينيّ أمّي. ضياع ممتزج بقسوتها. ذلك الضياع قد يجعلني أغفر لها، لكن لم يكن هناك أيّ تعاطف في نظرة أبي. لم يقل شيئاً. ماذا تتوقّع أنّي شعرت؟ صرت أتكوّر في سريري كلّ ليلة، أتكوّر في جسدي في انتظار أن يعتدي عليه زوج أمّي... كأنّي أتهيّأ للاغتصاب. أقسمت كلّ ليلة أنّه لن يكون لي أطفال أبداً... حملت منه... أجهضت الطفل. بقيت أقفز على السرير حتى تعب منّي الرفاص، ودخلت أمّي لتجدني مضرجة بالدماء. لقد رأيت الموت، وقرّرت بعده الرحيل. لم تكن هناك أيّ وجهة لي، وانتهيت في نيويورك لأنّ رجلاً في المكسيك أرادني أن أصبح فتاة ليل هنا. جاريته في الفكرة لكي أستطيع العبور إلى الضفّة الأخرى وفعلت. ثمّ هربت منه. سرقت نقوده قبل أن أرحل. بدأت العمل في صالون للتزيين. أضع طلاء

الأظافر للأميركيات الحقيرات. لكنّي كنت أريد حياةً أفضل من هذه. صادقت الرجال وأنفقوا الكثير من الأموال ليكونوا معي. كنت أختار الأقلّ جاذبية دائماً لأنّ هذا النوع من الأشخاص غير واثق من نفسه، ويدفع الكثير لرفقة امرأة، تعويضاً عن دمامة خلقته. أحياناً كنت أشعر أنّي مغرمة بهم أيضاً. لكن كان هذا الحب مقروناً بإرضاء ذاتي الشخصية، أيّ أحبّهم طالما أنا أحصل على كل ما أريد. لم أكن أبكي في اللّيل، على شرفي المهدور، ولا شيء من هذه الخزعبلات والترهات الّتي يروجونها عن النساء اللواتي يهجرن المفاهيم التقليدية للعطاء والحب. ولم أكن أفكّر في التوبة. كنت أفكّر بأن أجمع المال لأشعر بالأمان. ولكن كلّما جمعت المال، صرت أريد المزيد. كنت جنّتي ومحرقتي في الوقت نفسه. ثمّ وجدت مايك. اختلف الأمر معه. أحببته. أحببته كما أعرف أن أحبّ، على قدر ما يهتم رجلٌ بي. لكنّه كان يعود برائحة نساء أخريات وكنت أبكي. كنت أبكي فعلاً، لا أعرف إن كان ذلك من باب الغيرة، أو لأنّي شعرت أنّي امرأة يمكن استبدالها. كنت أفكّر أنّي الأجمل والأقوى والأكثر إثارة، ثمّ رأيته يترك كلّ هذا ليكون مع أخريات. حاولت أن أبقى معه، وأتجاهل الموضوع. لكنّي كنت مدمّرة فعلياً. كنت صادقة معه، أخبرته عن مأساتي. لم أعرف لماذا لم يكن طيّباً معي. كنت أظنّ أنّه هو من سيعوضني كل شيء. خنته بعدها على سبيل الانتقام، لكنّ الأمر كان ينتهي بأن أطرد الرجل الآخر من فراشي فور ما أنتهي منه. كنت مدمّرة. أفكّر في الرحيل كل يوم ولا أعرف إن كنت أستطيع التخلي عن كل الرفاهية الّتي غرقت فيها. لا أعرف إن كان الأمر متعلّقاً بالمال حتّى. كنت أريد أن أمسك بمايك بأيّ طريقة، أن أجعله يتخلّى عن خياناته، ويعود إليّ ليخبرني أنّه

لم يجد امرأة مثلي. ربما لهذا انتظرت. لم أحمل منه. لا تقلق. لم أتخلَّ يوماً عن حبوب منع الحمل. وعدي لنفسي بألّا أنجب، كان أقوى من أيّ رغبة أو وهم بالحب. لمّا رحلت، كنت أتمنى فقط لكل هذه الأمور أن تنتهي، حبّي، كراهيتي، حقدي، رغبتي بأن أكون شهوته الوحيدة. كنت أشعر أنّي منهكة، أنّي اكتفيت فحسب، ووددت لو أنسى كلّ شيء. لكنّي كنت أريد أن أؤلمه أيضاً، أن أدعه يتذوّق حيرتي ولوعتي، أن يشعر أنّي غلبته، فاخترعت كذبة الجنين. هو صديقك. يمكنك أن تخبره الآن أنّه لم يكن هناك أيّ جنين منه وأنّ لعبتي انتهت".

لم أسألها لماذا انتهت اللّعبة الآن، ولماذا تريد أن تحرّره من الدوامة الّتي أقحمته فيها. ربما أرادت أن تحرّر نفسها منه أيضاً، ولم تعد تكترث إن تعذّب أم لا. كانت الرغبة بإنهاء اللعبة بالبداية الجديدة تشرق من عينيها. ثم أنّها وجدت عالماً آخر، التمثيل. قالت أنّها صارت تشعر كما لو أنّ العالم بأسره معترف بها كنجمة الآن، بأنّها صارت كياناً كبيراً كذلك الّذي حلمت أن تصيره تعويضاً عن خساراتها السابقة.

وضعت إيفا يدها على فمها كأنّها تمنع الحديث من أن يستمرّ، كأنّها شعرت، لوهلة، أنّها قالت أكثر ممّا ينبغي. لم أسألها إن كانت هي والمنتجة متحابّتين فعلاً، كما يُشاع. كانت كريمة أكثر ممّا ينبغي في بوحها وشديدة الشفافية.

بقيت هكذا. يدها على فمها. اغرورقت عيناها بالدموع. "كانت جدّتي تقول، سيظلمونها ولن يرفع أحد الظلم عنها. لن يعترفوا حتّى أنّهم ظلموها. هذا مصير الفتيات الجميلات. كأنّها كانت تعرف". رسمت ابتسامة صغيرة بين دموعها. حاولت أن أقترب منها لأحتضنها أو أهدّئ من روعها. أشارت لي بيدها الأخرى أن أبقى جالساً.

أمسكت بيدي وقالت لي "تترافق السعادة، لمن لم يعرفها إلّا نادراً، مع خوفٍ كبير من خسارتها. وأنا سعيدة جدّاً في هذه الفترة. لا أعرف ما هذه الدموع، لكنّي سأقول لك شيئاً فقط، إنّ التحرّر من الألم شعور جميل، نستحقّه نحن من أمضينا أعمارنا نمشي على الشوك. لا تتخلّى عن هيلدا. لقد تأخّرت الآن. سررت جداً بلقائك يا صديقي".

ودّعتني وتركتني مرتبكاً ومـذهولاً. هـل أرفـع السـمّاعة وأتّصـل بمحسن وأخبره بأنّه لم يكن هناك أي جنين. هل أذهب لأكتب رسالة لهيلدا وأخبرها أنّها فرصتي للسعادة؟

لا شيء. لم أفعل شيئاً. طلبـت الفـاتورة. دفعتها ثمّ عـدت إلى المنزل.

-6-

الصخب. ذلك ما اعتراني بعد حديث إيفا. كأنّي كنت أرى صورة زوج أمّها، وهو يغتصبها. كأنّي كنت أسمع صفعات متتالية تنهال على وجهها. كأنّي كنت أراه يدخل ذكورته في فمها وهي تبكي. صور متلاحقة وانقباض في صدري.

شعرت أنّها مثلنا، أبناء المجزرة، ملطّخة بالدّم. آه من ذلك الدّم الّذي لم يغسله أحد. "تلجأ إلى أحدهم، تظنّ أنّه سينصفك". "لن يعترفوا حتّى أنّهم ظلموها". بقيت كلماتها ترن في أذني. لا أحد ينصف أحداً في هذه الحياة الحمقاء. أنت فقط تمد يدك، من وسط الوحل، لترفع جسدك وتركض بعيداً. كل هذه الأوهام الّتي نسمعها عن العدالة في بلاد الغرب، أليست إلّا عدالة قائمة على جثث الآخرين.

أليست أرض أميركا قائمة على جثث الهنود؟ لكنّهم انتصروا. صنعوا أسطورة. صاروا أسطورة. ماذا فعلنا نحن غير كتابة المرثيات الطويلة؟ أمسكنا نحن الفلسطينيين البنادق. تشتّتنا. تبعثرنا. صوّبنا بنادقنا إلى أنفسنا. تخلّى عنّا العالم. صرنا نستجدي دولتنا. ضاع الحق. ماذا الآن؟

الصخب. جسد إيفا المنتهك. كنت أشمّ رائحته وأنا قربها عندما حكت. انتصارها الوحيد كان الترف الّذي صارت تعيش فيه، لكن الجسد بقي منهكاً. لم يصلحه الزمن. هي انتصرت بالترف، وانا

201

انتصرت بأن صرت رجل أعمال مكتبه في الطابق 99. الرؤية من هذا الارتفاع تختلف كثيراً. تخدع أيضاً. لطالما جعلتني أشعر أنّي رجل لا يكسره شيء. لكنّي بقيت رجلاً بلا وطن.

هم أيضاً، الأميركيون، يقفون دائماً على أعلى نقطة ارتكاز في العالم، ويحرّكونه بأصابعهم. أيّ نشوة في كل هذه السيطرة. شعبهم منساقٌ وراءهم، ليس كما ننساق نحن العرب وراء شعارات فارغة. هم ينساقون لأنّ حياتهم بخير ولا يمسّها مكروه. لو كانوا محرومين من حقوقهم مثلنا، هل كانوا لينساقوا؟

الصخب. ذهب جسد إيفا وأتاني جسد هيلدا. جسدٌ غضّ وجديد. طريّ وليّن. كم مزّقته هذا الجسد. كم حشرته بين فخذيّ حتّى تضاءل، وأنا أشدّ على رأسها. كم تأوّهت تحتي، وكم صرخت "أريد أن تأخذني الآن". كم كان يطربني صراخها وهي تستجدي أن آخذها. لا شيء يثير رغبة الرجل أكثر من امرأة مجنونة تتوق إليه. نشوتها الّتي انتهت بالضحك كأنّها أخذت من الحياة عطرها. ابتسمت وأنا أسمع رنينها في أرجاء المنزل.

دخلت إلى الغرفة الّتي كانت تتدرّب فيها على الرقص. رأيت صورة مارتا غراهام الّتي علّقتها وسط الجدار.

- من هذه المرأة يا هيلدا؟
- مارتا.
- مارتا من؟ هل من المفترض أن أعرفها؟
- مارتا غراهام. هي أساس ابتكار الرقص الحديث. امرأةٌ رائعة. هل تظنّ أن مكان اللوحة مناسب هنا أم أنقلها إلى الجدار الآخر؟

– لا، تبدو جيدة هنا.

ضحكت يومها. راحت تخبرني عن غراهام وكيف بدأت مسيرتها
بالرقص. "هل تعرف أنّ الرقص المعاصر أتى كردّ فعل على رتابة الباليه؟
كانوا يريدون مساحة من الحرية. لا يروقني الباليه. ربما له سحر الخاص،
لكن أكره كل ما يتعلّق بالقواعد".

كانت تحرّك يديها وهي تحكي. أخبرتني عـن غراهـام وأعـداد
الرقصات الّتي صمّمتها. قالت إنّها كانت كريمة، ولم تحاسب أحداً حين
اقتبس، أو استوحى، من تصاميمها. "أحببت تلك المرأة منذ صغري...
كنت أقرأ عنها".

أخبرتني أنّ غراهام تزوّجت وأحبّت بجنون، وأنّها أصيبت باكتئاب
حين كبرت. "كانت ترى كل تلك الرقصات الّتي رقصتها مع زوجها،
كانت ترى أشخاصاً آخرين يرقصونها وتبكي. كانت تشتاقه. لا أعرف
كيف استطاع رجل أن ينفصل عن امرأة مثلها... لكنّها عادت من
جديد. كأنّها انبعثت من الموت".

لطالما بدت هيلدا حين تكلّمت ككتلة مـن الشغف، كتلة من
النار الدائمة الاتّقاد. متحمّسة. مذعنة للّهيب. ولا بدّ أن أعترف أنّ
كـلّ هـذا جعلني أخشى أنّـه لا يمكنها أن تحب كـما تحب النساء
العاديات، النسـاء اللّـواتي ينتظـرن رجـالهن في المنـزل حتى يعـودوا مـن
المقهى، ويحضّرن لهم العشاء.

أن تحبّ امرأة غير تقليدية، أمر بالغ الخطورة، لأنّك تشعر أنّ
رجولتـك في خطر، ليست في تلك الـدائرة العاديـة للرجولـة. لم تكن
تحتاجني كما تحتاج المرأة زوجها، مثلاً، لتهدّد به أطفالها المشاغبين، أو
لتطلب منه مصروف المنزل. لم تكن معي لتتباهى بي أمام صديقاتها أو

أهلها. كان أمراً مختلفاً وقد احتجت ذريعة ما لأفسّر وجودها هنا لكنّي لم أجد غير الحب. ومن الصعب أن تصدّق أنّ الحب موجود هكذا بلا كل تلك الظلال الاجتماعية.

كانت تقول إنّي رفيقها وحبيبها، ولكن هل كان ذلك يكفي ليجعلها تبقى هنا، أو بالأحرى ليستبقيها إلى الأبد؟ كانت حرّة، وكان الأمر يؤرقني. لهذا شعرت أنّ ذهابها إلى بيروت تهديد كبير، كما لو أنّه محكوم عليّ بفرارها يوماً ما.

أغلقت باب الغرفة بهدوء وخلدت إلى النوم. في تلك الليلة تحديداً، شعرت أنّي لم أعد خائفاً ممّا سيحدث. ربما كانت كلمات إيفا ورغبة بالتشبّه بها. "أخبر مايك أنّه لم يكن هناك جنين"، كان ذلك يكفي لأعرف أنّها تحرّرت منه. في تلك اللّيلة، لم أعد أريد أن أعاقب هيلدا على غيابها. لم أعد راغباً في أن أضع نفسي في واجهة قتال: أنا وهم. أردت فقط أن أحضنها مديداً حتّى نغفو نحن الإثنين. لم أعد أنتظرها لتطرق بابي، كما أردتها أن تفعل، لتخبرني أنّ الحب ينتصر على كلّ شيء. وأنا لا أعرف إن كان الحب يفعل ذلك فعلاً، إن كان يصبح وطناً.

-7-

عندما تلقّت ماريان مكالمة هاتفيّة من أحد المسؤولين في الجيش الأميركي يستدعيها إلى مكتبه، ظنّت أنّ السبب هو انتقادها المستمرّ لتورّط أميركا في حرب الخليج الثانية. لم يخطر لها أنّ نهايةً ما تنتظرها في ظرفٍ مغلق.

"بالكاد ألقيت التحية وجلست عند مكتبه وأنا أنظر إليه بتحدٍ، كأنّي أحاول القول أنّي لن أتراجع عن رأيي المعارض لتدخلنا في الحروب. لم يسألني عن وجهة نظري. توجّه إليّ بالحديث مباشرة وقال إنّهم وجدوا بقايا جثّة في العراق، وبعدما أجروا فحص الحمض النووي عليها وقارنوه بعيّنات من أقرباء جون، تبيّن أنّ النتيجة متطابقة.

"سيّدتي، زوجك توفيّ منذ سنوات طويلة وقد عثرنا على جثّته في صحراء الكويت. نأسف جداً لخساراتك، لكنّ زوجك استشهد وهو يقوم بواجبه الوطني. تقبلي منّا أحرّ التعازي".

- الرفات، الجثة، أين جون؟

هكذا كانت إجابتها للضابط الأميركي. لم تستطع أن تقول أكثر من ذلك. قالت ماريان أنّها كانت تبحث عن نهاية ولـمّا أعطاها إيّاها الضابط، شعرت أنّ الزمن توقّف.

"لا أدري لماذا لم أبكِ... هو في عداد الأموات منذ سنوات، وأنا لم أعرف. ولـمّا عرفت، لم أبكِ".

قالت صديقتي أنّ الموت يحدث فجوة في الروح وأنّ البكاء يصبح أحياناً عصيّاً، لأنّ الصدمة كبيرة. في أوقات كثيرة، لا يجد المرء تفسيراً لردود فعله، كأنّ المأساة خارج نطاق الاستيعاب.

في حالة ماريان، حدث كلّ شيء بسرعة، الحرب والموت والفقد. لكنّ الزمن توقّف عند حدود جثّة مرمية في الرمال، وأسئلة وشكوك كثيرة. تضاعف الألم كل يوم مع هذه الحيرة الّتي تترك الإنسان مفتوحاً كأنّه يقف على حافة هاوية. لقد وقفت على الحافة لبضع سنوات حتّى أصاب جسدها الخدر ولما أتت الرمية أو السقطة، لم يدوِّ الموت. كان ساكناً كأنّه يحتاج إلى سنوات أخرى للاستيقاظ منه.

تحوّلت صديقتي الأميركية منذ ذلك الوقت إلى امرأة شديدة الهدوء، لا ليس الهدوء، بل السكون فحسب. ليس الموت المصيبة بل ما يأتي بعده، الأيّام الّتي تمرّ في غياب من فقدنا، خصوصاً إن لم نكن قد اكتفينا من وجودهم. هو هذه القوة أيضاً الّتي تقلب كيانك، تحوّلك إمّا إلى ثائر متمرّد أو إلى زاهد في هذه الدنيا.

بات فراش ماريان رسميّاً مفتوحاً على كل الاحتمالات. يمكنها أن تستقبل فيه من تشاء، ويمكنها ان تبني علاقة جديدة، وتنطلق إلى الحبّ من دون عائق احتمال وجود جون على قيد الحياة. لكن هل ستسطيع ذلك؟ لماذا بقيت فكرة خيانة ذكرى الزوج ملتصقة بها حتّى بعد أن تأكّدت من موته؟

حتّى في مراسم دفن زوجها، بدت ماريان تتعامل كأنّه مات للتوّ. ألقت خطاباً موجعاً يومها.

"عزيزي جون،

لا أدري إن كنت تستمع إليّ الآن، ولا أدري أيضاً إن كان بإمكاننا أن نعاتب الموتى. لقد كنت وحيداً في أرضٍ غريبة عنك، تحارب في معركة لم أقتنع بها يوماً. ربما لو استمعت لي وبقيت هنا، لما حصل كلّ هذا. ربما أيضاً من المعيب أن أحاسبك في جنازتك وأقول لك ألم أطلب منك ألّا تذهب؟ لكن سامحني يا زوجي العزيز، خسارتك الفادحة تمنعني من التمسّك بقوانين البشرية والمحبة والتعاطف، ولا أستطيع أن أتساهل هكذا بكل بساطة مع غيابك. لا أستطيع أن أكون هذه الإنسانة القدرية الّتي تؤمن أنّ جميع الأمور تحدث لسبب. لا أستطيع ذلك وأنا أشعر بحاجةٍ ماسّة إليك كل يوم، لا أستطيع ذلك وأنا أنظر إلى وجهي طفليّ وقد رحل والدهم. الحياة تستمرّ نعم، لكنّها لن تكون يوماً كما كانت في حضورك. أحبّك".

بكى كلّ الحاضرين في الجنازة لخطاب الزوجة إلّا هي. ولكنّي حين سمعت صوتها وهي تتلو كلماتها، تخيّلت أنّ في حنجرتها خدوشاً وسكاكين تطعن جسدها. اقتربت من قبره، وضعت له باقة زهر، ورسمت إشارة الصليب على وجهها. ثم مشت إلى الخارج بخطوات بطيئة ملتفتة إلى الوراء، كلّ حين، كما يفعل المرء حين يعزّ عليه الوداع.

-8-

عندما فتحت بريدي الإلكتروني في اليوم التالي، تلقّيت رسالة من محمد قريبي. كانت هذه المرّة الأولى الّتي يكتب فيها نصّاً طويلاً على هذا النحو.

"لقد تزوّجت مريم. بقيت الأباجورة الّتي كنت أختلس النظر إليها من خلالها مغلقة لأكثر من أسبوع. كدت أجنّ. سألت الجميع عنها. لم يقل لي أحد شيئاً. ذهبت إلى محل أخيها وتشاجرنا. ضربني وضربته وقال إنّه سيشتكيني للدرك، إن رآني مجدداً قرب محلّه، أو منزلهم. البارحة فقط، فتحوا الأباجورة. رأيت نساء كثيرات في الغرفة. كانت ترتدي ثوباً أبيض. اقتربت من الأباجورة حين كانت وحدها مع أختها في الغرفة. نظرت إليّ ثمّ أغلقتها. كنت أريد أن أذهب وأضربهم جميعاً. ولكنّي بقيت في غرفتي. بقيت أسمع أبواق السيّارات. لم أنظر إليها وهي تخرج من المبنى. كانت تأتيني الزغاريد والأصوات فقط. أصوات رهيبة. لم يبدُ المخيّم قاتماً لهذا الحدّ من قبل. صوت الفرحة هذا. وجوه النساء في غرفتها. مساحيق التجميل الّتي وضعن منها بكثافة على خدودهن وشفاههن. ما هذا الزواج الّذي يتمّ في أسبوع أو اثنين؟ أخذها رجل بائس مغترب. قريبهم في أفريقيا. هذا كلّ ما عرفته. لم أحاول أن أراه. فضّلت أن يبقى الرجل الّذي يأخذ حبيبتي بلا ملامح، عسى الخسارة تكون أخفّ وطأة. لا بدّ وأنّك تفكّر ما هو حب الأباجورات هذا،

وقد تظنّ أنيّ أحمق. لكن هذا الحب هنا في المخيّم. فتاة وأباجورة مغلقة وخيبة. على الأغلب أنّه لا يشبه حب الأميركيين بشيء. كنت أنتظر هذه الواقعة لأشهر وأيّام طويلة، والغريب أنّها حين حدثت، هدأت. لا تضحك. لكن فعلاً استسلامي في غرفتي كان نوعاً من تقبّل الهزيمة. ربما أتوقّف الآن عن النظر إلى شبّاكها. لا تسل لماذا اخترت أن أكتب لك، أنت بالذات، لكن ربما لو ذهبت لأجلس مع باقي الشبان هنا في هذه الليلة، سأصبح محط سخرية من الجميع. أنت بعيد. ربما عدم تمكّنك من رؤيتي يسهّل عليّ أن أفضح نفسي أمامك هكذا. الشبّان هنا طيّبون، أبناء المخيّم. يجتمعون يوميّاً في باحة هنا، ويشعلون النار في مثل هذه الأوقات. يضعون النراجيل ويشوون البطاطا والكستناء. هكذا نحارب الملل. البعض يحشّش أيضاً. ليس أنا. آخرون. لا أعرف إن كانت ستستهويك جلسة كهذه. أكتب لي عن نيويورك. كيف يمضي الشباب أوقاتهم هناك؟".

ابتسمت وأنا أقرأ رسالة قريبي. كان شديد البراءة والعفوية. لم أعرف ماذا أصف له. شعرت أيضاً بالأبوّة تجاهه، ووجدت نفسي أدعوه ليزور نيويورك.

"عزيزي محمد،

لا تحزن لزواج تلك الفتاة. لا أحد يعرف ما قد يكتبه لك القدر. ما رأيك لو تزورني هنا؟ ماذا لو حاولت أن تحصل على تأشيرة دخول إلى الولايات المتّحدة؟ أستطيع أن أتكفّل بمصاريف الرحلة. سنرى كيف نتدبّر أمور المستندات المطلوبة. هكذا يمكنك أن ترى نيويورك عن كثب.

محبّتي،

مجد".

تلقيت ردّه في الليلة نفسها. "هل تعني ما تقول؟ سيكون الأمر بمثابة حلم بالنسبة لي. سأباشر بالأوراق. لا يمكنني أن أصف مدى فرحتي. أشعر كأنّي ولدت من جديد".

كنت أريد أن أقوم بخطوة جيّدة تجاه قريبي، تجاه أولئك الأشخاص الّذين حالفني الحظ لتكون حياتي أفضل من حياتهم. تذكّرت أبي وتوصياته الدائمة بأهل ديرتنا، بألّا أقطع الصلة مع أبناء المخيّم. كان يقول إنّه يعرف معاناتهم جيداً. "كلهم يقولون فلسطين وفلسطين، لا أحد يحب فلسطين... لو أحبّوها كفاية، لما تاهت منهم"، كان يردّد بخيبة.

لماذا يكون الحديث عن المعاناة أسهل دائماً من التصدّي لها؟ هل نحتاج نحن البشر أن نشاهد ألم غيرنا؟ هل هناك نشوة في أن يكون هناك دائماً ضحايا في الحياة، ضحايا يشعروننا أنّ قدرنا أفضل من قدرهم، فنرى أعباء معيشتنا أخفّ وطأة؟ هل أبي محقّ؟ هل نحن شعب مكروه؟ لكن ألم تفتح البلدان العربية أبوابها لاستقبالنا؟ هل نحن شعب جاحد؟ ولماذا نحن قوم يشار إليه دائماً كشعب فحسب؟ ألا يمكن أن يكون هناك فلسطيني جيّد وفلسطيني سيّء؟

في الظاهر، معظم الناس تدّعي التعاطف مع قضيّتنا. ولكن ماذا يُقال خلف الكواليس؟ لقد تحوّلنا إلى أفراد موصومين بالعدائية وأفراد من السهل إلصاق أيّ تهمة بهم لأنّهم مشرّدون. حتى تلك البطولات الوهمية، الّتي يدّعيها البعض تجاهنا، ليست سوى متاجرة بآلامنا. لو كان الجميع يعني ما يقول عن حبّه للفلسطينيين، لوجدنا أنفسنا ملوكاً لهذا الملكوت. ولكنّ العالم لا يدين لنا بتحرير أرضنا. العالم بالكاد

210

يسعه أن يعطينا خيمةً وفراشاً وملاءة. يجب أن نأخذ الأمر على عاتقنا. يجب أن نجد مخرجاً آخر.

كان بودّي أن أطلب من محمد أن يرمي كلّ شيء وراء ظهره، لكنّي كنت أعرف أنّه حتّى لو أتيح له العيش هنا دهراً، لن يستطيع ان يفعل. ستبقى صورة المعاناة الأولى تعذّبه، وسيدرك أنّنا قومٌ محكومٌ عليهم بالماضي لأنّهم من دونه يفقدون أيّ دليل على وجودهم. نحن أصحاب المصائر المجهولة، نعيش على الهامش على الرغم من كوننا في صلب معترك الحياة. وعلى أمل أن نصنع ماضياً آخر وحتّى ذلك الحين، تبقى ذاكرتنا، نحن الفلسطينيين، معلّقة كمن لا يريد أن يفقد أمل العودة.

الفصل الرابع

-1-

هيلدا

عندما تقرّر أن تدوس الأرض، الّتي ولدت فيها، بعد غياب طويل، يتطلّب الأمر شجاعةً قصوى. أنت لا تعود إلى ذاكرتك فحسب، بل تنبشها بحثاً عن الصواب والخطأ فيها. كانت تلك علّتي طوال عمري، عدم قدرتي على التسليم للأشياء كما هي. ربّما لو استطعت أن أكون هذه الأنا المفترض أن أكونها، لكانت الأمور أسهل بكثير. ولكن أقول مجدداً ربّما.

على مقعد الطائرة من جهة النافذة، كنت أراقب الغيوم في السماء وبدت لي كفراش وثير بإمكاني أن أرمي نفسي فيه، وأصنع منه منزلاً إلى الأبد. فكّرت بعدها أنّ هذا الفراش مخادع كالوطن لأنّني إن تجرّأت وفعلتها، لاكتشفت أنّ هذا السرير الأبيض، ليس سوى تلبّد هوائي سيرميني أرضاً.

أعرف أنّك كنت غاضباً جداً لعودتي، خائفاً ربّما من أنّك ستفقدني كخوف الأوراق من قدرتها على استبقاء الندى. لكنّك لو فكّرت قليلاً بمقدار حبّي لك، لاستنتجت أنّ هذه العودة ضرورية. هناك أشخاص يغادرون بلادهم هرباً وأنا لا أريد أن أكون واحدة منهم. لا أريد أن أخلع جذوري عنّي وأصنع امرأة جديدة. أريد فقط

أن أعرف لماذا غادرت، وهل ستكون يوماً عودتي النهائية إلى هذه الأرض مستحيلة؟

عندما تذهب عكس جذورك، يحدث لك أمرٌ غريب. تهتزّ. تتخيّل أحياناً أنّ حتّى شكل جسدك تغيّر كأنّك أخرجته من القالب، وتركته ليأخذ حجماً آخر. هذا المخاض الأليم رحلة إلى المجهول، لا تعرف أحياناً لماذا اتّخذتها، أو إن كانت خياراً. الأمر شبيه بالرقص. يجب أن تخترق جسدك. يجب أن تفقده تماماً، لكي تصبح أكثر وعياً له. لا تصبح راقصاً جيّداً بمحض المصادفة، تصبح كذلك لأنّك تحمّلت الألم، الّذي تطلّبه الأمر، لتصبح قادراً على الإمساك بزمام جسدك، لتستطيع ثني أطرافك من دون أن توجعك، بمرونة وليونة.

شيءٌ ما كان يجبرني خلال التمارين أن أتحدّى نفسي كأنّي مؤمنة أنّ هناك جسداً آخر ينتظرني، بل حتّى أجساد. مؤمنة بأنّي لو كسرت الحاجز الأوّل، لن تعود الحواجز لتغلبني. عندما تخرج من القالب الأوّل، تشعر بالتحرّر.

بعد كلّ التعب والألم، تشعر كمن يجلس على شرفة منزله. يلفحه الهواء فيشتمّ فيه الحرّيّة. تبتسم وأنت تفكّر أنّك حوّلت جسدك إلى لوحة. لقد وهبت نفسي لهذا الفن. كان خلاصي. كنت أريد للحياة أن تصبح هناك، على مسرح مع الموسيقى، لذلك كانت عودتي أخفّ وطأة، لأنّي حين أشاء أن أرحل مرّة أخرى، لن تنقصني الخيارات.

كان بإمكاني أن أواجه وأحاسب وأدين، لكنّي لم أكن هنا لذلك. كنت هنا لكي أتمكّن من الفهم، كنت هنا بسببك أنت أيضاً يا مجد. كنت أريد أن أعرف إن أحببتك بسبب جراحك، لأثبت أنّي امرأة حنون، ومعطاء، أو إن كنت قد أحببتك لأنّنا نحبّ هكذا من

دون أن نفهم السبب. عدت أيضاً لأنّك كنت خائفاً من عودتي، لأقول لك أنّك، إن قرّرت أن تأخذني مجتزأة، ستكرّر السبب الّذي جعلني أرحل من هنا في الأساس.

الألم يعطينا أحياناً شعوراً أنّ كلّ شيء مباح أمامنا، أنّه يحق لنا أن ننتقم من كلّ شيء، أن نهدم لمجرّد الهدم. يمنعنا من أن نسأل أنفسنا أين أخطأنا. الألم إغراء. إغراء يجعلك تتمسّك بقدمك الّتي تعرج بها وبالندبة في وجهك. إغراء يجعلك لا تريد أن تعالج المأساة.

لقد استبقت دائماً نهاية حبّنا، كأنّك تريد أن تحكم عليه بالموت. كنت تريد أن تؤمن وتعتقد أنّي سأهجرك أنا أيضاً إتماماً للمأساة، أنا لست أميركا ولا معلماً من معالم الصهيونية. أنا امرأة كانت ترغب في أن تكون معك، حفظت تفاصيلك ورائحة ملابسك، وقهوتك الصباحية.

عندما كنت في نيويورك، وكنت تتغيّب عن عروضي، وترفض أن تأتي لتراني أرقص. كنت في بداية الأمر أشعر بالذنب تجاه حالتك الجسدية وأضع لك الأعذار. لكن في يومٍ ما، كنت حزينة جداً لأنّك لست معي وكنت أبكي. قالت لي إيفا عندها: "هيلدا، هل استبدلت اعتذارك من الله باعتذارك من حبيبك - كلا الاعتذارين من غير وجه حق-؟".

قالت ذلك لأنّها شعرت أنّي أتألّم لأتجنّب مصارحتك بأنّي لا أعذر لك غيابك. أعرف أنّه يصعب عليك الأمر، أن تحدّق إلى وجهك وتحرّره من الندبة. أعرف أنّه أصعب عليك لأنّ مأساتك بقيت بلا نهاية، وأنّك تشعر إنّ إزالة الجرح، هو إزالة للحقيقة. كنت أريد فقط أن تتخطّى بعض الأشياء من أجلي، أن تثق أنّي أحبّك هكذا خارجاً عن أيّ كيان.

هناك جزءٌ منّي تعرفه أنت جيّداً، هذه الفتاة المرحة الّتي ترقص وتضحك. لكن هناك جزءاً آخر أجبرتني أنت على النظر إليه عندما كنت تطلب منّي أن أراقب جسدي في المرآة. كانت احتمالاتي الأخرى، البريق في العتمة، الألم الّذي يلفظه الجلد خارجاً.

كلّ هذا أثار تساؤلاتي حول نفسي. لقد كبرت معك. أصبحت ناضجة. أصبحت ربما امرأة وأردت ان أعود لأنظر إلى الماضي بعينيّ راشدة. هذه المرأة، الّتي أيقظتها، كانت مأساتك ومأساتي. دفنُها مجدداً من دون أن أدعها تحدّق إلى ملامحها كان ليكون جريمة لا تُغتفر.

تكاد لا تعرف شيئاً عن المكان الّذي أتيت أنا منه. وربما إن حاولت ان أركّب صورتك بين أفراد عائلتي، لظهرت كقطعة يستحيل إدماجها هنا. أنا جزءٌ من هذه المنظومة الّتي تنتمي إلى السلطة، من قوم عاشوا في مجد العائلة والحزب.

نحن - وأستثني هنا نفسي كهيلدا لأخاطبها كجزء من هذا الكيان المفروض - عائلة مسيحية أورثودوكسية من منطقة المتن في لبنان، هذا الوطن الكبير الّذي شعرنا أنّه، يوماً ما، كان يجب أن يكون لنا وحدنا ورحنا نتقاتل عليه.

لقد عشت طوال حياتي وصور أسلاف أهلي، من كبار رجال القرية، تلاحقني. إنّها أشبه بلعنة الطابق 99 الّذي كنت تشعر بها. هذا العلو الّذي يغري جداً، لكن يمنعك في الوقت نفسه، أن تكون قريباً من الحياة. كنت إحدى تلك الفتيات المتميّزات، اللّواتي يوصلهنّ السائق إلى المدرسة، واللّواتي يعرف والدهنّ المعلّمات والراهبات، وينظرن إليه بفائق الاحترام.

لم أعرف يوماً أوجاع أبناء المخيّمات، الّذين حدثتني عنهم ولا كانت خياراتي في الحياة ضيّقة أو شبه معدومة. هؤلاء الأشخاص الّذين تكلّمت عنهم كانوا بالنسبة لنا دوماً الأقلّ مرتبة، الغرباء.

كنت أذهب إلى الكنيسة كلّ أحد، وأمشي وراء أمّي، حتّى آخذ مكاني قربها. كنت أراقبها وهي تصلّي للربّ يسوع وأفعل مثلها. كوني فتاة مسيحية، كان فيه نوع من الشعور بالقرب إلى اللّه. في هذه المساحة داخل الكنيسة، كنت تشعر أنّه بإمكانك أن تكون أقرب أو أبعد من الهيكل، أن تكلّم يسوع بشكل مباشر، أن تملك القدرة على طلب الغفران.

الآخرون كانوا كوكباً غريباً لا أعرف عنه شيئاً ولولا أنّ بعض الفتيات في المدرسة تكلّمن عن المسلمين، لما عرفت بأنّه هناك ديانة أخرى غير ديانتي. لا أعرف لماذا أشعر أنّني أكتب بطاقة تعريفٍ عن نفسي لرجل قضيت معه أكثر من سنتين، ومن المفترض أنّه بات يعرفني.

لكن أتعرف أنّي في نيويورك لست تلك الفتاة المسيحية والمدلّلة، أصبح هيلدا فقط. كم تبدو سخيفة حكايتي كرواية عن أعباء الترف، بعيدة عن الواقع. لكن لا. كانت لي حصّتي من التعاسة. في هذه الشرنقة الّتي عشت فيها، كانت تقاس جميع الأشياء بالأثمان الباهظة. الأب الّذي يعتبر نفسه وأفراد عائلته فوق كلّ شيء. الأب الّذي يغدق على الابنة الصغرى حبّاً جمّاً، نكايةً بشقيقتها الكبرى، الّتي كادت أن تشوّه سمعة العائلة في البلدة.

لم أخبرك يوماً عن أختي ماتيلد. ليس الأمر أنّني أخجل بها، على الإطلاق، ولكن لأنّ جزءاً من شعوري بالأخوّة مبتور. أنت لا تعرف

219

أنّ أختي لا تحبّني. لا يمكن القول أنّها لا تحبني، لكن لنقل أنّني غريمتها نوعاً ما. هناك فجوة واسعة، شرخ لم يتسبّب به أحد غريب. ربّما فعلها أبي عن غير قصد. وأقول مجدّداً ربّما.

كانت النساء هنا يصفنها كأجمل الفتيات على الإطلاق. عيناها زرقاوتان وواسعتان كحدقات النجوم في السماء الحالكة. بشرتها حنطيّة اللّون، ناعمة كرمال الشاطئ وشعرها أشقر متماوج يصل حتى أسفل ظهرها. عندما يحكي المسنّون في القرية عن الجمال، يضربون بماتيلد المثل على ذلك ولكن وصفها يليه دائماً زفرة عميقة تختصر مغزى الألم. "يا حسرتنا عليها" هي العبارة الّتي أقسم أنّي سمعتها عن أختي الّتي تكبرني باثني عشر عاماً أكثر من مئة مرّة.

أذكر أنّي كنت أنظر إليها، وأنا صغيرة كأنّها إحدى الآلهة الّتي نقرأ عنها في الأساطير، أو كبطلات حكايا الأطفال، سندريلا الفاتنة، أو الجميلة النائمة، أو رابنزل. كانت أختي تختصر كلّ هذا، المثل الأعلى الّذي أريد أن أشبهه وأنا كبيرة. كنت أقلّدها أيضاً وألبس ثيابها في غيابها وأضع من عطورها الأخّاذة.

كان هناك نوع من الهيبة، أو لأقل إنّي كنت مسحورة بها. فتاة الحكايا الّتي أشاركها الغرفة نفسها. أراقبها وهي تسرّح شعرها الطويل وأراه كشلالٍ ينساب وأطلب منها أحياناً أن تسرّح لي شعري مثلها. لقد كانت طيّبة جداً معي، وإن لم نكن نلعب سوياً، بسبب فارق العمر، لكن كانت حنونة ومرحة.

احتلّت المكانة المميّزة في المنزل، وفي قلب أبي. كان يفاخر بها كما يفعل ببنادقه، وأراضيه. كانت هي أيضاً غارقة في الحياة، ترقص، تغنّي، تضحك. تشرب أحياناً البيرة، أو النبيذ مع الكبار. تتعلّم قيادة

السّيّارة. تتحضّر للدخول إلى الجامعة أو للسفر لتكمل دراستها في الخارج، بسبب الأحداث اللبنانية.

لها صديقات وأصدقاء كثر. بعض الرجال الّذين كانوا يزورونها كانوا مقاتلين في الحزب أيضاً. ترتدي التنانير القصيرة والقمصان الضيّقة. كانت بالنسبة لي نافذتي على الحياة. مرّات عدة، دسست المناديل الورقية في صدري، ليصبح ثديي بحجم ثدييها، ولطالما مرّغت أحمر الشفاه على شفتيّ، ليصبح فمي كرزي اللّون كفمها. كانت تقريباً كلّ شيء.

فجأة، باتت ليالٍ طويلة تمرّ، وأنا أرى سرير ماتيلد فارغاً. أستيقظ وأبكي وحيدة. في الأوقات القليلة الّتي صرت أراها فيها، تغيّرت أختي تجاهي. لم تعد وديعة ولطيفة كما كانت. صارت أمراً آخر لم أستطع أن أفهم ما هو.

لم يطل الأمر حتّى اختفى سرير أختي من الغرفة. أخرجه بعض العمّال. صار هناك سرير واحد واتّسعت المساحة. قال لي أبي يومها إنّ الغرفة باتت لي وحدي وإنّه يمكنني أن أستمتع بالخزانة الكبيرة وإنّه سيضع مكتباً للرسم بدل سرير ماتيلد.

عندما سألته عنها، تجهّم وجهه وطلب منّي ألّا أكثر الكلام وأفسد اللحظة. "استمتعي بالغرفة الواسعة، سأملؤها ألعاباً جديدة لك. يجدر بك أن تكوني سعيدة بيلّا!"، قال لي.

ابتسمت يومها لأبدو سعيدة، كما يجب أن تكون بيلّا، وكنت ضمناً فرحة بالألعاب الّتي صار أبي يأتي لي بها كلّ يوم. كنت أتحوّل فجاة إلى فتاة في غاية الأهمّيّة في العائلة. حتّى أنّ معلّمة البيانو كانت تخاطر لتأتي وتعطيني الدروس تحت القصف امتثالاً لرغبة أبي.

حتّى أنّي تخيّلت أنّ شعري صار ينمو طويلاً، كأنّه يتحضّر ليصبح شلّالاً كشعر ماتيلد. حتى ذلك الحين، لم أكن أعرف أين اختفت أختي. لم تكن ميتة، إذ لم يكن هناك جنازة، أو عزاء في المنزل. تغيّرت ثم اختفت كأنّها إحدى فتيات الحكايا الغامضة والأسطورية، الّتي يحدث أمر ما ليقلب حياتهن جذرياً، أو يعلقن بين براثن الشرّ.

عدا عن أختي الكبرى، هناك أخي أيضاً الّذي يكبرني بثلاث سنوات. هل تصدّق بما هو مشغول، أن يحضّر نفسه للترشّح للانتخابات النيابية، كونه وريث أبي الحزبي والسياسي. أبي أيضاً يريد منصباً وزارياً. هذه الأجواء الّتي يتناقلها أهل القرية. هذا ما يحدث للمحاربين القدامى هنا في هذا البلد. تنتقل السطوة من سلاحهم إلى مركز في السلطة.

في بداية الأمر، لم يكن يريد تغيير تحالفاته القديمة، ولا المساومة على أمور اعتبرها غير قابلة للنقاش في الماضي. الآن، تغيّر الأمر. يذهب أخي ويأتي من عند "سيّدنا"، الرجل المبهم الّذي لا أعرف عنه شيئاً، ويقول إنّ العزّ سيعود إلى هذا البيت من أوسع الأبواب.

"بيلّا، بيلّا! ستتفاجئين بالأخبار الطيبة قريباً"، كان والدي يقول لي، وهو يفرك كفّيه كأنّه يتهيّأ للغنيمة. كرّر هذه العبارة المترافقة مع الحركة نفسها كلما انتهى من اجتماع مقفل مع أخي. من أفضل منه ليصبح وزيراً أو رئيساً، هو من يزعم أنّه ضحّى بحياته فداءً للوطن. كان يحمل أسعد الصغير أحياناً أيضاً ويقول له "جدّك سيريكم ما هو العزّ".

هناك أقرباء كثر أيضاً، عدا عائلتي الصغيرة. عمّي جورج وزوجته وأولاده كانوا يسكنون في المبنى نفسه، في الطابق العلوي. آخرون من العائلة كانوا في القرية ذاتها، على مسافة مجاورة أو بعيدة قليلاً. كان

الجميع يعرف بعضهم البعض، كوحدة سكنية كبيرة ممتدة أفقيّاً، على مساحة أرض القرية.

لكنّ منزلنا، ومنزل عمّي جورج، كانا الأجمل على الإطلاق، أشبه بقصر. حرّاس يقفون قرب البوابة الحديدية السوداء، وحدائق واسعة تحيط بالمكان. كان محرّماً علينا أن نخرج من دون إذن، أو من دون حراسة، حين صارت وطأة المعارك قويّة. وحدها ماتيلد كانت تتمتّع بحريّة ما حين كانت بيننا. كنا نرى أشخاصاً كثراً يدخلون ويخرجون. معظمهم كان مسلّحاً.

أبناء القرية الآخرون كانوا يغدقون علينا الهدايا أيضاً. بعضهم يرسل التّين المطبوخ، أو المجفف، والبعض الآخر دبس العنب. النسوة يأتون بماء الورد، وماء الزهر، لوالدتي، ويطلبن منها أن تتذوّق منتجاتهن المنزلية كأنهنّ في تنافس.

"دوقي يا ست ماري، دبساتي أطيب أو دبسات سعاد؟".

كانت الوالدة حريصة دائماً أن ترضي الجميع فتثني على ماء الورد الّذي تصنعه هذه، أو الكشك البلدي الّذي تصنعه تلك. بعد غياب ماتيلد، صارت أمّي تلبسني أحلى ثيابي لألتقي النسوة اللواتي غالباً ما حضرن من دون بناتهنّ. "اسم الصليب شو حلوة هالبنت"، عبارة سمعتها مراراً.

لكنّ أمّي لم تعرف أنّي سمعتهنّ أيضاً يتوشوشن عن أختي، حين كانت تدخل إلى المطبخ لتضع الأغراض في خزانة المونة، أو توصي لوريس أن تحضر لهنّ القهوة، وتعطي تعليماتها بشأن الضيافة.

كانت أحاديثهن المجاملة تتحوّل فجأة إلى نميمة، ونظرات الإعجاب في أعينهن تنقلب إلى نظرات مراقبة. "ما حدا عم

يشوفها... مدري وين راحت ماري... عم يقولوا بمصح بحنّس"، كلّ منهن تقول عبارة عن أختي، قبل أن يصمتن فجأة، حين تعود أمّي.

يتحوّل الحديث عن الحرب: فقدان أم طوني لابنها في المعارك، إلى أين تتّجه الأمور، النصر الّذي سيأتي، الشرقية والغربية، وأشياء لم أفهم معظمها. لحدّ الآن، ما زلت لا أفهم الكثير عن الصراعات والأحزاب، أو ربما أعرفها بشكل سطحي، لأنّي أشعر أنّ جميعها غير منطقي. بقيت بيني وبينها دائماً مسافة أظنّها رفضي لها.

وحده شعر أختي الطويل كان ذا معنى، وسط كلّ هذه الأهوال الّتي عشناها. ماذا حدث لماتيلد؟ أين اختفت؟ المراهقة الشابّة كانت تتعاطى المخدّرات مع بعض مقاتلي الحزب. أغرمت بشاب يدعى ادوارد. كان يتعاطى حبوباً مخدّرة، وصار يشاركها إيّاها. لم ينتبه أحد في المنزل إلى ذلك، حتّى أنّهم كانوا يثقون بصداقتها مع الشاب.

معظم المقاتلين كانوا يتعاطون الحبوب المخدّرة. أظنّ أنّ أبي كان يعرف ذلك لكنّه لم يرَ يوماً كأس السّمّ تقترب من فم ابنته. كان واثقاً أنّنا نحن، ابنتيه وولده، لن نزعزع يوماً صورته عنّا. لذلك، فقد أعصابه تماماً حين علم بالأمر. كانت تصرفات ماتيلد قد تغيّرت كلّياً، حتى لونها صار يبدو شاحباً. لا أعرف إن كانا قد تواجها، لكن بحسب ما أخبرتني لوريس لاحقاً، عندما أُدخلت أختي إلى مصحّ "بحنّس"، أجبر والدي رجاله أن يضعوها في السيارة لينقلوها إلى المشفى.

"لن أنسى وجهها، كانت كالمجنونة تحاول أن تقذفهم بعيداً عنها. شعرها يتمايل شمالاً ويميناً. تركل وترفع قدميها في العالي. وقف والدك على عتبة المنزل وأشار إليهم بنظراته أن يضعوها في السيارة، برغم كل

المقاومة. مرسديس عاجية اللّون. ما زلت أذكر منظر السيارة وأبوابها المفتوحة جيّداً. كان أبوكِ يقف هنا، قرب الحائط الحجري. يلبس بذلة سوداء وربطة عنق حمراء. يضع قدماً على العتبة وقدماً، على الرخام، خارج البيت كأنّه متأهّب للتدخّل إن استدعى الأمر. لا أعرف لماذا لم يوصلها هو أو يتصرّف بحنان معها. ثم عقد احتماعاً معنا نحن، الخدم والسائقين والحرّاس، وحذّرنا من أن نقول إلى أين ذهبت ماتيلد"، قالت لي لوريس مرّةً.

أطلق أبي إشاعة في القرية أنّه أرسل ماتيلد إلى منزل أقرباءٍ لجهة أمّي في الجنوب خوفاً من اشتداد وتيرة المعارك هنا. لكن من الواضح أنّ الجميع كان يتناقل خبر تعاطيها للمخدّرات. بعد مرور أكثر من سنة تقريباً وبعد عودة ماتيلد إلى البيت، كان شعرها مقصوصاً. حزينة ودائمة الشحوب.

كان أبي يتحضّر لإعلان خطبتها على ابن عمّي جورج. كانت قد عادت مسلوبة الإرادة، كأنّما يجدر بها أن تكفّر عن ذنبها لما تبقّى من عمرها، أو كأنّ أحدهم سلب جمالها وألقى عليها بلعنة، لعنة سترافقها ما بقيت على قيد الحياة.

تغيّر موقعي في المنزل حتّى بعد عودة ماتيلد. صرت أنا الطفلة المدلّلة الّتي لا يرفض لها الأب طلباً، "بيلّا" كما كان يناديني. لكنّ محبّته هذه كانت مقرونة دائماً بشرط غير معلن أن أبقى بعيدة عن أختي.

كنت أقرأ هذا الشرط في عينيه. ازدرائي لها، كما بات يفعل الجميع، صار رهاناً رابحاً لأحصل على الألعاب والحلوى، وكل تلك الميّزات. صرت أراها كالجزء الآخر من الأسطورة، البطلة الّتي ألقوا بها

في أتــون الجحــيم، وحرّمــوا عليهــا أن يقربهــا أحــد، أو الســاحرة الّــتي أسكنوها غرفة مهجورة في الغابة.

لم تعد تحبّني هي أيضاً. حين كان يغيب أبي، كنت أحاول أن أقترب منها، كانت تحاول أن تدفعني بعيداً. مرّة واحدة، كانت حزينة جداً، وطلبت منّي أن أقترب لتضمّني إلى صدرها. أخذت تشدّني إليها وهي تجهش في البكاء.

ماذا تريد منّي أن أفعل؟ لقد هربت. هربت من حضنها وذهبت إلى أبــي مـذعورة وخائفـة. لم أكـن خائفـة منهـا، كنـت أحبّهـا. كنـت خائفة من فكرة أن أخالف التعليمات المبطّنة، أن أقترب من الساحرة. لا يمكنني أن أصف قسوة هذا الشعور، ولا لماذا تصرّفت هكذا. كنت طفلة لا تريد أن تخسر أمانها.

الآن وقـد عـدت إلى المنـزل، صـرت أرى الأريكـة الّـتي جلسـت عليهـا اليـوم بشـكل مختلـف، كـأنّني أريـد أن أعانقهـا وأطلـب منهـا أن تسامحني. ستضحك إن أخبرتك أنّي أرى أيضاً سيّارة مرسيدس عاجية اللّون تقف أمام المنزل. هي ليست هنا لكنّي أراها.

عندما استقبلني أبي باسم الدلع "بيلّا" وقال إنّي لم أتغيّر، كنت أريد أن أقول له إنّي فعلت أكثر ممّا يسعه تصوّر ذلك. كنت أريد أن أقول إنّ بيلّا أشبه باسم الكلاب وإنّي لست كلبة.

تعرف أنّي عانقت أولاد أختي بشدّة. اشتريت لهم هدايا كثيرة من نيويورك، واشتريت لأختي وشاحاً أخضر يليق بلون عينيها. لـمّا اقتربت منهـا لأعطيهـا هـديّتي، أخـذتها مـن دون أن تحـاول أن تشـدّني إليهـا. "ليش معذبة حالك؟" قالت لي. اقتربت منها فأرجعت قدمها اليسرى خطوة إلى الوراء وابتسمت، كأنّها تدفعني إلى البعيد بمجرّد إشارة.

فهمت. مددت يدي من المسافة المرسومة بيننا إلى أذنها وتحسّست قرطها. "كنت أريد أن أرى أيّ نوع من الحجر متداخل في قرطك"، قلتها كأنّي أبرّر رغبتي بأن آخذها بين ذراعي.

"ياقوت. هذا حجر ياقوت".

كنت أهمّ بأن أقول لها إنّه حجر جميل حين شعرت بذراعيّ أبي يطوقانني من البعيد. "بيلّا، تعالي معي"، لم يتح لي أن أوافق، حتّى مشى بي خارجاً. صار يحكي عن العرق البلدي والكبّة النيّة. "هل تتذكّرين كيف كنت أطعمك الكبّة النيّة بعد أن أحوّلها إلى كريات صغيرة... كانت أيّاماً طيبة".

طوّق خاصرتي بذراعه، وبقينا نمشي في الحديقة وهو يحكي. "كنت تلعبين دائماً هنا... يوجد أمور كثيرة يجب أن نفعلها سوياً... أريد أن آخذك إلى الأرض، هناك أناس كثر يجب أن نزورهم...".

كان يحكي من دون أن ينتظر إجاباتي. تتقاطع أسئلته بعضها مع البعض بحماسة مفرطة، ثمّ يشدني إليه، ويطبع قبلةً على جبيني. "لطالما كنت طفلتي المفضلة والآن أنظري أين أصبحتِ... برودواي... سترقصين في برودواي، أليس كذلك؟ سترفعين اسمي عالياً، سترينهم من الأفضل، أفضل فتاة على الإطلاق".

لو كان أحدهم يستمع إلى حديث أبي، لحسدني على هذا الحب الكبير، لكن بالنسبة إليّ، هذه التوقعات الكبيرة كانت بمثابة عبء. لم يكن يعرف شيئاً عن فنّي ولا رآني أرقص مرّة واحدة، كأنّي كنت أحدُثُ في تصوّره عنّي ولا إطار لي خارج ذلك.

فجأة، حين حاولت الكلام، أو الاعتراض على جملة قالها، اكتسى وجهه حمرةً واتّقد غضباً. "لا يعقل أن تسأل فتاة مثلك هذه

الأسئلة. لا أصدّق فعلاً". عباراته كانت كفيلة بأن تجعلني أصمت وأنسحب من الحديث.

في الصغر، وفي المراهقة، كنت أخاف أن أجيب أو أن أطرح الأسئلة. كان يجب دائماً أن يبدو حديث والدي منزّلاً من السماء لا ريب فيه. لكن الآن وهو يتكلّم، صرت أصاب بالسأم، وأحياناً لا أتردد في التململ من الكلام، كأنّي عائدة لأسجّل اعتراضاتي السابقة.

أن أفقد إعجابي بأبي أمرٌ في غاية الصعوبة، ليس اجتماعياً فحسب، لكن حتى في قرارة نفسي. لسنوات طويلة، اعتقدت أنّ هذه الرفاهية الّتي أحاطني بها كانت نوعاً من فائض الحب، لكن أليس الحب أن نجعل الآخرين يكونون كما هم. طريقة تعامله مع شقيقتي، تفرقته بيننا، لم يكن بإمكاني أن أتعامى عن ذلك بعدما أصبحت ناضجة.

حاولت مرّات عدّة، قبل أن أسافر، أن أطلب منه أن يتوقّف عن معاملتها بازدراء، أن يوقف عقابه لها. ألم يكن هو من سمح لادوارد بأن يدخل منزلنا؟ ألم يكن هو جزءاً من هذه المأساة؟ كان يقول أنّها وضعت رأسه في التراب. زوّجها إلى قريبنا كي ينتهي من العار، ويبقيها تحت سيطرته. ابن عمّي أي زوج أختي كان منسحقاً تماماً. "روح يا صهر وتعال يا صهر" والصهر لا يعترض. لا يقول شيئاً.

الصهر يعمل لحساب الأب. يسكن في منزل العائلة الكبير. هو واحدٌ منّا، جيل الأبناء الّذي أكاد أقسم أنّه لم يكن يمكنني التفرقة بينهم. الجميع، أبناء الأعمام لهم السحنة نفسها. ماتيلد تريد أن تستعيد رضى والدي. تقوم بما وسعها لإرضائه حتّى أنّها سمّت إبنها البكر أسعد تيمنّاً بأبي. أسعد الكبير يحتضن أسعد الصغير ويصحبه معه إلى رحلات الصيد، ليصنع منه رجلاً، على حدّ قوله. لكن حياة

أختي انتهت في هذه الحدود، محاولات لاسترضاء الأب الّذي لم يعد يحسن معاملتها وشعور مستمرّ بالضيق.

لم تكن تعرف حتّى إن كانت تريد لولدها أن يذهب إلى رحلات الصيد ويتعلّم تصويب البندقية في سنَ صغيرة، لكن، إن كان هذا الكبش الّذي ستقدمه كذبيحة للوالد، ليكن كذلك.

على طاولة الغداء، اجتمعنا كلّنا. عمّي جورج وأولاده، شقيقتي وعائلتها، شقيقي وزوجته وأولاده وأنا. كانت لوريس قد حضّرت جميع أنواع الأطعمة الّتي أحببتها في صغري. كان والدي يرفع كأس العرق كلّ برهة صائحاً "في صحة هيلدا، في صحة نيويورك". الجميع يفعل المثل. ترتفع الكؤوس الواحدة تلو الأخرى، لتستقر الأيادي على مسافة واحدة أعلى بقليل من الطاولة.

"في صحة هيلدا"، يردّد الجميع. ينزل أبي كأسه وتبدأ الكؤوس بالهبوط تدريجياً لتأخد مكانها على الطاولة. لا أعرف إن كانت التمنّيات تخرج صادقة من قلب الجميع، خصوصاً أختي، فقد كانت تحدث في طريقة ميكانيكية أو كوميدية أشبه بمسلسل تلفزيوني.

يأكل أبي وهو يتكلّم عن العرق البلدي، الّذي يصنعه أبو موسى، وعن سهرة "الكركي" حيث يجتمع أهل القرية في منزله، ويتجمعون حول آلة استخراج العرق البلدي، الّتي يستخدمها للتقطير، كأنّ هذا الطقس ضروري ليصبح للمشروب نكهة محلّيّة أو منزلية.

"عرقات بو موسى كأنّهم جايين من الكرمة، ما فيهم طعمة سبيرتو... العرق الأصلي شي كبير ومهم كتير".

يهزّ الجميع رؤوسهم في إشارة للموافقة على كلام أبي. يبتسم. يرفع كأسه مجدداً. "في صحة بو موسى". "في صحّة بو موسى"، يردّد

الجميع. تعود الكؤوس إلى أماكنها. ينصرف الجميع إلى صحونهم مجدداً في انتظار ملاحظة جديدة من أبي.

"ألم يعد يعجبك طعامنا؟ لماذا لا تأكلين؟ أفسد مذاقك طعم الأكل السريع في نيويورك!"، يخاطبني مباشرة هذه المرة.

أبتسم، وأنا أمرّر الملعقة في الحساء.

"كلي بيلّا كلي. هذه الوليمة كلّها على شرفك".

طوال الوقت، كنت أسأل نفسي لماذا عدت؟ ماذا أفعل هنا؟ حتّى أنّي صرت ألجأ إلى كلمات في اللّغة الإنجليزية حين يستصعب عليّ التعبير بالعربية. البعض كان ينتقدني ويحسب أنّي أقوم بذلك عمداً، لكن لقد عشت بعيداً لأكثر من ستّة أعوام. لم أكن أنا هيلدا نفسها الّتي غادرت هذا المكان. كان الأمر بمثابة انتقالي من صورة الفتاة الصغيرة إلى المرأة، المرأة الّتي كنت أراها حين أحدّق إلى المرآة، وأنت تطارحني الغرام.

لماذا عدت؟ هل عدت لأنتقد أبي؟ لأصفي حساباً معه؟ لأقدّم اعتذاراً متأخراً لأختي؟ هل كنت أنا حقاً المذنبة في حقّها؟ لماذا لا يمكنني أن أتنزّه معها في الحديقة ونحكي كراشدتين؟ هل عدت لأرى كيف نتشابه كلّنا؟ هل عدت لأقرص الألم وأحييه؟ ولماذا يبدون لي كالغرباء؟ يا إلهي كم يمكن للوجوه أن تكون ثقيلة، أقسى حتّى من الذكريات.

وحدها لوريس، بينهم، كانت تنظر لي بعطف، كأنّها تفهم تماماً ما يدور في خلدي. هناك أمر مختلف، حين يتعلق بأشخاص يعيشون معك منذ الطفولة، لكن ليسوا أهلك أوأقرباءك، يشعرون بك بشكل مختلف، كأنّهم لا يتوقعون منك شيئاً. لست جزءاً منهم أو امتداداً لهم لذا، يحاولون رؤيتك كما أنت، لا حسب ما يريدون هم.

أمام لوريس فقط، كنت طفلة لأنّها كانت تكشف نظراتي وتعرف ما يدور في داخلي. كانت تعرف كلّ شيء، أسرار المنزل منذ الصغر، المكان الّذي كان يخبّئ فيه والدي السلاح، المكان الّذي تحفظ فيه والدتي مجوهراتها، عمر الأزهار في حديقتنا، سجالات العائلة، أحاديث أهل القرية. كانت كصندوق مقفل من الأحداث، كتاب تاريخ غير منشور وعين ثاقبة لا يفوتها شيء.

أمامهما فقط، لوريس وجورجيو، كان بإمكاني أن أكون على سجيّتي، وأن أضحك كالأطفال. عندما كان جورجيو يقطف الأزهار، ويرميها في اتّجاهي فأفعل المثل، كنّا نغرق في ضحك هستيري كأنّنا صرنا مجنونين أو عاقلين. كنت أحب أن أضحك وألعب، أن أستغرق في التفاهة بعيداً عن كلّ تساؤلاتي حول جذوري.

لم يكن الأمر أنّي أكره القرية أبداً. أنا أحبها جداً. أحبّ ترابها وسماءها وصخورها. لولا احتكاكي بهذه الأرض، لما شعرت يوماً بجمال الحياة، كانت أمي تغضب حين أعود إليها بثيابي الوسخة، في صغري، وتطلب من لوريس أن تدخلني لأغتسل.

- ماما، هل يمكنك أن تحكي لي قصة قبل أن أنام؟
- ليس اليوم يا عزيزتي، أنا متعبة.
- ماما، أرجوكِ.
- حسناً... كان ياما كان، في سالف العصر والأوان، أميرة صغيرة تدعى هيلدا.
- هل كان شعرها طويلاً؟
- آه، طويل حتى أسفل ظهرها.
- كشعر ماتيلد؟

- كشعر ماتيلد.
- ماما، متى ستعود أختي؟
- لا تكثري من الأسئلة يا صغيرتي، لا تكثري من الأسئلة... الفتيات الجميلات لا يسألن كثيراً.
- لكن ماما.
- هيّا، هيّا... سنقرأ الأبانا والسلام وستغرقين في نوم عميق.
- لكن ماما...
- أبانا الّذي في السماوات، ليتقدّس اسمك...
- هل يشبه الأبانا أبي؟
- آه هيلدا، ما هذه الأسئلة؟ صلّي بهدوء ونامي.

كنت كلّما أصلّي، أغمض عينيّ، وأشدّ على جفنيّ، كأنّني أكون أكثر خشوعاً هكذا. أحياناً، كنت أصلّي بصوتٍ عالٍ جداً، وأنا أجثو قبالة المرآة، مغمضة العينين آملة أن يسمعني أبي أو أمّي ويأتيان ليربّتا على كتفي. "لكن نجّنا من الشيطان... لتكن مشيئتك...". يعلو صوتي وتنطلق ضحكات لوريس.

ماذا حدث للطفلة الّتي كانت تركض إلى حضن والديها؟ ماذا حدث للفتاة الّتي كانت ترسم دائماً صوراً لعائلتها الصغيرة وهي تتوسّط أمّها وأبيها؟ ماذا حدث لي؟ لماذا عدت كأنّي أحاول نبش القبور؟ لماذا لا تبقى الأمور على ما هي؟ يرفع أبي الكؤوس، تبقى أختي تعيسة، تنهمك أمّي في تعزيز مكانتنا الاجتماعية، نكاد لا نرى أخي الّذي يدير أعمال والدي، ويلملم شتات ما تبقّى من الحزب، نقيم ذكرى سنوية لتذكّر عمّي الّذي انتحر، وما إلى ذلك. لماذا ما عادت هذه المشاهد ترضيني؟

- أمّي، تعالي أنظري إلى رسمتي. هذه أنا وهذا أبي وأنت هنا تمسكين البالون لأنّي متعبة... هؤلاء أبناء عمّي جورج.
- وما هذا في السماء؟
- عينا عمّي فريدي وابنته الصغيرة. هما مع العذراء ينظران إلينا.
- آه صغيرتي!
- أمّي، هل سيعود عمّي فريدي؟
- كلّا...
- أين زوجته؟
- عادت إلى مدينتها.
- لماذا لم تبقَ هنا معنا؟

لا إجابة. لا إجابة من أمّي على أيّ من أسئلتي. لا أدري لماذا كنت أكثر الأسئلة حين أتكلّم مع والدتي، وأتوانى عنها في حديثي مع أبي. وحدها لوحة عمّي فريدي بنظّاراته السميكة الّتي توسطت الصالة كانت الذكرى المحسوسة عنه. هذا إضافة إلى ذكراه السنوية الّتي غابت عنها زوجته.

حين كبرت، كثرت أسئلتي. بقيت أمّي رافضة أن تعطيني إجابة، وبقيت أسمع همساً من هنا وهناك. عمّي فريدي انتحر بعد أن أطلق النار على ثلاثة مقاتلين فلسطينيين. عاد إلى المنزل وقتل نفسه في وقت لاحق. زوجته اختفت عن السيناريو كاملاً، تماماً كما اختفت في مرحلة ما أختي ماتيلد.

عندما هدأت الحرب، سجّلني والدي في أكاديمية للرقص في جونية. كنت قد أخذت بعض دروس الباليه في الصغر، لكن توقفت

بعدها بسبب القصف. أختي ماتيلد كانت قد أخذت دروساً أيضاً لكنّ ذلك تلاشى فجأة من جسدها وذاكرتها حتّى.

صرت أعود من الأكاديمية لأرقص أمام أبي. كان ينادي عمّي جورج ليشاهدني ويعلو تصفيقهما، بينما أختي تراقب من بعيد. بالنسبة لأبي، كان مشهداً جميلاً لكنّه لم يتصوّر يوماً أنّي سآتي إليه، يوماً ما، وأقول إنّي أريد أن أحترف الرقص.

لم يكن يريد أن يرسلني إلى نيويورك طبعاً، وكان من المستحيل أن أقوم بذلك وحدي لأنّه لن يكون لي مورد مالي لذلك.

أكاد أقسم أنّ موقف أبي تغيّر فقط حين سمع أختي توافقه الرأي.

- لا يجب أن تسافر فتيات العائلة وحدهن خصوصاً للرقص. ماذا سيقول عنّا أهل القرية يا أبي؟

- أنت تحديداً لا يمكنك إبداء رأي في هذا الموضوع. رأينا ماذا فعلت فتيات العائلة وهنّ تحت سقف أبيهم. هيلدا ستسافر غصباً عن الجميع.

قالها هكذا ككلمة فصل أخيرة، وفعلاً لم يعترض أحد.

وعدته، بعد موافقته، بأن أتسجّل في صفوف لتصميم الأزياء أيضاً، فيضمن بذلك أنّ لي اختصاصاً عمليّاً.

"Haute couture!"

صرخت أمّي عالياً.

"Ca sera magnifique ma chérie!"

كانت تتكلّم بالفرنسيّة كأنّي صرت في إحدى دور الأزياء هناك.

- ماما، أنا ذاهبة إلى نيويورك وليس باريس.

234

- آه! تصوّري فقط الملابس والفرو... les bijoux encore!
- ماما، أريد أن أرقص.
- ستصنعين أحلى الفساتين. لا تنسي الماما.

كانت متحمّسة لأمر قد لا يحدث. تركتها تفرح وابتسمت.

صار أبي يرسل لي مصروفي كلّ شهر، ويغدق عليّ بالمال. حين كلّمته من نيويورك وقلت له أنّي بدأت بتدبّر أموري، وأنّي أحصل على المال بسبب تعاملي مع أحد دور الأزياء، وانتسابي لفرقة للرقص إلى جانب دراستي، استشاط غضباً.

"أنا من سينفق عليكِ، وإن كنت في آخر بقاع الأرض".

هذا الإنفاق كان مقترناً بطقوس، أن أكلّمه كلّ صباح وعند المساء لأفيده بتفاصيل نهاري ولتقاطعه أمّي فيأتيني صوتها في الهاتف "بيلّا، أين الفساتين؟". كان الأمر جيّداً في بداية الأمر لكنّه شيئاً فشيئاً تحوّل إلى عبء.

- أريدك أن تعودي إلينا.
- لكن يا أبي لا يمكنني ذلك.
- القيل والقال صار يكثر هنا، لديك شهر واحد للعودة وإلّا سأغضب منك.
- لا يمكنك أن تطلب مني العودة، ليس الآن وقد بدأ مشواري... مستقبلي...

لم أستطع أن أكمل كلامي لأنّ أبي أقفل سمّاعة الهاتف في وجهي تماماً، بعد أن سمعت أمّي تقول "آه أسعد، الفساتين". كانت تلك الفترة الّتي تعرفنا فيها إلى بعض. لم أخبرك عن علاقتي بأهلي منذ لقاءاتنا الأولى. كنت أريدك أن تراني كهيلدا فقط.

لم أقبل أن أعود طبعاً. قطع عنّي المصروف لشهرين ولـمّا شعر أنّ تصرّفه لن يجدي نفعاً، عاد ليهاتفني مجدداً كلّ صباح بنبرة منخفضة.

"أنا من سينفق عليكِ حتى مماتي. يجب أن تفكّري بالعودة هيلدا. لا تطيلي الغياب يا ابنتي".

كلّما ازددت عناداً وإصراراً على الغياب، صارت لهجته أهدأ. لماذا صار والدي شديد الضعف أمامي، ولماذا راقني الأمر؟ صار يرسل الأموال بإغداق غير مسبوق، ويأخذ دور الداعم لطموحي.

اكتشفت حين ابتعدت أنّي مستاءة من أبي، أنّي كنت أعيش في ضيق، في قالب فتاة لا أريدها، أنّي كنت أرتعش خوفاً إن خالفت أوامره، أو تصرّفت عكس تعليماته، إن لبست فستاناً لا يروقه، إن اقتربت من أختي، إن سألت، إن لم أصلِّ.

وجودي في نيويورك كان بشكل أو بآخر وجودي بمأمن عنه. كنت آتي للزيارة لفترات قصيرة جداً وأتحجّج بانشغالي فلا أقضي وقتاً طويلاً في لبنان. في السنوات الثلاث الأخيرة، انقطعت عن الزيارة نهائياً، لأنّي كنت فعلاً منهمكة في العمل. لم أنتبه كم تغيّرت، ولم يخطر لي أنّ سبعة أعوام من العيش في البعيد ستعيد تشكيلي.

عندما عدت إلى هنا، كنت أتصرّف تجاهه باستهزاء مقارنة بالحياء الّذي اقترن بوجوده قبل ذلك. كنت أضحك بصوتٍ عالٍ، وأحضر جورجيو إلى المنزل وألعب مع أولاد أشقائي، وأعلّمهم أموراً سخيفة كأن يصدروا أصواتاً مزعجة، عبر النفخ في كفوفهم، أو أن يعبثوا بتحف أمّي في الصالة.

كلّ هذه التصرفات، الصبيانية والشيطانية، لم تكن تليق بعمري، لكنّي كنت أستمتع بها حتّى أنّي ناديت ماتيلد مرّة حين كنّا في الحديقة لتشاركنا اللّعب.

همست في أذن ابنها أن يذهب ويتوسّلها المجيء حتى إن اضطر أن يجرّها من ثوبها. لمّا أتت، صار الأطفال جميعاً يتوسّلونها بصوت واحد ان تجلس معنا.

"ماتيلد، أمّي ماتيلد، العمّة ماتيلد"، راحوا جميعاً يهتفون.

ضمّت ساقيها إحداهما إلى الأخرى وجلست. صار الأطفال جميعاً يحاولون أن يعلّموها كيفية إصدار الصوت المزعج. "تضعين يدك هكذا... لا، لا! الإبهام هنا... انفخي الآن".

راح الجميع يصفّق لها حين أصدرت الصوت. ابتسمت طويلاً ثمّ ضحكت. بدت قهقتها كأنّها تخرج للحياة للمرّة الأولى، كالضحك المنسي. دمعت عيناها، وكادت أن تبكي. كانت تبكي فعلاً، لكن بكاءً جميلاً مع ابتسامة وضحك.

"آه... أختي".

اقتربت منها وأخذتها بين ذراعيّ وبكينا ثم ضحكنا معاً. أخبرتها أنّي أحبّها كثيراً ورحت أمرّر أصابعي في شعرها كأنّي أحاول أن أستعيده، كأنّي إن مشّطته قليلاً سينمو من جديد.

تذكّرت سنواتي في بلاد الاغتراب، وأنا منقطعة تقريباً تماماً عن شقيقتي، عدا مكالمات هاتفية بسيطة بيننا. الغريب أنّي لم أشعر يوماً بذلك الحنين، الّذي يحتّمه السفر، والبعد على المسافر. لم أكن تلك الفتاة المترفة والهشّة الّتي تخاف من أن تعيش في أحياء لا تعرفها. مرّات قليلة، كنت أشعر بالحزن والوحدة، لكن للحظات

عابرة أستعيد بعدها نشاطي على الفور كأنّي أنسى تماماً أنّي لست من هنا.

أظنّ أنّ هناك نوعاً من المغالاة في وصفنا لأوطاننا وتعلّقنا بها. أعرف أنّك أنت مثلاً ترسم فلسطين مرّات عدّة في النهار، في خيالك، ولكن أرضي كانت ملموسة بكل خيباتها وذكريات حروبها.

كنت أريد أن أتحرّر من مفهوم البيت الأوّل، ألّا أنتمي. كنت أتوق لأرى الأماكن الّتي رقصت فيها مارتا غراهام. كنت ألتهم كلّ شيء في المدينة التهاماً، ضيق شوارعها، ازدحامها تماماً، كأنّي صرت في لعبة ما كلعب "الأتاري" و"البلاي ستايشن".

اكتشفت أنّي لم أكن أحب حقاً كلّ ما أحببته من قبل، لا المائدة الكبيرة الّتي كنا نجتمع حولها كل يوم، ولا الزيارات الطويلة للأصدقاء والأقارب. بدت حياتي السابقة - إن استثنينا الرقص منها - مجرّد مضيعة وقت طويلة.

حتّى أنّي أحببت صحبة شباب نيويورك قبل أن أتعرّف بك. فقدت عذريتي في المقعد الخلفي لسيارة رجل تعرّفت به هنا. لم يصدّق حين أخبرته أنّي عذراء. راح يضحك "عذراء في الرابعة والعشرين من عمرك؟ هل تمزحين؟".

عندما صرخت حين ولجني، عرف أنّي لم أكن أمزح. "يا إلهي، أنت فعلاً عذراء".

لم يتوقّف. فعلها. عدت إلى شقّتي كأنّي لا أصدّق أنّي لم أعد عذراء. لم أكن حزينة ولا سعيدة. كنت مذهولة فحسب كأنّه فجأة صار لي جسد. صرت إن أتيت إلى القرية في عطلة صغيرة، أشعر أنّ هناك سرّاً صغيراً بيني وبين نفسي، لا يعرفه أحد.

مرّات عدة، كانت تحاول أمّي عبر الهاتف أن تستدرجني للبوح بما إن كنت أقمت علاقة مع رجل ما. كنت أجيبها بمكر "لماذا تكثرين الأسئلة يـا أمّي؟" ثمّ أروح أخبرهـا أنّي مشغولة ولا وقت لي لأمور كهذه.

"أنا في نيويورك يا أمّي. لا عذراوات في المدينة"، كنت أقول بعد أن أغلق السّماعة وأضحك.

ربما أحياناً كنت شريرة قليلاً، أكثر ممّا ينبغي، مشاغبة وأحبّ إثارة المتاعب، أو مستهزئة بكل ثوابت والديّ وقناعاتهما. ربما كنت فظّة أيضاً ووقحة، أو حتى مستفزّة. لكن كان قد فات الأوان على التراجع لأعود هيلدا الّتي صنعوها هم. هكذا هي المرأة، حين تفقد البراءة الملصقة بها، لا شيء يعيدها إليها.

لا أعرف كيف تخلّصت من الشعور بالذنب. ربما حادثة باتريسيا في صغري كانت قد علّمتني أن أشكّك بالراهبات، بفعل الندامة الّتي تلوته منذ الصغر، من دون ذنب. مرّات عدة، كنت أقسو على نفسي، لكي لا أنساق إلى الماضي، أو أندم لأنّي كنت أكسر توقعات أهلي منّي. لم يكن يهمّني ما قد أخسر أو أربح. كنت أعيش شغفي، شغفي بالرقص، بالحياة، بالفن.

هل نجحت فعلاً في عدم الانتماء؟ إن فعلت، لماذا كان عليّ أن أعود؟ أذكر كم مرّة طلبت منّي أن أنتمي إلى حبّنا وحده، لكن كنت أجدني عاجزة. لم أكن أعرف إن كان الحبّ انتماء، أو قيداً. لم أعرف لماذا يجب أن أنظر إليك كوطن. كنت أرتّب سريرنا وأطوي ملابسك بحب كما تفعل الزوجات، لكن لم أعرف إن كنت أفعل ذلك على سبيل خلق منزلٍ جديد.

أنا الممزّقة من البيت الأوّل، ألمّع الزجاج في هذا البيت الثاني العبثي، وأضحك تماماً كأنّي في لعبة. أغرق في حضنك، في المساء، وأترك نفسي لك كأنّي أتغطّى بك. كنت أستيقظ وأنا أشعر بالدفء قربك. وكان الدفء يرافقني أحياناً طوال النهار، كأنّي خبّأت شمساً صغيرةً في قلبي. لكن غالباً ما كانت تأتيني صورة المكان الأوّل، الذاكرة، كأنّها تتحدّاني أنّي لن أستطيع أن أصنع مكانها ذاكرة جديدة. تراني عدت لهذا، لأنظر إليها، وأخبرها أنّي أستطيع؟ ربما عدت أيضاً لأحتال على الذاكرة، لأخبرها أنّه يمكننا أن نتوصّل إلى تسوية ما. أن أتّسع لكل الأماكن، وأنهي عداوة مع الجذور.

-2-

هـذا الصباح، حين ذهبت مع لوريس لنزور جورجيو. كنت ألحّ عليهـا، طـوال الطريـق، أن تخـبرني لمـاذا لم تعـد زوجـة عمّـي جـزءاً مـن عائلتنا.

- طردها والدك لأنّه حمّلها مسؤولية وفاة أخيه.
- ما ذنبها هي؟
- لماذا تصرّين أن تسترجعي الذكريات؟
- كيف كان هو؟ أخبريني عنه؟
- كان شديد الذكاء والوسامة ولكنّه كان عصبيّاً جداً.
- نعم. ماذا أيضاً؟
- كان يضربها.
- يضرب زوجته؟
- نعم، كان يضرب آمال.
- لماذا؟
- اسمعي هيلدا. هي أخبرتني. كانـت بشـرتها تـزرق مـن شـدّة الضرب.
- ألم يكن يحبّها؟
- أحبّها بجنون، لكن كانت لديه مشاكل جنسية. نادراً ما كان يستطيع أن يتمّم واجباته تجاهها... فكان يضربها.

– يا إلهي، ما هذا الهراء؟

– آمـال امـرأة جميلـة ورقيقـة. عمّـك لم يقتـل أحـداً. اعتقلـه الفلسطينيون مرّة، سلبوه سلاحه نعم... غاب عن المنزل ليالي عـدّة. توسّـط والدك عند خاطفيـه. دفع فديـة كبيـرة. عـاد منكسـراً. لم يتكلّم لأيّام نتيجة التعذيب. كان يتناول أدوية مهدّئة للأعصاب، واشتـدّت أزمتـه. كـان يريـد أن يقتـل آمال... اتّهمها بالخيانة لكنّه لم يستطع. كان يصوّب مسدسه تجاهها وكانت تبكي مذعورة لكنّه عاد وأفرغه في رأسه.

– ماذا تقولين؟ لم يقتلهم؟

– كلا، والدك أراد أن يجعل انتحاره عملاً بطولياً. كانت مأساة! اتّقد الغضب في داخلي، النار الّتي تشتعل فجأة، ولا يعود من الممكن إخمادها. هذه الحكاية كانت أيضاً كذباً. مجد أيضاً شريك في مأساة عمّي. نحن قتلنا أمّه، وهم أهانوا عمّي، وعذّبوه. نتساوى في الجرائم. لا لم نكن مجد وأنا. نحن لم نقتل أحداً. لا بدّ أنّه الغضب يدفعني إلى أن أحمّل نفسي، وأحمّله، ما حدث قبل زمن طويل. نحن متحابان. لا نؤذي بعضنا هكذا. وأبي، هل كان هذا جزءاً من ترويجه للحرب كبطولة، إنكار لأيّ هزيمة.

– وأولئك الفلسطينيين، لماذا اعتقلوه؟ ماذا فعل لهـم؟ ما كـان ذنب زوجته؟ هل كانت تخونه؟

– لا يا عزيزتي... لا. أنا أعرفها. لن أكذب. وصية المسيح لنا ألّا نكذب. كانت أوهامه... كلّ شيء كان يحدث في رأسه.

– لوريس، لكنّ أبي... قال أبي أنّه...

– أبوك أراد أن يحفظ كرامته... كرامتكم.

- لكنّه كذب عليّ.
- لا، لا... السّيّد لا يكذب. ليس كذباً. كان يريد أن يحمي العائلة من ألسنة الناس. ألا تعرفين كلام الناس يا هيلدا. السّيّد رجل طيّب وقويّ. قال أنّ عمّك قتلهم كي لا يكسره.
- والفلسطينيون... لوريس... من هم الفلسطينيون؟
- ما هذا السؤال؟
- هل هم أعداؤنا فعلاً؟ هل كان يجب أن نقتلهم ويقتلوننا؟
- إنّهم...
- لوريس، يجب أن أعرف من هم... هل دمّروا بلادنا حقاً؟
- هيلدا... أنا لا أعرف. أنا مجرّد خادمة.
- آه لوريس، أصوات القصف... كلّ تلك الحروب... كلّ ذلك الموت... كلّ شيء كان رهيباً.
- أعرف ذلك.
- كلّ شيء يبدو أحياناً كأنّه لم ينتهِ، الحرّاس خارج المنزل، حزن ماتيلد، مجسّمات البنادق في البيت... كلّ شيء رهيب... استيقظنا فجأة لنرى أنّ الحرب انتهت، لكنّ رائحتها هنا، طازجة، طازجة جداً كالدّمّ اللّزج، كجرح لا يندمل.

يقينا نمشي ولوريس تتمتم "يا عدرا، يا عدرا، يا عدرا، يا قدّيسة مريم، يا قدّيسة مريم". أمسكت يدها كأنّي أتوسّل الأمان منها، أو الهدوء، كأنّنا تحت القصة ويجب أن نتعاطف بعضنا مع البعض... أن نلتحم. هناك رابط بين الأشخاص أقوى من الكلام. ما تشعر به حين تضع يدك يأيديهم، ما يحدث لك حين تنظر إلى أعينهم وتعرف حكاياهم. ما لا يختصره الحكي هو جوهر هذه العلاقات البشرية؟

أردت أن أخبرها أنّي مغرمة بك، بفلسطيني، لكنّ لساني راح يخونني كلّما حرّكته. استجمعت أخيراً شجاعتي وصرخت بصوت عالٍ.

- لوريس، أنا مغرمة بشاب فلسطيني. أنا مغرمةِ بشاب فلسطيني لوريس.

قلتها هكذا كأنّ الكلام يتسابق ليخرج دفع واحدة. أفلتت يدي ونظرت إليّ وصرخت "أنت مجنونة".

- أنا مجنونة لوريس... نعم أنا مجنونة، لكن مجنونة بشكل طيّب، كجورجيو... ليس الجنون السّيّء.

- آه عزيزتي، من بين كلّ رجال الأرض.

- إنّه الحب لوريس، لا يختار بحسب المعايير الاجتماعية.

ابتسمت، وأنا أحدّق إلى المرأة الّتي اعتنت بي وبإخوتي في طفولتي، الّتي غسلت ملابسنا وكوت قمصاننا ورتّبت أسرّتنا. كانت قصيرة القامة. شعرها أسود حتّى كتفيها. لم تكن جميلة بحسب معايير جمال النساء ولكنّها كانت بشوشة وطيّبة. لم تتزوّج ولم تنجب ولم تحلم يوماً بأن تخرج من منزل والدي، وقبله جدّيّ الّذي خدمت فيه منذ كانت في سنّ الثالثة عشر.

توفيت والدتها صغيرة وأحضرها أبوها لتعمل لحساب عائلتي، لكي يتخلّص من أعباء تربيتها. لم تكن تعيسة. كانت راضية كأنّها لم تعرف لنفسها احتمالات أخرى. "أنتم بيت الكرم والجود"، قال والدها عند تسليمها. "لا تقلق، هي في أيدٍ أمينة"، أجابته جدّتي. ثمّ أخذت لوريس وطلبت منها أن تغتسل، وأعطتها ملابس جديدة، وصارت تعلّمها كافة شؤون المنزل. تعايشت مع أعمامي ونظام البيت، وتعلّمت قواعد جدّتي الذهبية "ما يحدث بين هذه الجدران لا يخرج منها".

شهدت كل الأحداث الكبيرة في عائلتنا، كما عرفت التفاصيل الصغيرة، وحفظتها. حتّى أنّ جدّتي سألتها، مراراً وتكراراً، إن كانت ترغب في أن تستقل، في أن تتزوّج، في أن تكون لها حياة خارج منزلنا. "أريد أن أخرج من هذا المنزل إلى القبر يا سيّدتي، لا أريد أيّ شيء آخر". لم تقل ذلك بنبرة أسى أو حزن، بل باقتناع تام من امرأة تقيّة رأت في هذا البيت شيئاً مماثلاً لمعبد.

في الحرب، كانت لوريس تنظّف أرضية المنزل، بعد أن يأتي إليه الجرحى. كانت عملية التنظيف تنتهي دائماً برشّ الماء على عتبة البيت، كأنّها تطرد الشياطين. لم تكن تسعف المقاتلين، لأنّ هشاشتها كانت لتجعلها تنهار على عكس أمّي، الّتي تحوّلت، في بضعة مواقف، إلى امرأة صلبة كأنّها أخرى غير المدلّلة الّتي اعتدنا عليها.

كانت لأمّي القدرة على رؤية الدمّ والتعامل معه. كان الإسعاف بالنسبة لها مسألة جدية. لا وقت للذعر والهلع. تخرج السبيرتو والقطن وتطلب من لوريس أن تأتيها بالماء الساخن والضمّادات. تقوم بعملها على أكمل وجه، وتدخل بعدها إلى النوم، من فرط تعبها، وتغفو كأنها أنهت أمراً عادياً، وكأنّ الدماء صارت جزءاً من يومياتها.

-3-

في قبوٍ صغير تحت أرضيّ، مؤلّف من ثلاث غرف، اثنتين منهما متصلتين بقنطرة، كان عمّي جورج يقضي معظم أوقاته. لم يكن مسموحاً لنا نحن الأبناء أن ندخل هذا المكان الّذي لطالما تخيّلته كشيء يشبه أعماق الجحيم. كان الوحيد، عدا أمّي، الّذي يملك مفتاحه. كنت أعرف أنّ إحدى الغرف تستعمل لوضع مؤونة المنزل من خوابي الزيت والزيتون والعدس والنبيذ.

في مطلع كلّ خريف، كان العمال من "العرب الرحل"، كما يسمّيهم والدي، يأتون لموسم قطاف الزيتون، قبل أن يرسله أهلي إلى المعصرة. كانت نساؤهم يأتين أيضاً ويفترشن حصائر بلاستيكية على الأرض، ويقمن برصّ الزيتون، قبل أن يكبسنه في مرطبانات زجاجية مع الحامض والزيت.

كنّ يضعن أغطية على رؤوسهنّ، ويتكلّمن كثيراً، وهنّ يعملن. لم يكن مسموحاً لي أن أخالطهن كثيراً، خوفاً من "القمل"، على حدّ قول أمّي. كانت أيديهنّ تصبح سوداء اللّون في نهاية النهار، أيدي خشنة تشي بعمرٍ طويل من الكدح.

كان أعيان القرية يستجلبون العرب الرحل في الموسم، ليسكنوا في خيم، أو منازل من الاسمنت، سطوحها من صفيح، حتّى انتهاء قطاف الزيتون. وكنت أستمتع بهذا الازدحام حول القرية والمنزل، كأنّي أرى حركة ما غير حركة الحرب بعدما انتهت.

سرّ الغرفة الأولى كان معروفاً إذاً، لكنّ الغرفتين المجاورتين بقيّتا لغزاً بالنسبة إليّ. لـمّا عـدت هـذه الـمرّة، كنـت ألحّ على عمّي جـورج أن يصطحبني إلى مقرّه في القبو. أمام إصراري الشديد والمستمرّ، وافق.

كنا ننزل درج المنزل بخطوات بطيئة بينما أصبحت أنا أمام القبو في ثوانٍ قليلة.

– اسمعي هيلدا، أنت تعرفين عمّك جورج كعمّك فحسب.

– أعرف أشياءً كثيرة.

– ماذا تعرفين؟

– أنّك وأبي كنتما مقاتلين.

– أبوك كان قائداً، لم يكن مقاتلاً عادياً.

– تعرف أنّي كنت أراكما تحملان البنادق والرشاشات وتخرجان ليلاً... كنت أرى أشخاصاً عدة يجتمعون في الصالة. عمّي. أنا كبرت، لم أعد طفلة.

– تلك الأيّام...

– ما بها تلك الأيّام؟ هل كانت أيّاماً طيّبة؟

– كنّا أقوياء، اعتقدنا أنّنا لن نُهزم أبداً. أحلامنا، لبناننا الكبير.

– ماذا بقي من كلّ هذا الآن؟

– كنّا سنحكم هذا الوطن، سنبني مجده.

– بالحرب؟

– الحرب، الضراوة، كلّ هذا ضروري أحياناً.

قاطعته وقلت له "عمّي، افتح الباب لنكمل حديثنا في الداخل". كنت خائفة مـن أن يـتردّد، ويطلب منّي أن نعدل عـن فكـرة دخـول غرفته السّرّية. وضع المفتاح في ثقب الباب. حرّكه إلى اليمين. "طق"!

انفك القفل الأوّل. "طق"! انفك القفل الثاني. سمعت صرير الباب الخشبي وهو يدفعه إلى الداخل بروية لندخل.

مدّ يده إلى قرب الباب وكبس زرّاً ليشعل النور. ألقت اللّمبة الصفراء ظلالها على الغرفة ووقفت مسمّرة في مكاني. لم أكن في قبو. كنت في مشغل فنيّ. كانت الغرفتان المتلاصقتان اللّتان تفصل بينهما قنطرة منقسمتين. إحداهما فيها تماثيل ومنحوتات والثانية فيها عدّة العمل والمواد الأوليّة. طين وحجارة وإزميل وقوالب.

- ما هذا؟ من صنع كلّ هذا؟

- عمّك جورج.

- لماذا تخفي كلّ هذه الأشياء؟

رحت أتجوّل في الغرفة أتأمّل المنحوتات. كانت معظمها لأشخاص بترت أطرافهم. رجلٌ بلا أصابع. آخر بلا أذنين. امرأة ثديها مقطوع والآخر مستلقٍ فوق بطنها. تماثيل لرجال بلا ساقين أو بلا رؤوس. منحوتة لمدفعية. منحوتات أخرى للأعضاء. يد وأذن وساق.

راح يشير إلى المنحوتات. "بعضها صنعته من الحجارة والصخور، بواسطة الإزميل، والبعض الآخر من المعدن. أنظري هذا مثلاً من طين، صنعته بيدي ثم صنعت له قالباً من الجصّ ليتّخذ شكله".

- لماذا تصنعها هكذا؟

- كيف؟

- ناقصة.

لم أعرف إن كان هذا فنّاً وإن كان يجدر بي أن أبدي إعجاباً بهذه المنحوتات. لا أعرف حتّى إن كان يريد أن يثير الإعجاب. فكّرت أنّنا نعيش في منزل كبير، تحته جثث، أو أنقاض بشرية. أنّ هذا المكان

أشبه باللّعنة، أنّ هذا الوطن أشبه بمقبرة جماعية طمرها الجميع وبنوا بيوتهم فوقها. في هذا القبو، كنت وجهاً لوجه مع ضحايا القصف وأيضاً مع المدفعية الّتي لم يستطع عمّي أن يزيلها من ذهنه. لم تكن هناك بقع دمّ حمراء ولكنّي أقسم أنّي كدت أسمع عويل البشر وأنينهم.

لماذا تبدو الذكريات مؤلمة جداً حين تستيقظ داخل الإنسان؟ لماذا لا يسعنا أن نحدّق في أعين الماضي ونقول بسلام "هذا أمرٌ مضى". لماذا لا يكون الوجع أمراً عاديّاً عابراً؟ لماذا نستعيد الدموع والبكاء، حين تمرّ بنا صورٌ ما، ويستحيل علينا أن نستعيد الضحك إن عادت بنا الذاكرة إلى مشهدٍ مسلٍّ أو لطيف؟ ما هذا السرّ الّذي يحمله الحزن فيجعله عصيّاً على الزوال؟

بينما غرقت في هذه اللّحظات، قاطعني صوت عمّي. وضع يده على كتفي وسألني "لماذا عدتِ إلى هنا هيلدا؟".

لماذا عدت؟ سألت نفسي مجدداً وأنا أحدّق في المنحوتات. كنت أحاول أن أقاوم الدمع في عينيّ وأن أستجمع شيئاً من شجاعتي وقلت له "عدت لهذا تحديداً، لأنّي إن لم أحدّق في كل هذا النقصان... لن أكتمل يوماً".

- لقد هجرت كلّ شيء، أصبحت بعيدة عنّا، وعدت فجأة كأنّك تريدين أن تحاسبينا فحسب. تتحاملين علينا.
- عدت لأراكم، لأرى أمّي وأختي و...
- ومن هيلدا؟ عدت لتستدرجي والدك إلى اعتراف، لتستدرجينا إلى اعتراف. أرى ذلك في عينيك، الأسئلة والإدانة. تريدين أن تعرفي كم رجلاً قتلنا؟ تريدين أن نحصي لك الجثث؟ سيسعدك الأمر؟ أهلي مجرمو حرب؟ ستعودين إلى نيويورك

وتشتكين مظلومية عائلتك؟ ماذا تريدين؟ نحن جلدك يا صغيرة. إن سلختِه، سيؤلمك أنت وليس نحن.

- أريد أن أفهم، هذا كلّ ما في الأمر.
- أنت تتعبين نفسك فحسب، لا تستطعين أن تقنعي أحداً مضى بخياراته عمراً أن يعود عنها يا ابنة أخي.
- منحوتاتك يا عمّي تشي بالذنب.

أطلق ضحكة دوّت في كلّ أرجاء القبو.

- بالذنب؟ منحوتاتي تشي بالحياة، بالقوّة. كنّا رجالاً أقوياء، لا يحني سواعدنا شيء.
- أعضاء مقطوعة... أيّ قوّة؟
- القوّة الّتي أبقت هذا المنزل عالياً، القوّة الّتي أعطتك فرصة السّفر، وفرصة تعلّم الرقص، وفرصة أن تكوني أنيقة ومترفة. كانوا سيأخذون منّا كلّ شيء، ألا تفهمين؟ كلّ شيء؟ كان يجب أن نهجم ونقاتل ونحمي ما لنا.
- ماذا تفعلون الآن؟ هل انتصرتم؟
- لقد حاولنا.
- هل هذا نصر؟ ركام البشر؟ هل تعرف يا عمّي أكثر ما يؤلم في الحرب، أنّ الجميع يموتون مذعورين، محرومين من الاستلقاء على فراش المرض، والابتسام، والقول يمكننا أن نسلّم أرواحنا بسلام.
- هل أنحت لك شمساً وأزهاراً يا هيلدا كي ترضي؟ هل أرسم لك شجرة؟ هذه هي الحياة يا ابنتي. لا أريد أن أقسو عليك، لكن لا يسعك، في المقابل، أن تأتينا بكل هذا اللّوم.

- لا أريد شجرة يا عمّي. لقد كبرت على زمن الأشجار.
- هل نخرج من هنا؟
- نعم، لنخرج من هنا.

-4-

معظم من هنا يظنون أنّه أمر سهل أن تلقي نفسك في المجهول، أن تقرّر أن تضع كلّ حياتك في مجرّد حقيبة وترحل. حتّى أنا لا أعرف كيف استطعت أن أفعلها. يضحكون حين أقول كلمات بالإنجليزية، ويطلبون منّي أن أتكلّم ببطء. لا يعرفون أنّي تغيّرت. يحاولون أن يلغوا سبعة أعوام عشتها بعيداً عنهم، أو أن يختصروها بسؤال واحد "أخبرينا عن أميركا".

تضحك أختي وتضع يدها فوق فمها. أروح أسرد حكايا وهمية وأقول أنّ النساء هناك لهن أربع عيون والرجال بلا أسنان. أستغرق في السخرية. يقاطعني أخي بمظهره اللّائق ويخبر أبي عن الصناعة هناك، والتقدّم والأموال، والشركات. يهزّ أبي رأسه بفخر. أتعمّد أن أقاطعهما وأقول شيئاً ما عن نيويورك فأصمت.

أتعرف لماذا؟ أجدني لا أعرفها هذه المدينة الّتي عشت فيها سبع سنوات. أستطيع أن أقول أنّها مكان ساحر، لكن لا يمكنني أن أخبرهما أنّي أعرفها فعلاً. تتغيّر الأحاديث. أطلب من أختي أن نخرج إلى الشرفة قليلاً. ينظر لي أبي بعدم رضا. أمسك يدها ونخرج.

- تعرفين ماتيلد، أحلى ما في نيويورك أنّي غريبة هناك. لا أريد أن أعرف تلك المدينة جيداً، لا أريد أن أصنع ذاكرة جديدة. أستمتع فقط بكوني غريبة.

- ولكنّك ستحتاجين إلى ذاكرة جديدة يوماً ما.
- لا... لماذا أثقل نفسي؟
- لقد عدت لأنّك تحتاجين إلى هذه الذاكرة.
- لا، لقد عدت من أجلكم... لأراكم. أنت مثلاً، ألا تفضلين العيش في مكان آخر؟
- إطلاقاً.
- ولكن لست سعيدة هنا.
- نحن بخير وسعداء خصوصاً وقد انتهت الحرب.
- أختي، أيّ سعادة هذه؟ بالكاد أراك تضحكين؟
- لديّ عائلة وأولادي وأبي وأمّي وزوجي.
- أبي؟ ألست حزينة من أبي؟
- لماذا أكون كذلك؟
- لقد ظلمك ماتيلد، ألا تشعرين بذلك؟
- لا يمكنك أن تتكلّمي عنه بهذه الطريقة. أبي رجل عظيم.
- لكن ماتيلد...
- اسمعي هيلدا، أنا أخطأت وكان يجب أن أُحاسب على فعلتي. أريد أن أتطهّر من أخطائي، عساه يسامحني يوماً ما.

لم اكن أريد أن أصدّق ما أسمع. أختي ذات الشعر الطويل تظنّ أنّها ليست سوى خطيئة. راحت تحدّثني عن فترة ضياعها للمرّة الأولى وتصف شعور النشوة الّذي سبق غيبوبتها. "يا رب تنجينا"، كانت تردد بين كلّ جملة والأخرى.

استمعت لها، وأنا أشعر أنّ الاعتراف بالخطيئة ليس فضيلة في جميع الحالات بل نوع من الاستسلام. وكلّما حاولت أن أقاطعها

لأذكّرها أنّ أبي نفسه كان يزوّد المقاتلين بالمخدّرات أثناء الحرب، كان لونها يمتقع وتستغرق في الدفاع عنه. تبرّر بأنّه كان يفعل ذلك لتهيئتهم بشكل أفضل للقتال. استمعت إليها وأدركت أنّي قد قتلت أبي وقتلت معه أجزاءً مني. لقد قتلت وطن الغيم لأنّي جلست عليه. وبعد جرائمي، شعرت بالخيانة القصوى، ونشوتها. ثمّ دفنتهما بيدي ورحت أبكي كالمجرمين، الّذين ارتكبوا ما ارتكبوا عن غير قصد.

رفعت بعدها التراب والرفات ومرّغت بهما وجهي وصدري وباقي جسدي. عدت بعدها لألثم الموت عنهما. كفّنتهما ورقصت فوق القبر، رقصة امرأة تنزع جسدها عنها. كانوا هم تحتي يسمعون وقع قدميّ، ولا يطربون. المتفرّجون كانوا يصفّقون. لم يروا ماذا دفن هذا المسرح تحته. شاهدوا فقط جسداً يخرج من جسد، ويتكاثر وظنّوا أنّه مشهد رائع.

كنت أستمع بدهشة إلى ماتيلد وأسأل نفسي هل أنا الوحيدة الّتي ترى عيوبه. لماذا ليس لديهم اعتراض على كلّ ما مررنا به، ولماذا استطاع أبي أن يستنسخ الجميع على صورته. كنت أريد أن أحضر لهم المرايا علّهم ينظرون إلى الشروخ في أرواحنا، لكنهم بدوا هادئين إلى درجة مستفزّة، كصخور يستحيل أن تهزّها. كلّما نظرت إليهم، لمت نفسي لفضولي، وأحياناً كثيرة حسدتهم على عماهم.

تقول مارتا غراهام "ليس هناك فنانٌ راضٍ. ليس هناك أيّ نوع من الرضا في أيّ وقت. يوجد فقط نوع من عدم الرضا الإلهي، قلق مبارك يبقينا نتقدّم، يجعلنا أحياء أكثر من الآخرين".

ربما كانت صديقتي محقّة، لكنّها نسيت أن تقول أنّ هذا القلق اللّعين هو الّذي ينحدر بنا إلى أسفل السافلين، يجبرنا على

الرقص مع شياطيننا، لكي يليق بنا لقب الراقصين المحترفين. ربما كان محكوماً عليّ بالقلق لأصنع هذا الفن، لأجبر جسدي على خلق نفسه من جديد.

-5-

أشرقت الشمس باكراً هذا الصباح. وقفت أتأمّل أشعّتها، وأسأل إن كان النور نفسه الّذي يطلّ كلّ يوم أم أنّ عمر الأنوار لا يفوق الساعات مفسحاً المجال لولادة لونٍ جديد. كنت أفكّر كيف تتغيّر الذكريات، كيف نعود إلى القرى البعيدة ونرى رجالاً كنّا نتغاوى أمامهم وقد باتوا يحملون أطفالهم على أيديهم. كيف يراني الرجل الّذي رقصت معه لأوّل مرّة، وقد كبرت الآن، وتغيّر لون شعري. كيف تصبح الأشجار الّتي تبادلنا القبل تحتها مجرّد جزء من الطبيعة؟ كيف تنسى امرأة الرجل الّذي وهبته قبلتها الأولى؟ كيف تعرف أنّه لم يصبح رجلاً آخر؟ كيف تعرف أنّها ليست امرأة أخرى؟ كيف تتوقف عجلة الزمن فلا نعود أبداً كما كنّا.

كنت أفكّر بك أيضاً، كيف كنت تقول لي إنّ أميركا بلد خطير، وأنّ نيويورك كالجحيم الّذي لا يعود المرء يرغب بالخروج منه. "هناك فرق شاسع بين الشعب الأميركي وحكومته... تعرفين الحكومتين الأميركية والإسرائيلية، تمحوان حضارتنا، وترميان آثارنا جانباً، يقتلاننا ويشرّدان عائلاتنا ثمّ يخبران العالم أنّنا نحن المجرمون. أميركا بلد خطير، لأنّه يجرّد الظلم من حقيقته، ويصنع ظلماً آخر مزيّفاً، ليس سوى عذر لتغطية السلطة. تضيع الحكاية يا صغيرتي ونضيع نحن معها".

حكايا الحروب كلّها متشابهة. سيجد القاتل العذر ليغطّي جرائمه، وسيجد المظلوم مبرّراً ليثقل نفسه بالذنب. ستضيع الحقيقة بين المصالح المشوّهة، ولن يبقى من يخبرها، أو حتّى من يسمعها. جميعهم هنا يقولون أنّه كان ضرورياً أن نقاتل، ويرون الضراوة مقياس. لذا والدي بالنسبة لهم بطل معصوم عن الخطأ.

لقد حاولت أن أتّصل بك منذ قليل ولكنّك كنت قاسياً جدّاً معي. أقسمت أنّي لن اكلّمك مجدّداً وقلت عساك تفهم يوماً ما. اليوم تحديداً، بدا لي غيابي عنك قاسياً، كما لو أنّ هناك ثقباً في رحمي، لا يمكن أن يملأه سواك.

كنت أحتاج أن أكلّمك لأشعر أنّ هيلدا أخرى ما زالت في مكان ما. أنظر إليّ وأشعر أنّي امرأة مختلفة. كل هذه الأماكن الّتي شكلّت جزءاً أساسياً من تكويني. الروائح الّتي اعتدت على تنشقها لأعوام طويلة. أوكار الطيور الّتي كنت أراقبها. أهل البلدة. جميع هؤلاء. كانت هناك هوّة كبيرة بيني وبينهم، كأنّني لم أعرفهم يوماً، وكأنّ هذه الفتاة الّتي كانوا جميعاً يحبّونها ويلاعبونها لم تكن يوماً أنا.

لمحت جورجيو من الشرفة. كان يركض هرباً من الأولاد. ذهبت بسرعة تجاههم. وجدته قد وقع. كانت رجله مجروحة. ما إن رأوني أقترب، هربوا بعيداً. كنت أشتمهم وأتوّعدهم أنّي سأعاقبهم. كان وجهه أحمر، ينفث غضباً كالتنين. يقتلع العشب من الأرض ويرميه إلى الوراء.

- جورجيو أنت تنزف... تعال معي لنضمّد جرحك.

- آ ع، آ ع، آ ع.

راح يهزّ رأسه نفياً.

– يجـب أن تـأتي معـي جورجيو أرجـوك. استمـع لي هـذه المرّة فقط.

لم يوافـق. ركضـت بسرعة إلى المنـزل. أحضرت المطهّر والفـوط وضمّادات للجراح. كـان جالسـاً في نفـس الوضـعية مستمراً بـاقتلاع العشب. مددت رجله ورحت أنظف الجرح. سحب رجله إلى الوراء. تحايلت عليه ليمدّها مجدداً.

– الكلاب! أنا سأريهم. لقد آلموك...

بقيت أحدّثه وأنا أمسح الدّم عن قدمه. ولمّا رفعت رأسي لأنظر إليه. رأيت جورجيو يبكي بحرقة وبصمت.

– آه حبيبي، لا تبكي هكذا. ما بك جورجيو؟

اقتربت منه واحتضنته بين ذراعيّ.

– عزيزي، كنت تريد أن يكون لك أمّ، تحضّر لك طعام الفطور، وتنتظرك حين تعود مـن المدرسة. كنت تريد أن تكون ولداً عاديّاً مثلهم. أليس كذلك؟

كـان طفلاً محبوساً في جسد رجـل. استمرّ يئنّ، وبقينا جالسـين هناك قرابة نصف ساعة، قبل أن يقف مجدداً. دخلنا إلى المنزل. كان أبي في غرفة الجلوس.

– هيلدا، لماذا تصرّين أن تبقي مع هذا المجنون؟

– بابا!

بقي يتكلّم بالسوء. مشيت إلى المطبخ، وطلبت مـن لوريس أن تهتم بجورجيو وتوصله إلى منزله. خرجت غاضبة وسألته "لماذا تفعل هذا به؟".

– بربّك، هو مجنون. لا تتصرّفي هكذا دفاعاً عنه.

- اسمع بابا، ربما جورجيو كان ممنوعاً من دخول منزلنا من قبل، لكن ليس الآن. ليس بوجودي هنا.
- هذا منزلي، وقواعدي تسري هنا.
- أتركه لك من غير عودة. أقسم لك.
- أيّتها الجاحدة... كلّ ما أفعله لأجلك.

كانت تلك المرّة الأولى الّتي أدخل فيها في مواجهة مباشرة مع أبي. سرعان ما تجمّع أفراد العائلة حولنا. كنت مصرّة أن أتماسك أمامه وأبدو قويّة. صار الجميع يطلب منّي أن أعود إلى غرفتي. ولمّا شعرت أنّي قد أنهار، فعلت ذلك. رمقته بنظرة تحدٍّ، وصعدت إلى الغرفة.

أوصدت باب الغرفة وغرقت في البكاء. لحقت بي أمّي.

- هيلدا، افتحي الباب.

لم أجب.

- هيلدا، ما بك ماما؟ افتحي الباب.

فتحت استجابةً لإلحاحها.

- هيلدا، لماذا تتشاجرين مع أبيكِ؟ لماذا تبكين؟ ما بك ماما؟
- لماذا يريد أن أطرد جورجيو؟

راحت تخبرني أنّي كبرت على هذه الحماقات، أنّي لا أتصرّف كما يليق بنا.

- ماما، طوال حياتي وأنتِ تطلبين منّي أن أحبّ المسيح. المسيح ماما أحبّ الضعفاء والمساكين، وأنت تلومينني لأنّي أعطف على شاب يتيم.

كان بإمكاني أن أستمرّ بأن أسرد لها بماذا خالفت عائلتنا تعاليم الديانة الّتي أرادوا أن أطلب الغفران فيها ليلاً نهاراً فحسب. لكن عوضاً

عن ذلك، غرقت في بكاءٍ محموم لم أجرؤ أن أقوم به وأنا صغيرة، تماماً كأنّ الدّمع جنحة ويتطلّب أن نرتكبه وليس أن نعبّر عنه.

بكيت لأسباب كثيرة، منها أنّ هذا المكان بدا وحدة مكتملة بذاتها، لا مكان فيها للغرباء، وقد أصبحت أنا غريبة. كل ما يعرفونه عنّي، هو أنّني أتخصّص في تصميم الأزياء وأرقص. البعض يعتبرني وقحة وجريئة ضمناً، لكن لاعتبارات عائلية، لا يصرّح برأيه علناً. لكنّي كنت أعرف ما يقال في الدوائر النسائية الصغيرة والمقفلة. "بنت رايحة من هون لأميركا لتهز خواصرها. ما بصير هز الخواصر غير هونيك". لم أكن أكترث لما يقال، ولو أن الأمر كان يحزنني. لكن أحياناً يجب أن أبكي لأتأكّد أنّي على قيد الحياة. في مكانٍ ما في داخلي، كنت قد تخطيت توقعاتهم عن نفسي كمن يرمي ذاته في مهب النار ويستمر من لهبٍ إلى لهب. هذا الاحتراق الّذي صار نوعاً من الإدمان بحثاً عن حقيقة ما، تماماً كما الرقص. إجبار الجسد مرّة تلو الأخرى، على أن يتخطّى حدوده. أن يخلق منه أجساداً كثيرة. على وقع الموسيقى، كنت أخاطب إلهاً، لطالما أجبروني أن أعتذر منه. أدعوه ليشاركني الملذات الدنيوية، أدعوه ليصير لحماً ودماً مثلي تماماً.

-6-

راح صبر أبي ينفذ، يوماً بعد يوم، من تصرّفاتي الّتي اعتبرها صبيانية، أو طائشة وغير لائقة. أرفع صوت الموسيقى وأرقص في غرفتي. أخرج برفقة جورجيو ساعاتٍ طويلة. أضحك بصوتٍ عالٍ. بتّ أنا أيضاً لا أعرف ماذا أحاول أن أثبت له، ولا ماذا أفعل هنا. كلّما نظرت إلى الجدران الّتي تحيط بي، كنت أفهم لماذا رحلت.

يدخل إلى غرفتي أحياناً، ويتظاهر أنّه غير مستاء منّي. يطلب أن أرقص أمامه. لا أفعل ذلك. يحدّثني عن موسم قطاف الزيتون. يذكّرني كيف كنت ألعب في حضنه وأنا طفلة. لكنّه لا يسألني ما بي.

أنظر إليه وأسأله عن الحرب مجدداً. لماذا انتحر عمّي فريدي، لماذا ممنوع على زوجته أن تزورنا. يكرّر نفس الرواية. حتّى أنّه يزداد تعنّتاً. يقول إنّ بعض الأشخاص يستحقون الموت كالفلسطينيين، الّذين يدّعي أنّ عمّي قتلهم. يقول أشياء كثيرة ثمّ يخبرني أنّه موعود بمنصب مهمّ في الدولة وأنّ الوزارة الّتي يطمح لها ستعيد لنا نصرنا.

يقول إنّ نفوذ الحزب تراجع الآن، لكن لا بد أن يستعيد المجد الّذي سبق. يقول إنّه زار "سيّدنا" اليوم، أي رجل الدين النافذ الّذي يعرفه. "ستتغيّر الأمور بالنسبة لنا يا هيلدا، لا بد أنّك تشعرين مثلي بالغبن والظلم اليوم، لكن لا بد أن تستقيم الأمور".

261

قلت له إنّه مخطئ فيما يفترضه عنّي وأنّي لم أذهب لأنّنا خسرنا الحرب بل لأنّنا خضناها في بادئ الأمر. ضحك وربّت على رأسي وقال إنّي لا أعي ما أقول، وإنّي لا أزال صغيرة. قال أيضاً إنّه يرتّب لكل شيء، لكيفية استعادة الماضي والنفوذ والسلطة.

كان هناك صوت واحد في الغرفة، صوته هو. كنت أريد أن ترتفع نبرتي لأقول له إنّ شيئاً ما في طريقة تحريك فمه، وإصراره على تلبّس دور البطل المغمور، والمغترب عن الدنيا، يجعلني أشعر أنّي أشاهد فيلماً تلفزيونياً طويلاً كلّما تكلّم. هذا الغموض الّذي يريد أن يلفّ نفسه به. هذا الغموض الّذي يجعله مكشوفاً أمامي. نظرته الّتي يحاول أن يجعلها تبدو غائرة في البعيد قاصرة عن رؤية ما هو أمامه. النبرة المتعالية، والمعرفة الّتي يليها انسحاق تام، لأنّها ليست سوى مغالطات يصرّ على العيش فيها. لقد حفظت ذلك الفاصل بينه وبين نفسه، لكثرة ما بالغ به أمامي وبتّ لا أرى فيه سوى مونولوج طويل من الوهم.

هذا هو تماماً ما عشناه طوال عمرنا، وهم القوّة. الوهم أنّنا الأفضل والأرقى والأحسن. الوهم الّذي صدّقناه. لو اخبرت أبي أنّ فلسطينياً في المهجر، لا يجيب على اتصالات ابنته، ماذا كان ليفعل؟ ماذا لو رميت نفسي في حضنه وأخبرته أنّه يبدو لي أحياناً أنّك تنتقم منّي بسبب ما فعلوه.

هل كان ليفهم أنّ الأدوار تنقلب؟ أنّ المخدّرات الّتي أعطاها لأبناء آخرين وصلت لابنته، وأنّ الجرح الّذي حفره في أجساد الضحايا ينغرس اليوم في قلوبنا نحن؟ ماذا لو أخبرته أن من الممكن أنّه ساهم في قتل عائلتك من دون أن يعرف؟ وأنّي أعرف لماذا مات عمّي؟ هل كان ذلك ليشلّ حركته أم كان ليغضبه فقط ويزيده قسوة؟

كـان خيـاري أن أسـكت لأنّ المواجهـة لم تكـن لتنفعنـا كلينـا. عرفت وانا أسمع الصوت الواحد في الغرفة أنّ الحقيبة تناديني لأحجز تذكرة سفر مجدداً، وأعود إلى أرض وطأت عليها أحلامي.

- بابا، سأسافر غداً.
- ماذا؟
- سأسافر غداً بابا.
- لم تعودي تريدين أن تبقي هنا قربي هيلدا، أصبحت كالغريبة. كـلّ مـا أحـاول فعلـه مـن أجلـك وتريـدين أن تسـافري مـرّة أخرى. كم سيطول غيابك هذه المرّة؟

لم أجب. أغلق الباب بعنف وهو يكرّر "أيّتها الجاحدة الصغيرة".

في غرفة الطعام، تجمّعنا كلّنا حول المائدة. كانت حقائبي تنتظر في غرفـة الجلـوس، مصـفوفة جنبـاً إلى جنـب، كأنّهـا أكثـر حماسـة مـنّي وتأهبّاً للرحيل.

كانوا يأكلون بهدوء غير اعتيادي. كانت المرّة الأولى الّتي شعرت فيهـا أنّ لا أصوات في المنـزل. قلت لهم إنّ هنـاك أمـراً مهمـاً يجب أن أخبرهم إيّاه قبل رحيلي. رحت أحكي عنك.

"تعرّفت على شابٍ لطيف في نيويورك، ملامحه دافئة وهو ناجح في عمله. نمضي معاً ساعات طويلة من دون أيّ شعور بالملل، ويعاملني بطيبـة. يمسـك بـالمرآة ويجعلـني أرى انعكاسـات وألوانـاً أخـرى ويـدفئني. يحبّـني هـو أيضـاً كثـيراً، علـى الـرغم مـن تصـرّفه كطفـل كبـير مـرّاتٍ عـدّة وعلى الرغم من خوفه عليّ".

كـانوا جميعـاً يسـتمعون بـلا أيّ رد فعـل. استرسـلت في الكـلام وقلت لهـم إنّـك تشبهني لأنّ كلينا غريبان في نيويورك، وفي حاجة أن

نكون غريبين. قلت أيضاً إنّي أحبّ عينيك السوداوين، ووصفت لهم كيف تلمعان في العتمة. ثمّ أخبرتهم إنّ هناك جرحاً في وجهك وإنّك لا تستطيع أن تمشي جيّداً.

"لماذا هو كذلك؟ لماذا لم تخبرينا عنّه من قبل؟ أين هو. لماذا لم يأتِ معك؟"، سألتني أختي.

"آه، نسيت أن أخبركم أنّ أصله فلسطيني، وأنّ هذه هي آثار شظيّة أصيب بها في مخيّم صبرا وشاتيلا".

لم أكد أنهي جملتي وأضع الشوكة من يدي استعداداً للرحيل وسط ذهولهم جميعاً حتّى سمعنا طرقاً على الباب. كان وفد من أهل القرية. زغاريد نساء في الخارج. رجال يحملون البنادق ويفتحون النار في الهواء. أخي يدخل علينا ويبشّر "أبي، أبي، اسمك وارد في التشكيلة الوزارية الجديدة... سيعلنونها بعد الظهر. تأكّدت من الخبر. معالي الوزير... وزير الشؤون الاجتماعية".

معالي الوزير، معالي الوزير، مبروك، مبروك. زغاريد. طلق ناري في الهواء. أمسكت حقائبي في هدوء وانسحبت من الضوضاء. لم يلاحظوني بين زحام المهنّئين. كان السائق ينتظرني في الخارج. لم أنظر إلى الوراء. كانت الأصوات وحدها تكفي لتبرّر اختفائي هكذا من دون أن أحدث جلبة.